D1241144

OLYMPIO

OU

LA VIE DE

VICTOR HUGO

OEUVRES D'ANDRÉ MAUROIS

ROMANS

Les Silences du colonel Bramble (Grasset, 1918).

Ni Ange, ni Bête (Grasset, 1919).

Les Discours du docteur O'Grady (Grasset, 1922).

Les Nouveaux Discours du docteur O'Grady (Grasset, 1950).

Bernard Quesnay (Gallimard, 1926).

Climats (Grasset, 1928).

Le Cercle de Famille (Grasset, 1932).

L'Instinct du Bonheur (Grasset, 1934).

Terre promise (Flammarion, 1946).

CONTES ET NOUVELLES

Les Mondes imaginaires (Grasset, 1929).

Les Mondes impossibles (Gallimard, 1947).

Toujours l'inattendu arrive (Deux Rives, 1946).

Le Dîner sous les Marronniers (Deux Rives, 1951).

BIOGRAPHIES

Ariel ou la Vie de Shelley (Grasset, 1923).

La Vie de Disraeli (Gallimard, 1927).

Byron, 2 volumes (Grasset, 1930).

Lyautey (Plon, 1931).

Voltaire (Gallimard, 1932).

Chateaubriand (Grasset, 1938).

Mémoires (Flammarion, 1947).

Proust (Hachette, 1949).

Lélia ou la Vie de George Sand (1952).

HISTOIRE

Histoire d'Angleterre (Fayard, 1937).

Histoire des Etats-Unis (Albin Michel, 1947).

Histoire de la France (Dominique Wapler, 1947).

ESSAIS

Dialogues sur le Commandement (Grasset, 1924).

Mes songes que voici (Grasset, 1933).

Sentiments et Coutumes (Grasset, 1934).

Magiciens et Logiciens (Grasset, 1935).

Un Art de vivre (Plon, 1939).

Alain (Domat, 1950).

ANDRÉ MAUROIS

DE L'ACADÉMIE FRANÇAISE

OLYMPIO

OU
LA VIE DE
VICTOR HUGO

I

LE CERCLE DU LIVRE DE FRANCE

HACHETTE

NOTE LIMINAIRE

Pourquoi Hugo ? *Je n'ai pas ici à invoquer des intercesseurs. J'avais été amené à George Sand par Marcel Proust et par Alain ; je ne me souviens pas d'un temps où je n'aie pas admiré Victor Hugo. Je ne savais pas lire que déjà j'écoutais avec émotion ma mère nous réciter* Les Pauvres Gens *; à quinze ans,* Les Misérables *me bouleversaient ; toute ma vie, j'ai découvert de nouveaux aspects de son génie. Comme tant de lecteurs, je n'ai compris que lentement la beauté des grands poèmes philosophiques. J'ai appris enfin à aimer les derniers vers du vieil Orphée et à trouver, dans* Toute la Lyre, *dans* Les Années funestes, *dans* Dernière Gerbe, *des chefs-d'œuvre presque inconnus.*

Pourquoi Hugo ? Parce qu'il est le plus grand poète français et parce que la connaissance de sa vie est nécessaire pour comprendre ce génie tourmenté. Comment cet homme prudent, économe, fut en même temps généreux ; comment cet adolescent chaste, ce père de famille modèle devint un vieillard faunesque ; comment ce légitimiste se transforma en bonapartiste, puis en grand-père de la République ; comment ce pacifiste chanta, mieux que personne, les drapeaux de Wagram ; comment ce bourgeois, aux yeux des bourgeois, passa pour un rebelle, voilà ce que tout biographe de Victor Hugo doit expliquer. De nombreuses découvertes ont été faites sur lui, depuis quelques années ; beaucoup de lettres et carnets ont été publiés ; j'ai entrepris de faire la synthèse de ces documents épars et tenté d'en faire surgir un homme.

Bien que ce livre contienne de nombreux textes inédits (lettres de Victor Hugo à Mme Biard, à sa belle-fille Alice, à ses petits-enfants, au comte de Salvandy, au colonel Charras ; lettres d'Adèle Hugo à Théophile Gautier et d'Auguste Vacquerie à Adèle Hugo ; extraits des carnets de Sainte-Beuve ; lettres d'Émile Deschamps à Victor Hugo, de Léopoldine Hugo à son père, de James Pradier à Juliette Drouet, et cætera), ces révélations n'ont pas été mon objet principal. En fait, j'ai renoncé à introduire dans ce livre un grand nombre de lettres, en elles-mêmes intéressantes, parce qu'elles n'ajoutaient rien d'essentiel. Il faut se garder d'enterrer le héros sous les témoignages. Je n'ai pas voulu non plus alourdir le récit d'essais sur la poétique, sur la religion, sur les sources de Hugo, études que d'autres ont faites, et bien faites. Bref, j'ai écrit une vie, rien de plus, rien de moins, en m'efforçant de ne jamais oublier que, dans la vie d'un poète, l'œuvre tient autant de place que l'événement.

Je dois beaucoup aux recherches et commentaires des hommes qui, aujourd'hui, connaissent le mieux Victor Hugo : Raymond Escholier, Henri Guillemin, Denis Saurat. M. Jean Sergent, conservateur de la Maison de Victor Hugo, et son adjointe, Mlle Madeleine Dubois, m'ont guidé parmi leurs admirables collections ; les catalogues de leurs expositions m'ont apporté des renseignements neufs et utiles. Mes amis de la Bibliothèque nationale, MM. Julien Cain, Jean Porcher, Jacques Suffel, Marcel Thomas, Jean Prinet ont mis à ma disposition les manuscrits, carnets et papiers de Victor Hugo. M. Jean Pommier a bien voulu m'autoriser à publier des fragments de l'article posthume de Sainte-Beuve qui se trouve à la Collection Spœlberch de Lovenjoul ; M. Marcel Bouteron, à puiser dans le cinquième volume (encore inédit) des Lettres à l'Etrangère.

Des documents m'ont été généreusement communiqués par Mme André Gaveau (née Lefèvre-Vacquerie), par Mme Lucienne Delforge et par MM. Georges Blaizot, Alfred Dupont, Jean Montargis, Philippe Hériat, Francis Ambrière, Gabriel Faure. Pierre de Lacretelle, dont la mère fut l'amie d'Alice Lockroy, a bien voulu me raconter ce qu'il sait sur le milieu où Victor Hugo passa ses dernières années. Enfin, ma femme a réuni pour moi, avec son dévouement coutumier, de précieuses correspondances. Jamais, sans elle, ce travail, le plus vaste et le plus difficile que j'aie entrepris, n'eût été mené à bien. Quant à moi, j'ai fait de mon mieux pour ordonner, sans manquer à la piété ni à la vérité, ce que l'on sait, dans l'état présent des recherches, de cette grande vie.

A. M.

PREMIÈRE PARTIE

LES MAGIQUES FONTAINES

> O souvenirs ! trésor dans l'ombre accru !
> Sombre horizon des anciennes pensées !
> Chère lueur des choses éclipsées !
> Rayonnement du passé disparu !
>
> VICTOR HUGO [1].

I

D'UN SANG LORRAIN ET BRETON À LA FOIS...

VERS 1770 vivait à Nancy, un maître menuisier, Joseph Hugo, qui jouissait du privilège des bois flottés sur la Moselle et possédait, outre son fonds, quelques petits immeubles dans la ville. C'était un homme dur et de mauvais caractère. Fils d'un cultivateur de Baudricourt, « voisin des prairies lorraines où naquirent Jeanne d'Arc et Claude Gelée [2] », il avait, dans sa jeunesse, été cornette de chevau-légers, c'est-à-dire adjudant. Puis, après avoir abandonné la charrue pour le sabre, il avait quitté le sabre pour le rabot. Le nom de la famille, d'origine germanique, était commun en Lorraine. Au xvie siècle, un Georges Hugo avait été capitaine des gardes et anobli ; un Louis Hugo, abbé d'Estival puis évêque de Ptolémaïde. Existait-il un lien de parenté entre le

---

1. VICTOR HUGO : *Un Soir que je regardais le ciel (Les Contemplations,* liv. II, XXVIII, p. 116).
2. MAURICE BARRÈS : *Nos Maîtres.*

menuisier et l'évêque ? Nul ne le savait, mais les enfants du menuisier aimaient à le croire et racontaient que Françoise Hugo,
comtesse de Graffigny, écrivait à leur père : « Mon cousin. » Joseph Hugo eut d'une première épouse, Dieudonnée Béchet, sept
filles et, d'une seconde, Jeanne-Marguerite Michaud, cinq fils qui,
tous, s'engagèrent dans les armées de la Révolution. Deux de ces
garçons furent tués à Wissembourg ; les trois autres devinrent officiers. L'avancement devenait, depuis la chute de la monarchie,
la nouvelle forme des transferts de classe, et cette famille semblait,
par instinct, militaire.

Le troisième fils, Joseph-Léopold-Sigisbert Hugo, était né à
Nancy, le 15 novembre 1773. Des cheveux abondants, plantés trop
bas sur le front, des yeux à fleur de tête, un nez camus, des lèvres
fortes et sensuelles, un teint rubicond lui auraient fait un visage
vulgaire si un air de bonté, un éclair d'esprit dans les yeux et un
sourire très doux ne l'avaient rendu séduisant. Il avait commencé,
chez les chanoines réguliers de Nancy, des études tôt interrompues
puisqu'il s'était engagé à quinze ans. Il savait du latin, des mathématiques, et il écrivait assez bien, dans le style de son siècle, non
seulement des rapports militaires, mais des madrigaux, des chansons, des lettres à la Rousseau, et, plus tard, des romans bizarres,
noirs comme de l'encre et semés de catastrophes. Cet homme gai,
à la conversation agréable, était sujet à des humeurs sombres et se
croyait alors persécuté par des ennemis. En 1792, jeune capitaine
à l'Armée du Rhin, il avait connu le chef de bataillon Kléber, le
lieutenant Desaix et le général Alexandre de Beauharnais, premier
mari de Joséphine. Ses hommes l'aimaient et le trouvaient bon
enfant, capable de terribles colères, mais aussi d'attendrissements ;
au fond, malgré son corps vigoureux, un faible, sauf dans l'action,
où il brillait.

Brave soldat, plusieurs fois blessé, deux chevaux tués sous lui,
il fut envoyé en 1793 combattre l'insurrection vendéenne et nommé
adjudant-major de son meilleur ami, le commandant Muscar. Hugo avait alors vingt ans, Muscar trente-quatre. Ce soldat de métier,
d'origine basque, sortait du rang. En 1791, après dix-sept ans au
service du roi, il n'avait encore atteint que le grade de sergent-
major. La Révolution et la guerre lui avaient enfin donné sa
chance. Il possédait tout ce qu'il faut pour faire, en temps de
troubles, un tribun militaire : haute taille, voix de stentor, faconde,

rondeur et, naturellement, du courage. En six mois de campagne, il avait conquis trois grades. En 1793, le 8e bataillon du Bas-Rhin l'avait élu commandant.

Muscar et Hugo étaient faits pour s'entendre. Même foi dans les principes de 1789, même esprit jovial et libertin, même ardeur, même loyauté. Comme toutes les guerres civiles, celle que la Convention leur imposait de faire en Vendée était féroce. Les ordres ? Incendier les maisons isolées et surtout les châteaux, raser les fours et moulins, bref, transformer le pays en désert. Harcelés par un ennemi insaisissable, dans un bocage coupé de fossés et de haies, les républicains s'énervaient. Bleus et blancs fusillaient les prisonniers. Léopold Hugo, qui devait tout à la Révolution, en partageait les passions au point de signer ses lettres : *Le sans-culotte Brutus Hugo,* mais son cœur demeurait humain et les « brigands de Charette » surent vite que ce bleu n'était pas sans pitié. Peut-être sa réputation de mansuétude valut-elle à l'officier républicain d'être assez bien accueilli par une Bretonne, Sophie Trébuchet, dans le manoir-ferme de la Renaudière, au Petit-Auverné, quand il lui demanda d'y recevoir une heure ses hommes fourbus.

Cette jeune personne, bien faite, mignonne, aux grands yeux bruns, au visage énergique et presque hautain, le nez dans le prolongement du front, comme les statues grecques classiques, « montrait de la sève, un teint splendide, un air vigoureux et animé. Sa marche aisée, ses gestes harmonieux offraient quelque chose d'élégant et, en même temps, de rustique [1]... ». Elle était l'une des trois filles d'un capitaine de navire nantais qui avait fait la traite des Nègres et petite-fille, par sa mère, d'un procureur au présidial de Nantes, M. Lenormand du Buisson. Les Trébuchet et les Lenormand avaient été, sous la monarchie, royalistes, comme tout le monde. La tourmente les avait divisés. Sophie Trébuchet avait des parents blancs et des parents bleus ; son grand-père maternel, Lenormand du Buisson, homme de robe par état et processif par vocation, avait accepté d'être membre du Tribunal révolutionnaire de Nantes, ce qui ne lui valait pas le respect de sa petite-fille, écœurée par les excès de la Terreur.

Orpheline dès l'enfance, Sophie avait été élevée par une tante, maîtresse femme, royaliste et voltairienne, dont la jeune fille avait

---

1. Louis Guimbaud : *La Mère de Victor Hugo,* p. 6.

adopté les idées. Cette tante Robin, veuve d'un notaire, était âgée de soixante ans quand, en 1784, sa nièce lui fut confiée. En 1789, elle avait vu avec faveur la réunion des Etats généraux, mais, en 1793, tante et nièce, leur conscience blessée par les bourreaux de Nantes et par le supplice des personnes qu'elles respectaient le plus, décidèrent de se réfugier dans la petite ville de Châteaubriant, où elles avaient de la famille. Tout près de là, en plein pays de chouannerie, se trouvait le domaine de la Renaudière qui, depuis deux cents ans, appartenait aux Trébuchet.

Ferme et indépendante comme les filles qui ont grandi sans mère, têtue, mécréante et généreuse, Sophie Trébuchet galopait dans les chemins creux autour de Châteaubriant, protégée par une carte de civisme donnée, sans doute grâce au grand-père Lenormand, par Carrier, le terrible proconsul jacobin de Nantes, et se servait de ce talisman pour sauver des prêtres réfractaires ou faire évader des Chouans.

Car elle était devenue « chaude Vendéenne, en horreur du despotisme de la Convention ». À la vérité, les deux femmes, à Châteaubriant, n'avaient à choisir qu'entre deux terrorismes, celui des soldats jacobins et celui des « brigands » ou Chouans. Terreur rouge ou terreur blanche. Aussi Sophie préférait-elle, à la petite ville déchirée par les haines, sa simple maison de campagne. Elle aimait la vie en sabots et les travaux de jardinage. Au Petit-Auverné, les « rustauds » l'appelaient encore « notre demoiselle », comme aux vieux temps. Libre amazone, assez fière d'être alliée à la petite noblesse des environs, stoïcienne tout occupée de fleurs, de poésie et fiancée, dans ses rêves, à quelque vague figure héroïque, elle s'attachait chaque jour davantage à ce pays mystérieux.

La petite armée des bleus, affamée, harcelée, exaspérée par la haine ambiante, se vengeait en pillant et en tuant. Le brave Muscar, excellent homme, nullement sanguinaire, soupirait : « Il est affligeant de commander des troupes qui déshonorent leurs chefs. » Mais il ne maudissait pas moins « les furies, les scélérats, les mégères » qui entretenaient des intelligences avec les Chouans et faisaient massacrer les patriotes. Sophie Trébuchet appartenait à cette classe et elle en épousait d'autant plus les rancunes qu'à la Renaudière les bleus s'étaient livrés à « une orgie de sang et de luxure ».

Pourtant quand, un jour de l'été 1796, revenant à cheval vers

Châteaubriant, elle rencontra le joyeux capitaine Hugo qui battait les boqueteaux pour y découvrir des « brigands », elle se trouva plus d'une raison pour être aimable. Le jeune officier ne portait pas la responsabilité des massacres. Elle avait entendu parler de son influence sur Muscar et savait que cette influence était bonne. Mais surtout un paysan venait de dire à la demoiselle : « Voici les bleus. Nos prêtres sont tout près. Occupez les patauds. » Elle fut donc coquette avec succès, accepta aussitôt de recevoir Hugo et ses hommes, et ramena le détachement à la Renaudière.

Rafraîchissements, conversation. Le jeune capitaine ne déplut pas. Il avait quelque culture, citait Tite-Live et Tacite, récitait des poèmes de Voltaire et des élégies de Parny, composait lui-même des madrigaux et des acrostiches, « dans un style propre à toucher les belles ». En outre, il était d'une gaieté vulgaire mais plaisante, toujours prêt à chanter comme à se battre. Muscar lui avait composé cette épitaphe :

> *Hic jacet* le major de notre bataillon,
> Universel rieur, il mourut de trop rire ;
> Gai jusque sur le Styx, il fit rire Pluton.
> Oh ! pour le coup, les morts vont aimer leur empire [1].

Être en bons termes avec le major Hugo, puissant dans la région, servait le jeu de la demoiselle ; elle le revit. Elle observa curieusement ce capitaine de vingt-trois ans, aux lèvres sensuelles et aux yeux caressants. Bien qu'il traînât aux armées, avec lui, comme tous ses chefs, une fille facile, Louise Bouin, « au corsage mieux garni que l'esprit », qui se faisait nommer « femme Hugo », et qu'il se vantât, assez grossièrement, de ses conquêtes amoureuses, il fut attiré par cette jeune Bretonne, d'une intelligence et d'un courage virils. Elle jugea de bonne politique de le faire inviter, ainsi que Muscar, chez la tante Robin. La plupart des maisons se fermaient devant les officiers de la République. Ceux-ci furent touchés par un accueil meilleur. La jeune fille était intelligente ; sa fraîcheur la rendait presque jolie. Bientôt les deux officiers appelèrent la nièce « Sophie » et la tante Robin « ma tante ». De son côté, Sophie, âme espagnole, était intéressée par le jeune capitaine. Il avait sauvé des femmes, des otages, des enfants. Elle prit

---

1. Cf. Louis Guimbaud : *La Mère de Victor Hugo*, p. 51.

plaisir à se promener avec lui, dans les chemins creux du Bocage, et à lui démontrer bravement que la guerre faite aux Chouans n'était pas juste. Hugo défendait la République avec vigueur, mais il admirait l'esprit ferme de cette jeune femme qu'il désirait, et s'émerveillait de la respecter, comme elle-même de parler si librement avec un adversaire.

Cette dissonante idylle fut brève. Muscar s'étant querellé avec son général, le 8ᵉ bataillon du Bas-Rhin fut rappelé à Paris par le Directoire. Brutus Hugo éprouva quelque tristesse en quittant son amie bretonne. La tante Robin, elle aussi, regretta cette séparation. Elle était assez philosophe pour accepter les temps nouveaux et ne se fût pas opposée au mariage de sa nièce avec un officier républicain. Mais Sophie, sondée par elle, dit « que le mariage n'était point son affaire ». Elle alla vivre à la Renaudière et y cultiva son jardin. Cependant Hugo, à Paris, n'oubliait pas « sa petite Sophie de Châteaubriant » et continuait de lui écrire, bien qu'il gardât près de lui, pour les besoins du jour, sa Louise Bouin au corsage bien garni. *Hugo à Muscar :* « Je la presse souvent sur mon cœur et je sens, à travers deux jolies sphères, le mouvement qui anime le monde !... Tirons le rideau [1] !... »

Chose étrange, ce capitaine joyeux et paillard s'abandonnait, dès qu'on le contrariait, à un bizarre délire de persécution. Muscar ayant quitté le commandement du bataillon, Hugo fatigua l'état-major de ses griefs contre son nouveau chef, « un coquin qui n'a pas seulement mérité les fers, mais la mort », « une âme de boue », « un crocodile vomi par le Rhin ». On se débarrassa du mécontent en le nommant rapporteur près d'un conseil de guerre, ce qui lui valut d'être logé en place de Grève, à l'Hôtel de Ville. Dans ce bâtiment officiel, il ne pouvait installer une concubine. Louise Bouin disparut, avec la discrète et rapide indifférence qui était alors de coutume, et le capitaine eut loisir de rêver à Sophie Trébuchet. Elle répondait à ses lettres avec une « réserve extrême » et une « pudeur de sentiments » qui ne ressemblaient guère à « l'amusante faconde et au ton farceur » du capitaine. Mais peut-être cette réserve même le séduisait-elle. Toujours est-il qu'il offrit de l'épouser.

Elle était seule au monde, de dix-sept mois plus âgée que lui ;

---

1. Cf. Louis Guimbaud : *La Mère de Victor Hugo*, p. 68.

elle avait besoin d'un appui. Pourtant, elle ne parut guère tentée ; il fallut toute l'insistance d'amis nantais pour qu'elle se décidât. Elle vint à Paris, accompagnée par son frère ; Hugo « l'étourdit de ses transports » et, le 15 novembre 1797, ils furent mariés civilement à la mairie du IXᵉ arrondissement, quartier de la Fidélité. Le contrat montre que le capitaine, outre sa solde, possédait quelques biens et revenus, alors que la fiancée n'apportait rien, la Renaudière ne lui appartenant pas en propre. Pourtant, le soldat, généreux, accepta une communauté réduite aux acquêts et, bien que la vie sous le Directoire fût très chère, il ne se plaignit jamais : « L'argent, disait-il, n'est un nerf que pour la guerre. Pourvu que j'en aie assez pour vivre dans la paix, je suis sans dettes et sans soucis. »

Les époux passèrent deux ans à Paris, lui fort épris de sa fine Bretonne, elle un peu fatiguée par le verbiage bruyant et le goût pour la gaudriole de son mari, épuisée par les ardeurs amoureuses de cet homme à cou de taureau, mais secrète, tenace et dominatrice. Elle conserva un fort mauvais souvenir « des tristes jours passés dans l'antique Maison commune, dont les peintures avaient été lacérées et les murs souillés par la Révolution ». Le jeune ménage n'avait ni linge, ni vaisselle. Sophie regrettait la Renaudière, son jardin et l'air marin de sa Bretagne. Leur meilleur ami était le greffier du tribunal, Pierre Foucher, fils d'un cordonnier de Nantes, ami des Trébuchet, qui avait l'âge du major mais un tempérament bien différent, prudent, chaste et sédentaire. L'éducation qu'avait reçue Foucher d'un oncle chanoine était plus propre à faire un oratorien qu'un soldat. « Une seule chose divisait les deux amis : la politique. Le rapporteur était républicain et le greffier royaliste [1]... » L'un et l'autre sans violence. Quand le greffier, quelques semaines après le mariage de son ami, épousa Anne-Victoire Asseline, il demanda au major d'être son témoin. Au dîner de noces, Hugo emplit son verre et dit : « Ayez une fille ; j'aurai un garçon et nous les marierons ensemble. Je bois à la santé de leur ménage. »

En ce Paris du Directoire, aux robes lascives et aux propos hardis, le jeune ménage Hugo visitait des lieux de plaisir. Sophie portait ces vêtements aériens qui, disait son mari dans le langage

---

1. *Victor Hugo raconté par un témoin de sa vie*, p. 13.

abstraitement grivois du temps, « faisaient à l'œil curieux l'hommage des charmes les plus secrets ». Dans les jardins d'Idalie, au
coin de la rue de Chaillot et des Champs-Elysées, où l'on voyait
de hardis tableaux vivants et, par exemple, « la conjonction de
Mars et de Vénus sous la transparence des nuages », ils rencontrèrent un colonel Lahorie, adjudant-général, qui avait été l'ami
d'enfance de Sophie Trébuchet. Victor Fanneau Lahorie était
originaire de la Mayenne. Rallié à la Révolution, il gardait les
manières aristocratiques acquises à Louis-le-Grand, alors école des
jésuites. Il portait un frac bleu, bien coupé, des culottes bleues
sans galons, pour coiffure « un bicorne noir avec une minuscule
cocarde », des gants blancs. Bref, une distinction sobre et classique.
Sophie Hugo l'avait retrouvé avec un plaisir évident ; sans doute
goûtait-elle mieux encore sa noble gravité par contraste avec l'exu-
bérance du major. En un temps de mœurs relâchées, ce colonel
aux yeux de diamant vivait sans femme. Grand lecteur des poètes
latins et français, c'était un stoïque et un rêveur. « Il avait de
l'esprit, et du plus paré ; il savait le faire valoir. » Âme exigeante,
fière et digne d'être aimée. Le colonel s'attacha au ménage Hugo
qui, de son côté, cultiva cette amitié ; le mari, heureux de trouver
un protecteur, ami du général Moreau, chargé par le Directoire
de missions à l'armée d'Italie ; la femme contente d'un confident,
comme elle discret et secret.

En 1798, les Hugo eurent un fils : Abel, et, l'année suivante,
le commandant rejoignit les armées. Comme la 20e demi-brigade,
à laquelle il appartenait, avait été désignée pour faire partie de
l'Armée du Rhin, alors orgueilleusement nommée Armée du Da-
nube, il installa sa femme à Nancy. Adresse : « *Citoyenne Hugo la
jeune, chez sa mère, rue des Maréchaux, ville vieille, Nancy.* »
Triste rue, lugubre maison. La façade jaunâtre était aussi morne
que la cour intérieure était sombre. La Bretonne de plein air y
suffoqua. Elle n'aima ni sa belle-mère, ni surtout sa belle-sœur
Marguerite dite Goton, épouse Martin-Chopine, qui prétendait la
régenter. Sophie voulait allaiter son bébé, le baigner, le promener ;
la belle-famille était pour le biberon et pour le débarbouillage avec
un coin de serviette. Comme tant de héros écartelés entre leur
mère et leur femme, Léopold Hugo donnait raison à tout le monde.

Lahorie, le beau colonel rencontré dans les jardins d'Idalie,
vint à Nancy. Il n'avait pas oublié la grave Sophie, femme selon

son cœur, et prit l'habitude de venir bavarder avec elle. Jugements sévères sur la Terreur, espoirs de paix et de liberté vraies, éloges du général Moreau auquel Lahorie était attaché, souvenirs nostalgiques d'enfances normandes et bretonnes, les thèmes communs ne leur manquaient pas. Ces rencontres favorisèrent la naissance d'un secret amour, d'abord inconscient et innocent. En décembre 1799, Moreau fut nommé commandant en chef de l'Armée du Rhin. Lahorie devint son chef d'état-major et, conformément à la tradition immémoriale des armées, le major Hugo, dont la femme plaisait au jeune général, obtint tout ce qu'il voulut et fut détaché lui-même auprès de Moreau.

Il laissa d'abord son épouse à Nancy. De nouveau enceinte, vaguement amoureuse d'un autre homme, Sophie était plus que jamais effrayée par la sensualité vorace de son mari ; elle sollicitait des vacances conjugales et demandait, par des lettres que le commandant, épistolier à la Saint-Preux, jugeait glaciales, à faire ses couches en Bretagne. *Le Commandant à Madame Léopold Hugo :* « Je ne désapprouve pas ta joie de quitter Nancy, d'aller revoir une famille chérie, mais elle est exprimée d'une manière qui me serre le cœur [1]... » Elle voulait emmener le petit Abel à la Renaudière : « Je serais bien fâchée, écrivait-elle, de l'abandonner dans un pays auquel je dis adieu pour toujours... Rendue chez moi, je ne me déplacerai plus ; tu seras toujours le maître de m'y trouver ainsi que tes enfants, quand tu voudras venir avec nous [2]... »

Cette attitude hostile désespérait le jeune mari : « Sophie, est-ce bien toi qui as tracé ces sanglants caractères ?... » Il parla de se tuer ; c'était littérature : « J'allais... Je me suis arrêté, non par crainte... » Il ne lui permit pas de partir et lui écrivit d'Augsbourg qu'il allait venir la voir à Nancy : « L'idée que je me fais de te tenir sur un de mes genoux et Abel sur l'autre, le plaisir que j'éprouverai à baiser le flanc chéri qui porte déjà de nouvelles espérances [3]... » Ces images d'un bonheur domestique et charnel ne séduisaient nullement Sophie. En vain le major évoquait-il le bonheur de se retrouver étendu près d'elle et de la serrer dans ses bras. C'était tout ce qu'elle craignait. Pourtant, après la naissance,

---

1. Cf. LOUIS BARTHOU : *Le Général Hugo,* p. 19.
2. *Opus cit.,* p. 20-21.
3. Cf. LOUIS BARTHOU : *Le Général Hugo,* p. 24.

à Nancy, le 16 septembre 1800, d'un second garçon : Eugène, elle dut rejoindre son époux à Lunéville, dont il avait été nommé gouverneur. Elle y retrouva aussi Lahorie, fort bien en cour et chargé par Joseph Bonaparte des négociations de paix. Il s'en acquittait avec diplomatie. Sa distinction, son langage châtié tranchaient sur la vulgarité de l'entourage. « Il a, disait Ségur, les façons d'un royaliste. » Quant au gouverneur Hugo, il se commandait de beaux uniformes et se montrait fier des succès de sa femme dont Joseph Bonaparte lui-même louait l'intelligence. À son ancien camarade Muscar, qui gouvernait, lui, la place d'Ostende, Hugo écrivit une lettre enthousiaste sur « l'adorable Sophie » et « l'inestimable Lahorie ». Situation classique.

À l'état-major de l'Armée du Rhin, Hugo était devenu l'un des familiers du général Moreau. Fâcheuse rencontre, car Moreau jouait, en 1800, au rival de Bonaparte, et tout ce qui lui était dévoué éveillait les soupçons du nouveau maître. Malgré une recommandation chaleureuse de Joseph, Hugo quitta Lunéville sans avancement. Des amis, soucieux de son avenir, l'avaient fait nommer à la 20e demi-brigade comme chef de bataillon. « Cette destination, dit-il, m'ouvrit un nouveau cours de chagrins et de dégoûts [1]... » Car la 20e demi-brigade avait pour chef un officier supérieur avec lequel il était brouillé.

En 1801, à la faveur d'une promenade en montagne, pendant le voyage de Lunéville à Besançon, un troisième enfant Hugo fut conçu (lui dit un jour son père) sur le plus haut sommet des Vosges, le Donon, parmi les nuages, ce qui montre que les ardeurs du commandant demeuraient impérieuses et soudaines. Ce troisième fils naquit à Besançon, le 26 février 1802, dans une vieille maison du xviie siècle. Les parents avaient demandé au général Victor Lahorie d'être le parrain de l'enfant et à Marie Dessirier, femme de Jacques Delelée, chef de brigade commandant la place de Besançon, la marraine, d'où les prénoms de *Victor-Marie*. En fait, il n'y eut point de baptême et le parrainage ne fut qu'un témoignage d'état civil. Lahorie, déjà rentré à Paris, se fit représenter par le général Delelée.

L'enfant semblait si chétif que l'accoucheur ne croyait pas qu'il pût vivre ; il ne fut sauvé que par les soins de « sa mère

---

1. Cf. Louis Barthou : *Le Général Hugo,* p. 27.

obstinée ». *Hugo à Muscar* : « J'ai trois enfants, mon cher Muscar, ce sont des garçons. Mon état est l'état des garçons. Qu'ils marchent sur mes traces, je serai satisfait. Qu'ils fassent mieux que je n'ai pu faire, je bénirai le jour de leur naissance comme j'adore la mère qui me les a donnés... Mon frère [1] est arrivé ici ; c'est un beau garçon de cinq pieds six pouces, qui a fait toute la guerre comme grenadier, à l'Armée de Sambre-et-Meuse... Je l'ai fait faire sous-lieutenant... Il m'en reste un [2]... Je suis bien embarrassé de le placer et, cependant, c'est un joli sujet. Il a fait de bonnes études et est auteur d'une tragédie qui n'est pas sans mérite... Il est décidé à s'engager [3]... »

Tous soldats et poètes, de braves gens, ces Hugo. Mais le franc-parler ne réussissait pas à Léopold. À la 20e il avait, suivant sa fâcheuse coutume, engagé avec son chef une lutte inégale. Ce colonel Guestard tenait une comptabilité occulte. Hugo, pour l'avoir blâmé, fut accusé de fomenter une mutinerie d'officiers. Mauvaise affaire car, en haut lieu, un ami de Moreau ne pouvait compter sur aucun appui. Le colonel s'était plaint du caractère violent et querelleur de « ce gros commandant qui porte le frac bleu des Spartiates à l'Armée du Rhin ». *Hugo à Muscar* : « Il a osé dire que je n'avais pas fait la guerre !... Le brigand m'a jugé par lui-même [4]... » Le ministère nota Hugo comme un intrigant. Or le Premier Consul avait horreur des factieux. Six semaines après la naissance de son troisième fils, le « gros commandant » reçut l'ordre de se rendre à Marseille pour y prendre le commandement d'un bataillon qui allait partir pour Saint-Domingue.

Se croyant persécuté, dangereusement menacé, il commit la folie d'envoyer sa jeune femme à Paris, pour supplier Joseph Bonaparte, le général Clarke et Lahorie de l'arracher à ses ennemis par un changement d'affectation. Sophie, bien que triste de quitter ses trois garçons, accepta de partir ; elle avait toujours aimé les

---

1. *Louis*-Joseph Hugo, né à Nancy le 14 février 1777 ; mort à Chameyrat (Corrèze) le 18 décembre 1853.
2. *François*-Juste Hugo, né à Nancy le 3 août 1780, mort à Valence en 1831.
3. Cf. ALBERT DURUY : *Le Brigadier Muscar,* article publié dans la *Revue des Deux Mondes,* numéro du 15 novembre 1885, p. 402.
4. ALBERT DURUY : *Le Brigadier Muscar,* article publié dans la *Revue des Deux Mondes,* numéro du 15 novembre 1885, p. 403.

missions difficiles. Mais la démarche auprès de Lahorie semblait imprudente et les suites en étaient faciles à prévoir.

Le général portait maintenant ses favoris en nageoires et coiffait ses cheveux à la Titus. Le tableau qu'il fit à son amie de la situation ne fut guère encourageant. Lahorie avait longtemps servi d'intermédiaire entre son patron, Moreau, un velléitaire, et le Premier Consul, qui se méfiait de l'ancien commandant de l'Armée du Rhin, mais le ménageait encore. Bonaparte aurait pu s'attacher Lahorie en lui donnant une ambassade. Il ne l'avait pas fait. L'autre s'était braqué et rejeté à Moreau, dont pourtant il savait la faiblesse. Le Consul refusait de nommer Lahorie divisionnaire. C'était la retraite, à trente-sept ans, et sans doute la disgrâce. Le général souffrait ; son teint jaunissait ; ses yeux de diamant s'enfonçaient. Sophie, combative par nature, le pressa d'engager la lutte contre le Premier Consul. Des émissaires de Cadoudal et du comte d'Artois courtisaient Moreau. La Vendéenne prôna cette alliance, au moins pour abattre Bonaparte. C'était un conseil imprudent, mais elle avait l'esprit agressif et le cœur ardent.

Cependant, à Marseille, le petit Victor, prématurément sevré, avait été confié à Claudine, femme de l'ordonnance. Le commandant Hugo, promu père nourricier, veillait sur ses trois fils, les élevait de son mieux et protestait de son amour conjugal : « Je leur ai fait baiser ta lettre et leur ai donné des bonbons au nom de leur maman adorée... Ne crains rien de ma jeunesse ni des séductions qui règnent dans cette ville... Tu me reverras digne de tes chastes baisers [1]... » Éternel mari, il essayait de se rassurer sur l'insolite longueur de cette absence : « Aucune femme, et je serais bien malheureux si je me trompais, n'aime mieux son époux [2]... » La formule même prouve qu'il avait là-dessus quelques doutes. Le 1er janvier 1803, il donna des nouvelles des garçons à leur mère : « Aujourd'hui, Abel est entré et m'a fait un compliment que le gros Eugène a répété derrière lui ; ils étaient plaisants... Si tu prévois que tes efforts seront nuls, abrège mon veuvage, reviens me consoler ; s'il faut être malheureux, je le serai moins quand je régnerai sur toi [3]... »

1. Cf. Louis Barthou : *Le Général Hugo*, pp. 29-30.
2. *Opus cit.*, p. 31.
3. *Opus cit.*, p. 32.

En juin 1803, Victor, qui avait seize mois, réclamait, au dire du commandant, sa « mamaman ». À la vérité, il ne la connaissait guère. Mme Hugo était alors au château de Saint-Just, près de Vernon, avec Lahorie en disgrâce. Le « club Moreau » continuait imprudemment à flétrir Bonaparte ; celui-ci foudroyait les audacieux. Malgré les démarches de Sophie auprès de Joseph Bonaparte, le commandant Hugo fut envoyé en Corse. Avec les trois petits, il s'embarqua pour Bastia, ville antique aux sévères et hautes maisons. « Reviens, ma chère Sophie, dans les bras de ton fidèle Hugo... Sois tranquille sur ma fidélité. Outre qu'il y a ici de grands risques à courtiser les femmes, puisque, outre les dangers des maladies, nous avons les coups de stylet à craindre, j'ai ton souvenir trop présent et ton image trop chère pour te donner des chagrins dont la représaille me ferait mourir de douleur [1]... » La représaille avait précédé l'offense ; Mme Hugo répondait à peine et le père abandonné devait s'occuper de marmots qui faisaient leurs dents. « On dirait, dit Sainte-Beuve, quelque guerrier gigantesque qui a recueilli dans son casque trois bambins aux chairs rebondies, aux bonnes figures d'angelots, et qui les porte légèrement, tout du long de l'étape, avec des précautions de maman [2]. »

Abel allait à l'école ; Eugène, gros garçon aux joues roses, aux boucles blondes, était le favori des dames ; Victor restait frêle et triste. Il avait une tête énorme, trop grande pour son corps, qui en faisait comme un nain difforme. « On le trouvait dans des coins, pleurant silencieusement sans qu'on sût pourquoi [3]... » Son père le confiait à une promeneuse ; dès les premiers jours, Victor ne put la souffrir. Il lui en voulait de ne pas parler le français ; il l'appelait *cattiva,* méchante. On imagine ce qui se passait dans le cœur de cet enfant sans mère, débile cadet de deux frères vigoureux. Ainsi se formait un fond de caractère sombre qui, toute sa vie, percera, par moments, sous sa prodigieuse vitalité.

En 1803, le bataillon partit pour l'île d'Elbe et ce fut là qu'à Porto-Ferrajo Mme Hugo vint enfin retrouver sa famille. Son mari l'avait appelée avec insistance : « Tout le monde s'étonne que tu ne viennes point et que j'aie avec moi les enfants. Cela fait

1. Cf. Louis Barthou : *Le Général Hugo,* p. 35.
2. Sainte-Beuve, cité par Louis Guimbaud dans *La Mère de Victor Hugo,* pp. 133-134.
3. *Victor Hugo raconté par un témoin de sa vie,* t. I, p. 31.

jaser... » Elle savait, en venant, fort bien ce qu'elle voulait. Ramener à Paris ses trois fils, qu'elle adorait, et y retrouver Lahorie. Elle escomptait le consentement du commandant qui, tel qu'elle le connaissait, devait bien entretenir quelque intrigue amoureuse et souhaiter sa liberté. En effet, dès l'arrivée de Mme Hugo, de bonnes âmes lui apprirent que le commandant avait une liaison dans l'île, avec une fille Catherine Thomas, dont le père, économe à l'hôpital, venait d'être chassé pour malversations. Bien qu'elle eût elle-même des torts, Sophie se montra fort irritée, rebuta l'amoureux commandant et repartit en novembre 1803. Son séjour à Porto-Ferrajo avait duré moins de quatre mois.

Elle prétendit ensuite que son mari ne l'avait guère encouragée à rester et qu'il souhaitait la liberté de vivre avec sa maîtresse. Que le commandant Hugo eût la chair faible, cela est certain. Toutefois, il aurait préféré la mère de ses enfants si elle avait rendu tolérable la vie commune. Mais, entre sa femme et lui, le conflit était de tempéraments. *Le Commandant à Madame Hugo, 8 mars 1804* : « Adieu, Sophie. Rappelle-toi que j'ai un ver rongeur qui me mine : le désir de te posséder ; que je suis dans l'âge où les passions ont le plus de vivacité et que ce n'est pas sans murmurer contre toi que je sens les besoins de te serrer contre mon cœur [1]... » Si elle était revenue plus tôt, affirmait-il, jamais il n'eût été infidèle : « Oui, je veux être à toi seule, mais, pour être à toi seule, il faut que jamais je n'éprouve ni froideurs, ni rebuts. Autrement, il vaut mieux vivre séparés [2]... » Ce n'était pas une rupture totale. Il aimait ses fils ; il reconnaissait ses erreurs ; il en rejetait la responsabilité sur sa femme :

> On peut bien, à mon âge et avec un tempérament malheureusement trop ardent, avoir pu s'oublier quelquefois, mais la faute n'en fut jamais qu'à toi... Je suis trop jeune pour vivre seul, trop bien portant pour ne pas être porté aux femmes ; j'aime, je dirai plus : *j'adorerai* encore la mienne, si la mienne veut se convaincre que j'ai besoin de son amour et de ses complaisances. Mais je ne puis être sage qu'avec ma femme ; ainsi, ma chère Sophie, je crois qu'il vaudrait mieux que je te fisse un enfant de plus que de te

---

1. Louis Barthou : *Le Général Hugo,* p. 43.
2. *Opus cit.,* p. 47.

délaisser pour une autre, que de les voir grandir loin de l'œil
d'un bon père. Je me crois assez de qualités de cœur pour
faire le bonheur de celle qui voudra me juger sans préven-
tions ; sous les rapports physiques, je ne dirai la chose qu'à
toi, je n'ai jamais été mieux qu'à présent ; sous les rapports
de l'instruction, j'ai beaucoup acquis depuis ton absence[1]...

Franchise désarmante et qui aurait pu toucher, mais Sophie
aimait ailleurs. Au cours du long et pénible voyage de retour, elle
s'était réjouie de présenter à Lahorie ses trois garçons, le vigoureux
Abel, Eugène aux boucles blondes et le petit Victor, tendre et
sensible. Quand la voiture s'arrêta, rue Notre-Dame-des-Victoires,
à l'hôtel des Messageries, elle fut surprise de n'y pas voir Lahorie,
qu'elle avait averti de son retour. Elle courut à l'appartement du
général. Sur la porte, deux affiches étaient collées. Elles annonçaient que des brigands royalistes avaient tenté d'assassiner le
Premier Consul ; elles incitaient le peuple de Paris à dénoncer leurs
complices et à aider à leur arrestation. Suivait la liste des suspects.
Parmi eux, elle lut : *Victor-Claude-Alexandre Fanneau Lahorie.*

Elle en fut bouleversée, non surprise. Que Moreau eût conspiré
contre Bonaparte ; qu'il eût traité le Concordat de « capucinade »
et refusé la Légion d'honneur ; qu'il se fût entouré d'étrangers,
d'émigrés et d'idéologues ; que sa belle-mère et sa femme aient
ouvertement conspiré, tout cela, Sophie l'avait su avant son départ.
Que Lahorie eût contribué à exciter Moreau contre le Premier
Consul et que ce républicain (sous l'influence de Sophie) eût conseillé une alliance temporaire avec les royalistes, elle le savait
aussi, mieux que personne. Moreau, qui avait été un authentique
jacobin et en conservait le fumet, s'était longtemps tenu sur la
réserve. Châtelain de Grosbois, devenu gras, resté libidineux, il
était homme à conduire ses troupes au bord du Rubicon, puis à
y organiser un festin.

Dans son entourage, le seul homme énergique était Lahorie.
Aussi la police du Consulat attacha-t-elle tout de suite une particulière importance à l'arrestation de celui-ci. Son signalement était
communiqué aux préfets : « Cinq pieds, deux pouces ; cheveux
noirs à la Titus ; sourcils noirs ; yeux noirs, assez grands ouverts

---

1. LOUIS BARTHOU : *Le Général Hugo*, p. 53.

quoique enfoncés ; le tour des yeux jaune ; le teint marqué de petite vérole, le rire sardonique... » Ses jambes, arquées par l'exercice du cheval, étaient un autre trait caractéristique. La police le chercha partout, en Mayenne, puis au château de Saint-Just, et enfin chez un ami, rue de Clichy, n° 19. On ne le trouva nulle part. En fait, il était en face, 24, rue de Clichy, chez Mme Hugo, qui, quelques jours plus tôt, s'était installée là avec ses fils. Il n'y resta d'ailleurs que quatre jours et, ne voulant pas mettre son amie en danger, reprit sa vie errante de proscrit. Napoléon Bonaparte, clément par nature et principe, aurait souhaité que le jeune général passât aux États-Unis et se fît oublier, mais Lahorie restait en France et on le voyait, de temps à autre, apparaître sous quelque déguisement rue de Clichy, où il était toujours reçu avec tendresse.

J'AI DES RÊVES DE GUERRE...

C'ÉTAIT à la maison de la rue de Clichy que remontaient les plus lointains souvenirs de Victor Hugo. Il se rappelait qu'« il y avait dans cette maison une cour, dans la cour un puits, près du puits une auge et, au-dessus de l'auge, un saule ; que sa mère l'envoyait à l'école rue du Mont-Blanc ; que, comme il était tout petit, on avait plus de soin de lui que des autres enfants ; qu'on le menait, le matin, dans la chambre de Mlle Rose, la fille du maître d'école ; que Mlle Rose, encore au lit, l'asseyait sur le lit près d'elle et que, quand elle se levait, il la regardait mettre ses bas [1]... ». Les premiers mouvements de la sensualité laissent des traces profondes et l'homme cherche, toute sa vie, à en retrouver les émotions. Toujours celui-ci allait être obsédé par les « idylles déchaussées », les jambes de femmes, leurs bas blancs ou noirs et leurs pieds nus.

Cependant Léopold Hugo avait passé en Italie. Le doux Joseph Bonaparte, homme de lettres changé par un illustre frère en homme de guerre malgré lui, avait reçu l'ordre de conquérir le royaume de Naples. Le commandant Hugo était, on le sait, connu de ce prince, ayant servi sous ses ordres à Lunéville, et Joseph lui voulait du bien. Mais les bureaux de Paris s'opposèrent longtemps à tout avancement pour un officier compromis avec Moreau et Lahorie. Sophie ne s'occupait plus de ce mari lointain, presque aboli, que pour lui demander de l'argent. Il envoyait la moitié de sa solde, non sans grogner, et, quand ses subsides devenaient irréguliers, Lahorie, qui possédait encore de secrètes réserves, pourvoyait aux besoins de la famille.

---

1. *Victor Hugo raconté par un témoin de sa vie,* t. I, pp. 31-32.

Enfin Hugo eut l'occasion de se distinguer. L'occupation de Naples avait soulevé, dans les Calabres, des bandes de braves, mi-patriotes et mi-brigands. Le plus hardi de leurs chefs, Michel Pezza, dit *Fra Diavolo,* résistant plutôt que bandit, puisqu'il était en lutte avec l'occupant, fut capturé par le major après une battue sanglante. D'où, pour Léopold Hugo, « une réputation gigantes-que » qui lui valut d'être nommé par Joseph gouverneur de la province d'Avellino et promu colonel du Royal-Corse.

Or, vers ce temps-là (1807), la situation de Lahorie s'était empirée. Ses réserves d'argent s'épuisaient ; la situation d'homme traqué imprimait à son visage un air contraint. Il remuait sans cesse les mâchoires, à vide, « comme un malade atteint du tétanos ». Fiévreux, inquiet, il regrettait le temps où les soldats de la Liberté entraient gaiement dans les villes de Bavière et du Tyrol, et il maudissait « le tyran », qui n'était plus Louis XVI, mais l'Empe-reur. Quand Sophie Hugo vit que son ami, guetté par Fouché, ne pouvait plus venir à Paris et que l'argent allait manquer pour ses fils, elle offrit enfin d'obéir à son mari et de le rejoindre. Seule-ment, il ne le souhaitait plus : « Je ne songe aucunement à te faire venir... Tu m'as fait perdre le désir de ta réunion à moi avant que je n'aie un emploi stable [1]... » Nécessité fait loi. Sophie ne tint aucun compte des protestations de son époux et, en octobre 1807, partit pour l'Italie sans l'avoir averti.

Le petit Victor n'avait que cinq ans, mais c'était un enfant sensible et attentif. Il n'oublia de sa vie cette traversée de la France en diligence ; le mont Cenis et les glaçons qui craquaient sous le traîneau ; un aigle abattu, puis mangé dans la montagne ; et sur-tout des tronçons humains encore rouges de sang, pendus aux branches des arbres, qu'il regardait avec ses frères à travers les vitres sur lesquelles ils avaient collé, pour se désennuyer, de petites croix de paille. L'horreur de la peine de mort, l'obsession des sup-plices et du gibet, l'antithèse de la potence et de la Croix, idées qui le hanteront jusqu'à la mort, eurent leurs premières racines dans ces fortes impressions d'enfance. Mme Hugo, qui aimait les jardins bretons plus que les vives couleurs du Midi, ne s'occupait que des gîtes, mais les enfants furent charmés par Naples, « rayon-nante au soleil dans sa robe blanche frangée de bleu [2]... ». Et quel

---

1. Cf. Louis Guimbaud : *La Mère de Victor Hugo,* p. 175.
2. *Victor Hugo raconté par un témoin de sa vie,* t. I, p. 50.

orgueil que de trouver, au terme du voyage, pour les recevoir, le colonel en grand uniforme ; d'être les fils du gouverneur, d'appartenir au camp vainqueur :

> Chez dix peuples vaincus je passai sans défense
> Et leur respect craintif étonnait mon enfance ;
> Dans l'âge où l'on est plaint, je semblais protéger.
> Quand je balbutiais le nom chéri de France,
>   Je faisais pâlir l'étranger [1]...

À la vérité, le colonel, qui vivait dans son gouvernement avec la fille Thomas, avait été stupéfait par l'arrivée de sa femme. Mais il était brave homme ; il aimait ses fils ; il logea sa famille à Naples et lui ouvrit même, pour quelques jours, après avoir évacué Catherine Thomas, sa maison d'Avellino.

Tout enfant vit un conte de fées, mais la féerie des premières années de Victor Hugo apparaît singulièrement brillante. Les trois frères habitent, en Italie, un palais de marbre tout crevassé, près duquel est un ravin profond, ombragé de noisetiers. Plus d'école, liberté entière ; un air de vacances dont Victor, toute sa vie, aimera la saveur ; un père tout-puissant que l'on voit à peine ; qui, de temps à autre, apparaît et se met à cheval sur son grand sabre pour amuser ses fils, mais que toujours des cavaliers au casque poli attendent avec respect dans la cour ; un père qu'aime le roi de Naples, lequel est le frère de l'Empereur ; un père qui avait fait inscrire, sur les contrôles du Royal-Corse, le petit Victor, qui, de ce jour, se tint pour un soldat. Admiratifs, les enfants plongeaient leurs petites mains dans les épaulettes dorées. Le colonel, dans ses lettres, parlait d'eux avec affection : « Victor, le plus jeune, montre une grande aptitude à étudier. Il est aussi posé que son frère aîné, et très réfléchi. Il parle peu et jamais qu'à propos. Ses réflexions m'ont plusieurs fois frappé. Il a une figure très douce. Tous trois sont bons enfants. Ils s'aiment beaucoup entre eux ; les deux aînés aiment extrêmement leur petit frère. Je suis triste de ne plus les avoir. Mais les moyens d'éducation manquent ici, et il faut qu'ils aillent à Paris [2]. »

Ce n'était pas la vraie raison. Entre le colonel et sa femme,

---

1. VICTOR HUGO : *Mon Enfance* (*Odes et Ballades*, p. 254).
2. *Victor Hugo raconté par un témoin de sa vie*, t. I, p. 53.

aucune réconciliation n'était intervenue. La fille Thomas et Victor Lahorie restaient trop visibles à l'horizon. La maîtresse exigeait le départ de l'épouse ; l'épouse refusait d'être traitée en maîtresse. Les enfants devinaient des luttes mystérieuses, dont ils comprenaient mal les causes. Ils étaient à la fois fiers de leur père et conscients de quelque offense que celui-ci faisait à leur mère adorée. Ce fut avec tristesse qu'ils quittèrent les beaux palais de marbre. Ils avaient retrouvé, en Italie, les deux enfants de Pierre Foucher, l'ami de leur père. Le greffier s'était fait donner une commission temporaire d'inspecteur des vivres pour l'Italie. La diminution des procès avait réduit, à Paris, les produits du greffe et il rêvait fournitures militaires, métier où se faisaient alors des fortunes. Victor Foucher avait cinq ans ; Adèle, quatre. C'était une petite fille distraite et rêveuse, « déjà dorée au front et l'épaule brunie [1] ». Les trois garçons Hugo l'adoptèrent. On jouait à la boule avec des oranges. Mais Mme Foucher, insensible aux vives grâces de Naples, regrettait la rue du Cherche-Midi et les ombrages de l'hôtel de Toulouse. Les Foucher quittèrent l'Italie à peu près en même temps que Mme Hugo et ses fils.

De toute manière, ceux-ci n'eussent pu rester longtemps à Naples, car, bientôt après le départ de sa famille, le colonel Hugo fut appelé à Madrid par Joseph Bonaparte, promu « roi d'Espagne et des Indes ». L'Empereur faisait des mutations de souverains, comme d'autres de colonels. Léopold Hugo avait renoncé à reconquérir sa femme, non à protéger ses enfants : « Tu es forte de ta conscience ; la mienne ne me reproche rien et, pour donner plus raison à l'un qu'à l'autre, il faudrait jeter tous les torts d'un côté. Laissons au temps à apaiser le souvenir d'aussi fatales circonstances. Élève tes enfants dans le respect qu'ils nous doivent, avec l'éducation qui leur convient ; mets-les à même de rendre un jour des services. Rattachons-nous à eux puisque nous nous sommes prouvé les difficultés de nous rattacher l'un à l'autre [2]... » Il y a de la dignité dans cette lettre, et quelque bonté. Cet homme au grand sabre était un tendre.

Paris, février 1809. Mme Hugo, qui peut maintenant compter sur trois mille, et bientôt quatre mille francs de pension, trouve au

---

1. SAINTE-BEUVE : *L'Enfance d'Adèle* (*Livre d'Amour,* IV, p. 13).
2. Cf. LOUIS BARTHOU : *Le Général Hugo,* pp. 74-75.

numéro 12 de l'impasse des Feuillantines un vaste appartement, au rez-de-chaussée de l'ancien couvent fondé par Anne d'Autriche. Le salon, presque seigneurial, « plein de lumière et de chants d'oiseaux », avait grand air. Par-dessus les murs, on voyait le Val-de-Grâce, dôme gracieux, « tiare qui s'achevait en escarboucle ». Le jardin était immense, « un parc, un bois, une campagne... une allée de marronniers pour y mettre une balançoire, un puisard à sec pour y jouer à la guerre... des fleurs autant qu'on en pouvait rêver... une forêt vierge d'enfant [1]... ». Ils faisaient à chaque instant des découvertes : « Sais-tu ce que j'ai trouvé ? — Tu n'as rien vu. — Par ici, par ici ! » La joie recommença quand Abel, le dimanche suivant, sortit du lycée et que ses frères lui présentèrent ce paradis. « Je me revois enfant, écolier rieur et frais, jouant, courant, riant avec mes frères dans la grande allée verte de ce jardin où ont coulé mes premières années, ancien enclos de religieuses que domine, de sa tête de plomb, le sombre dôme du Val-de-Grâce [2]... »

J'eus, dans ma blonde enfance, hélas ! trop éphémère,
Trois maîtres : un jardin, un vieux prêtre et ma mère.
Le jardin était grand, profond, mystérieux,
Fermé par de hauts murs aux regards curieux,
Semé de fleurs s'ouvrant ainsi que des paupières,
Et d'insectes vermeils qui couraient sur les pierres,
Plein de bourdonnements et de confuses voix ;
Au milieu, presque un champ ; dans le fond, presque un bois.
Le prêtre, tout nourri de Tacite et d'Homère,
Était un doux vieillard. Ma mère — était ma mère [3] !...

En fait, le « vieux prêtre », le père Larivière (plus exactement *de la Rivière*) était un oratorien défroqué qui, au temps de la Révolution, s'était marié avec sa servante, aimant mieux « donner sa main que sa tête ». Il tenait avec sa femme une petite école rue Saint-Jacques. Quand il voulut apprendre à lire à Victor, on s'aperçut que celui-ci s'était appris tout seul. Mais le père Larivière, « tout nourri de Tacite et d'Homère », était capable d'ensei-

---

1. *Victor Hugo raconté par un témoin de sa vie*, t. I, pp. 55-56.
2. VICTOR HUGO : *Le Dernier Jour d'un Condamné*, p. 681.
3. VICTOR HUGO : *Ce qui se passait aux Feuillantines* (*Les Rayons et les Ombres*, p. 590).

gner le latin et le grec. Avec lui, l'enfant traduisit l'*Epitome*, le
De Viris, Quinte-Curce, Virgile. Les formes serrées du latin s'im-
posaient à lui. Il aimait par instinct cette langue compacte et
forte.

Toutefois le véritable maître était le jardin. Ce fut là que Victor Hugo apprit à connaître la nature, belle et terrifiante ; là qu'il
aima les boutons d'or, les pâquerettes, les pervenches ; là aussi
qu'il vit les rongeurs dévorer les oiseaux, les oiseaux les insectes, et
les insectes se dévorer entre eux. Lui-même s'amusait, cruellement,
« *à prendre des bourdons dans les roses trémières, — En fermant
brusquement la fleur avec les doigts* [1]... ». L'universelle boucherie
laissait songeur cet enfant précoce. Les trois frères avaient des
esprits curieux et tourmentés, accessibles à l'enthousiasme et à
l'effroi. « Ce qu'ils trouvaient encore de plus beau dans le jardin,
c'était ce qui n'y était pas [2]... » Ils tenaient de leur père une imagination parfois délirante. Dans le puisard desséché, ils guettaient
« le Sourd », monstre inventé par eux, noir, velu, visqueux, couvert
de pustules. Ils n'avaient jamais vu le Sourd ; ils savaient qu'ils ne
le verraient jamais ; mais ils aimaient à se faire peur. Victor disait
à Eugène : « Allons au Sourd. »

L'épouvante et le mystère l'attiraient. Les mots *Forêt Noire*
éveillaient en lui « une de ces idées complètes comme l'enfance les
aime... Je me figurais une forêt prodigieuse, impénétrable, effrayante, une futaie pleine de ténèbres, avec des profondeurs brumeu-
ses [3]... ». Au-dessus de son lit était une gravure en noir et blanc,
qui représentait une vieille tour en ruine au bord d'un fleuve,
repaire d'épouvante. Cette image, imprimée dans le cerveau de
l'enfant, contribua sans doute à lui inspirer le goût des effets
violents de clair-obscur. La tour était la *Mäusethurm ;* le fleuve, le
Rhin.

Aux Feuillantines, « on voyait sur les murs, parmi les espaliers
vermoulus et décloués, des vestiges de reposoirs, des niches de madones, des restes de croix et, çà et là, cette inscription : *Propriété
nationale* [4]... ». Au fond du jardin, il y avait une vieille chapelle
en ruine, envahie par les fleurs et les oiseaux. Quelque temps, Mme

---

1. VICTOR HUGO : *Toute la Lyre*, t. II, V, p. 5.
2. *Victor Hugo raconté par un témoin de sa vie*, t. I, p. 58.
3. VICTOR HUGO : *La Forêt Noire* (*En Voyage*, t. II, p. 469).
4. VICTOR HUGO : *Le Droit et la Loi* (*Actes et Paroles*, t. I, p. 14).

Hugo défendit à ses fils de s'en approcher, Elle y cachait Lahorie, recherché par la police impériale pour avoir été mêlé à la conspiration de Moreau. L'abriter était risquer sa tête. La courageuse Bretonne, élevée dans les complots, se moquait bien du danger. Du jour où les enfants l'eurent découvert, « M. de Courlandais » (son nom d'emprunt) vint manger à la table de famille. Les garçons l'avaient entrevu jadis, rue de Clichy, mais il avait beaucoup changé. Ils virent un homme de taille moyenne, aux yeux brillants, au visage ravagé, marqué de la petite vérole, cheveux et favoris noirs, respectable et aussitôt respecté. Il avait dans la chapelle, derrière l'autel, un lit de camp, ses pistolets dans un coin et un Tacite qu'il faisait traduire par son filleul. Un jour, il prit Victor sur ses genoux, ouvrit cet in-octavo relié en parchemin et lut : « *Urbem Romam a principio reges habuere.* » Il s'interrompit : « Si Rome avait gardé ses rois, dit-il, elle n'eût pas été Rome. » Et, le regardant tendrement : « Enfant, avant tout, la liberté. » Depuis qu'il avait porté le poids de la tyrannie, la religion de la liberté était devenue pour lui une mystique. Les garçons s'attachèrent à cet homme que leur mère exaltait. Ils comprenaient vaguement que l'Empereur le persécutait et se sentaient du côté des proscrits, contre les puissants.

Le dimanche, outre Abel, venaient aux Feuillantines deux autres compagnons de jeux : Victor et Adèle Foucher. Les garçons en étaient encore à l'âge où l'on traite les filles avec dédain. Victor Hugo, qui avait installé une balançoire sous les marronniers, daignait la prêter à la petite Adèle qui, fière mais tremblante, recommandait de la lancer moins haut que la dernière fois. Ou bien on mettait Adèle dans une vieille brouette boiteuse, on lui bandait les yeux, les garçons la voituraient dans les allées et elle devait dire où elle était. Si elle trichait, on serrait le mouchoir « à lui noircir la peau » et des voix sévères lui demandaient : « Où es-tu ? » Puis, lorsque ces messieurs en avaient assez de jouer avec une petite fille, ils déracinaient des échalas, en faisaient des lances et se battaient. Victor, qui était le plus petit, se piquait de surpasser les autres.

Pendant dix-huit mois, Lahorie vécut aux Feuillantines, invisible et ignoré. Son visage redevenait tranquille. Il attendait le temps de la clémence et de la liberté. Il pensait que l'Empereur, à la veille d'épouser une archiduchesse, allait bientôt se sentir assez

fort pour oublier les griefs du Premier Consul. Aussi ne fut-il pas
surpris quand, un jour, un émissaire de Mme Lahorie, sa mère,
vint lui rapporter que M. Defermon, président du corps électoral
de la Mayenne, ayant parlé de lui à l'Empereur, celui-ci avait
répondu : « Mais où est Lahorie et que ne se présente-t-il ? » Le
général était las de sa réclusion. Il imagina mille folies : que l'Empereur avait gardé le souvenir de ses services, que les hommes de
talent commençaient à manquer, que sans doute on pensait à
l'employer. En juin 1810, Savary remplaça Fouché au ministère
de la Police. C'était un ancien camarade de Lahorie ; ils se tu-
toyaient. Pourquoi le proscrit n'irait-il pas, en toute confiance,
voir le ministre ? Sophie Hugo, à laquelle il s'en ouvrit, déconseilla
énergiquement cette démarche. Comment se fier à ces gens-là ?
Mais, le 29 décembre 1810, Lahorie, sans la prévenir, alla chez
Savary.

Il revint aux Feuillantines triomphant. Le ministre lui avait
donné une vigoureuse poignée de main et lui avait dit : « À bientôt ! » Mme Hugo trembla. Le lendemain matin, comme la famille
se réunissait autour du petit déjeuner, M. de Courlandais en robe
de chambre, Mme Hugo en cotte ouatée et bonnet du matin, coup
de sonnette. La servante Claudine vint annoncer que deux hommes demandaient M. de Courlandais. Il sortit. La neige tombait. On entendit le roulement d'une voiture. Claudine rentra en
s'écriant : « Ah ! madame, ils l'ont emmené ! » Il fut enfermé au
donjon de Vincennes. Un petit garçon au grand front avait observé cette scène dramatique et enregistré l'émotion. Savait-il ce
qu'était Lahorie pour sa mère ? Les enfants ne savent pas les
choses ; ils les sentent, confusément. Lorsque ceux-ci comprirent,
leur amour pour leur mère était tel qu'ils s'efforcèrent de faire à
tout jamais le silence sur cet aspect de sa vie.

À Vincennes, Lahorie fut mis au secret et Sophie Hugo ne
put communiquer avec lui. Quand les visites, enfin, furent auto-
risées en juin 1811, elle était en Espagne. Voici pourquoi.

Léopold-Sigisbert Hugo était devenu général dans l'armée du
roi Joseph, grand dignitaire de la cour et comte de Siguenza (titre
espagnol). Le roi lui prodiguait honneurs et gratifications. Le colonel Louis Hugo, frère du général, homme joyeux, éloquent,
charmant, vint aux Feuillantines suggérer à sa belle-sœur une
réconciliation. Son sabre étincelant, ses contes sur l'Espagne, le

prestige de tout ce qui était militaire firent de cet oncle, pour les trois garçons, « une sorte d'archange saint Michel ». Ses récits étaient à la fois éblouissants et terribles. La générale Hugo, femme du gouverneur de trois provinces, aurait là-bas une haute situation. Elle serait comtesse, et riche. Le roi Joseph avait accordé au général une dotation d'un million de féaux, à la condition qu'il se fixerait en Espagne et y achèterait un domaine. C'était l'avenir assuré. Mais l'oncle Louis décrivait aussi des fusillades, des couvents brûlés, des bandits en embuscade. La générale et ses enfants ne pourraient voyager que sous la protection d'un convoi.

Louis Hugo n'avait pas convaincu sa belle-sœur, mais bientôt MM. Ternaux, banquiers, apprirent à Mme Hugo que son mari avait envoyé cinquante et un mille francs pour qu'elle achetât une maison en France. Cela devenait sérieux. Si vraiment leur père était au sommet des honneurs, avait-elle le droit de priver ses fils d'une fortune ? La décision fut emportée par des émissaires du roi Joseph. Celui-ci connaissait bien Sophie Hugo ; il avait, à Lunéville, apprécié sa distinction. Or il était irrité et inquiet de voir, en Espagne, un des dignitaires de sa cour se compromettre avec une aventurière, une certaine dame Thomas, qui se faisait maintenant appeler « comtesse de Salcano ». Il souhaitait que la femme légitime vînt revendiquer sa place.

Joseph, roi, prodiguait les assurances. Sophie Hugo céda. Eugène et Victor reçurent d'elle, dès le lendemain, un dictionnaire et une grammaire espagnols. « Six semaines plus tard, ces garçons en savaient assez pour se faire comprendre. » Au printemps de 1811, Mme Hugo fut avertie qu'un convoi se formait et qu'elle devait le rejoindre à Bayonne. Elle préleva, chez Ternaux, douze mille francs pour le voyage ; prit un passeport au nom de Mme Hugo, née Trébuchet de la Renaudière, et retint, de Paris à Bayonne, toute une diligence. Elle haïssait les voyages. Pour ses fils, celui-là fut enivrant. Ils aimèrent le cabriolet, les villes traversées. Victor avait un œil si sûr et une mémoire si fidèle qu'il pourra, vingt ans plus tard, dessiner les deux belles tours de la cathédrale d'Angoulême, à peine entrevue. Toute sa vie, il se souviendra de Bayonne, où il fallut attendre un mois le convoi ; du théâtre où, d'une loge tendue de calicot rouge, ils virent sept fois *Les Ruines de Babylone,* mélodrame, et des soirs où les trois garçons, barbouillant les godets d'une boîte à couleurs, enluminaient, de la manière la plus féroce, un exemplaire des *Mille et une Nuits,* don de Lahorie. Surtout, il n'oubliera jamais une fille de quatorze ans, angélique figure au profil virgilien, qui, dans le jardin de Bayonne, lui faisait la lecture. Debout derrière elle, il n'écoutait pas, tout occupé à regarder la peau mate et transparente de la lectrice. Quand le fichu se soulevait, il voyait, avec un trouble mêlé d'une fascination étrange, une gorge ronde et blanche qui s'élevait et s'abaissait doucement dans l'ombre, vaguement dorée d'un chaud reflet de soleil.

> Il arrivait parfois dans ces moments-là qu'elle levait tout à coup ses grands yeux bleus et elle me disait : « *Eh bien ! Victor, tu n'écoutes pas ?* » J'étais tout interdit, je rougissais et je tremblais... Je ne l'embrassais jamais de moi-même ; c'était elle qui m'appelait et me disait : « *Embrasse-moi donc.* » Le jour où nous partîmes, j'eus deux grands chagrins : la quitter et lâcher mes oiseaux...
>
> Bayonne est restée dans ma mémoire comme un lieu vermeil et souriant. C'est là qu'est le plus ancien souvenir de mon cœur. Ô époque naïve, et pourtant déjà doucement agitée ! C'est là que j'ai vu poindre, dans le coin le plus obscur de mon âme, cette première lueur inexprimable, aube divine de l'amour [1]...

La générale Hugo, comtesse de Siguenza, voyageait entourée de respect. Sa calèche, immense carrosse rococo attelé de six chevaux ou mules et loué pour le voyage deux mille quatre cents francs, était la plus grande, et les duchesses espagnoles devaient lui céder le pas. D'où la grande fierté des trois petits hommes. Victor aima tout de suite l'Espagne, terre de contrastes ; paysages tantôt riants, tantôt sombres ; le golfe de Fontarabie, qui brillait au loin comme une grosse pierrerie ; le premier bourg qu'il vit : Ernani, noble, hautain et sévère, et les bergers castillans aux mains de qui la houlette avait l'air d'un sceptre. Dès la frontière, Irun, avec ses maisons noires, ses rues étroites, ses balcons de bois et ses portes de forteresse, avait fort étonné l'enfant français, élevé dans l'acajou de l'Empire. Ses yeux, accoutumés aux lits étoilés, aux fauteuils à cous de cygne, aux chenets en sphinx et aux bronzes

---

1. V<small>ICTOR</small> H<small>UGO</small> : *Pyrénées* (*En Voyage,* t. II, p. 298).

dorés, regardaient avec une sorte de terreur les lits à baldaquin, les argenteries contournées et trapues, les vitres maillées de plomb. Mais cette terreur même lui plaisait. Il n'était pas jusqu'au grincement douloureux des charrettes espagnoles dont la bizarrerie violente ne lui parût agréable. Jamais il n'oubliera cet idiome grave et rude de l'Espagne dont les mots « évoquent instinctivement, mécaniquement pour ainsi dire, des figures grandioses, des émotions violentes, de l'éclat, de la couleur et de la passion [1]... »

Dans les églises, il voyait d'étranges statues, les unes sanglantes, les autres vêtues de robes d'or, et des horloges aux figures bouffonnes et fantastiques. Les monstres, en Espagne, sont mêlés à la vie. Les mendiants de Goya, les nains de Velasquez courent les rues. Autour du convoi grouillait une Cour des miracles. Sa mémoire se peupla de « caricatures bariolées », de silhouettes inquiétantes se profilant au sommet des rochers, de bandits fusillés au bord des routes. Visions terribles. Les récits complétaient les images. Le général Hugo avait, racontait-on, fait jeter par la fenêtre des Espagnols déserteurs, qui s'étaient écrasés au sol ; ses soldats avaient massacré tous les moines d'un couvent. Quant aux insurgés, ils torturaient, disait-on, les femmes et les enfants ; ils leur arrachaient les entrailles ; ils les brûlaient vifs. Embusqués aux défilés, des guérillas guettaient le convoi. Des rêves de guerre et de mort hantèrent ces enfants.

À Madrid, dont ils aimèrent, après l'aridité du plateau de Castille, les maisons roses et la verdure, ils ne trouvèrent pas leur père. Ne sachant rien de ce voyage suscité par le roi Joseph, le général était dans son gouvernement, avec la fille Thomas, qu'il avait amenée de Naples, déguisée en homme. On logea honorablement la générale et ses fils au palais Masserano, dans un appartement splendide : damas rouge, brocatelles, verres de Bohême, vases de Chine, lustres de Venise, dessins de Raphaël et de Giulio Romano. Dans sa jolie chambre tendue de brocart jaune, Victor voyait de son lit Notre-Dame des Sept Douleurs, en robe brodée et rebrodée d'or, sept glaives dans le cœur. L'intendant appelait sa mère : *Madame la Comtesse,* mais l'enfant sentait que l'insurrection était dans les cœurs. Au palais Masserano, il y avait une galerie de portraits. On y trouvait Victor seul, assis dans un coin,

---

1. Léopold Mabilleau : *Victor Hugo,* p. 8.

observant en silence tous ces seigneurs aux fières attitudes, devinant confusément l'orgueil d'une famille et d'une nation. Il parcourait les salles en fils de conquérant, mais c'était en étranger, en intrus, qu'il regardait les autels de style flamboyant et les personnages à collerettes empesées. Il savait que les Espagnols avaient baptisé Napoléon : *Napoladron* (Napolarron).

Il était lui-même, à l'égard de l'Empereur, divisé ; il admirait, comme tout enfant français, le héros ; il haïssait, avec sa mère et Lahorie, le tyran. Même attitude double à l'égard de son propre père : fierté d'être fils du général comte Hugo, gouverneur de trois provinces, d'habiter grâce à ce nom un beau palais ; mais sentiment grandissant de rancœur envers ce père qui rend « maman » si malheureuse ; gêne obscure à l'idée que le général pourchasse en Espagne, comme jadis en Italie, des patriotes qu'il baptise *bandits*. Lorsque, dans la Galerie des Ancêtres, Victor se racontait des romans, il s'y voyait volontiers dans le rôle d'un proscrit qui reviendrait en triomphateur.

Là aussi se noua pour lui un lien très fort entre l'Espagne et le désir. Dans les grandes salles peintes du palais Masserano, il avait trouvé une fille de quatorze ans, Pepita, fille de la marquise de Monte-Hermoso, l'une des maîtresses du roi Joseph :

> Dans cette Espagne que j'aime
> Au point du jour, au printemps,
> Quand je n'existais pas même,
> Pepita — j'avais huit ans —
>
> Me disait : « Fils, je me nomme
> Pepa ; mon père est marquis. »
> Moi, je me croyais un homme,
> Étant en pays conquis.
>
> Dans sa résille de soie,
> Pepa mettait des doublons ;
> De la flamme et de la joie
> Sortaient de ses cheveux blonds.
>
> Tout cela, jupe de moire,
> Veste de toréador,
> Velours bleu, dentelle noire,
> Dansait dans un rayon d'or.

Et c'était presque une femme
Que Pepita, mes amours.
L'indolente avait mon âme
Sous son coude de velours.

Je palpitais dans sa chambre,
Comme un nid près du faucon.
Elle avait un collier d'ambre,
Un rosier sur son balcon...

Je disais quelque sottise ;
Pepa répondait : « Plus bas ! »
M'éteignant comme on attise,
Et, pendant ces doux ébats,

Les soldats buvaient des pintes
Et jouaient au domino
Dans les grandes chambres peintes
Du palais Masserano [1].

On était en juin 1811. Le roi Joseph se trouvait à Paris, pour le baptême du roi de Rome. Qui annoncerait au général Hugo l'arrivée de sa famille ? Une fois de plus, Mme Hugo eut recours à son charmant beau-frère Louis. L'éclat fut vif et le gouverneur de Guadalajara faillit en avoir un coup de sang. Quoi ? Cette femme qui ne voulait plus être sa femme venait le poursuivre jusqu'en Espagne ! Il fit aussitôt rédiger une demande en divorce pour injure grave contre l'autorité maritale. Il exigeait, en attendant le jugement, la garde de ses fils. Leurs « vacances perpétuelles », disait-il, avaient assez duré. Abel allait entrer dans les pages du roi Joseph ; il aurait un bel uniforme bleu de roi, des aiguillettes d'argent. Eugène et Victor seraient envoyés au Collège des Nobles (couvent de San Antonio Abad), auquel leur donnait droit le titre espagnol de leur père. Sombre maison, maîtres plus sombres. Un moine maigre et pâle, sinistre, Don Bazile, prit en charge les deux Français. Restés seuls dans une cour intérieure, ils sanglotèrent. Un bossu vêtu d'une veste de laine rouge, d'une culotte bleue

---

1. VICTOR HUGO : *Les Fredaines du Grand-Père enfant ; Pepita. (L'art d'être Grand-Père,* IX, pp. 493-495).

et de bas jaunes, véritable fou de cour, veillait sur un dortoir de cent cinquante lits. Les Espagnols le nommaient *Corcovita*.

Les élèves devaient, tour à tour, servir la messe, mais Sophie Hugo, voltairienne incroyante, avait dit à Don Bazile que ses fils étaient protestants. Ils furent pourtant traités avec égards, parce que leur père était redoutable et parce qu'ils prouvèrent, aux moines surpris, une étonnante connaissance du latin. En quelle classe les mettre, ces petits *Frances* ? L'*Epitome*, le *De Viris* étaient pour eux des jeux. De Virgile et de Lucrèce, ils se tiraient assez bien.

« Que traduisez-vous donc, à huit ans ? » demanda le moine, stupéfait. « Tacite », répondit Victor. Autour d'eux, leurs camarades espagnols souhaitaient ouvertement la défaite de Napoléon. Eugène se battit avec un jeune comte de Belverana, Victor avec un affreux gaillard à cheveux crépus qui s'appelait Elespuru. Ce collège devint pour eux un enfer.

Cependant, entre leurs parents, tout allait de mal en pis. Joseph, rentré à Madrid, y avait trouvé d'innombrables pétitions de la comtesse Hugo. Il la convoqua, l'écouta et ordonna aussitôt au général gouverneur de venir à Madrid. Le général accourut et, devant un ultimatum du roi, céda sur tout. Il accepterait un poste à Madrid ; il habiterait le palais Masserano ; il ferait sortir ses fils du collège ; il donnerait aussitôt trois mille francs à sa femme, qui n'avait plus un maravédis. *Le Général à la Comtesse Hugo :* « Ce soir, après le dîner de Sa Majesté, j'irai te voir. Je t'envoie une caisse de bougies. Adieu, mon amie. Crois à mon attachement [1]. »

La réconciliation fut de courte durée. Quelque ami perfide évoqua l'histoire Lahorie, le danger d'avoir pour épouse la maîtresse d'un conspirateur, et le général eut un nouvel accès de fureur. Sur ce thème-là, Joseph ne pouvait guère le contredire. Léopold-Sigisbert quitta le palais Masserano, installa sa maîtresse dans une charmante maison madrilène et contraignit Eugène et Victor à se montrer au Prado, en calèche, avec lui et la « comtesse de Salcano ». Seule, abandonnée de tous, Sophie Hugo parvint pourtant à remonter la pente. Puissante sur l'esprit du roi Joseph, elle le convainquit de l'innocence de ses rapports avec Lahorie.

---

1. Cf. Louis Barthou : *Le Général Hugo*, p. 84.

C'était son mari, affirmait-elle, qui avait dû son avancement militaire à « cet homme respectable ». Pouvait-elle, après tant de services rendus, refuser asile au protecteur de son époux ? Joseph tonna, une fois encore, sur le gouverneur : « Je ne dois pas vous cacher que ma volonté est que vous ne donniez pas ici un spectacle scandaleux en ne vivant pas avec Mme Hugo [1]... » Enfin, en désespoir de cause, celle-ci fut autorisée à rentrer en France, avec ses deux plus jeunes fils, Abel restant au corps des pages. La solde que le général devait recevoir comme majordome du palais royal, soit douze mille francs par an, serait désormais versée directement à la générale. On ne parlerait plus de divorce. C'était pour elle une victoire.

Le trajet de retour, par convoi escorté, fut long et atroce. Les enfants virent d'abominables spectacles : des échafauds ; un homme qu'on allait « garrotter », c'est-à-dire étrangler ; une croix sur laquelle étaient cloués les membres saignants d'un supplicié coupé en morceaux. Sinistre voyage. Et pourtant d'autres images, que Victor rapportait d'Espagne, lui semblaient nobles et belles. Que ce peuple rejetât les Français envahisseurs, il le comprenait obscurément. « Enfant, avant tout, la liberté », lui avait dit Lahorie. Quant à ce mélange de grotesque et de sublime, quant à cette hauteur un peu théâtrale qu'il avait observée aussi bien sur les visages des ancêtres, au palais Masserano, que chez ses condisciples du collège, il les aimait.

L'Espagne a toujours attiré les Français, parce qu'elle conserve, à l'état primitif, des passions qui chez nous ont été affaiblies par la vie de société. Nous y trouvons « une odeur étrangère et âpre de sang latin [2] ». Corneille, en empruntant aux Espagnols *Le Cid,* avait touché au cœur les Français du temps de Louis XIII. Le jeune Victor Hugo, à partir de ce voyage, sera hanté par des fantômes encore sans nom qui deviendront Hernani, Ruy Gomez de Silva, Don Salluste et Ruy Blas ; par des images de sang et d'or, et par une « petite Espagnole, avec ses grands yeux et ses grands cheveux, sa peau brune et dorée, ses lèvres rouges et ses joues roses, l'Andalouse de quatorze ans, Pepa [3]... ». De ce contact, bref

---

1. Cf. LOUIS GUIMBAUD : *La Mère de Victor Hugo,* p. 210.
2. HUGO VON HOFFMANSTHAL : *Essai sur Victor Hugo.*
3. VICTOR HUGO : *Le Dernier Jour d'un Condamné,* p. 681.

mais intime, avec l'Espagne, il gardera le goût des mots sonores et
des sentiments emphatiques. « On peut vraiment dire que l'esprit
de Victor Hugo a été naturalisé par les premières impressions qu'il
a subies [1]... » Avec cette réserve que son espagnolisme sera tôt con-
trebalancé par un germanisme latent.

---

1. Léopold Mabilleau : *Victor Hugo*, p. 8.

III

LA FIN DE L'ENFANCE

QUELLE joie de revoir les Feuillantines ! Grâce à la fidèle Mme
Larivière, le jardin était ratissé, le rôti à la broche, les draps
aux lits. Bientôt le père Larivière reprit ses leçons de latin
et le jardin ses leçons de poésie. Victor et Eugène n'allaient plus
à l'école ; le maître venait à eux. Le proviseur du lycée Napoléon,
qui voulait les avoir pour élèves, fut mal reçu par Mme Hugo.
Elle partageait l'horreur de ses fils pour l'internat. N'existant plus
que pour eux et pour son ami prisonnier, elle vivait absolument
retirée au fond de son impasse. Elle s'était abonnée à un cabinet
de lecture et envoyait ses enfants choisir pour elle des livres. Ces
deux garçons, de huit et dix ans, fourrageaient librement dans la
bibliothèque du loueur, un étrange bonhomme en culotte Louis
XVI et bas chinés. Dans l'entresol, où étaient relégués les ouvrages
de philosophie trop hardis ou les romans trop licencieux, Eugène
et Victor, couchés à plat ventre, découvraient Rousseau, Voltaire,
Diderot, Restif de la Bretonne, *Faublas* et les *Voyages du capitaine
Cook*. Aux remarques du bonhomme Royol sur le danger de laisser
aux mains d'enfants si jeunes des romans lascifs, la mère répondit
que « les livres n'avaient jamais fait de mal ». Elle se trompait ;
la sensualité, naturelle et vive, de son cadet en fut encore aiguisée,
mais aussi un appétit, plus sain, pour des lectures étranges et rares
qui allaient lui suggérer, un jour, bien des sujets de roman ou de
théâtre.

Abel, Eugène et Victor écrivaient tous trois des vers. Victor
en remplissait des cahiers. Sa pensée se pliait, naturellement, aux
rythmes classiques. « Il va sans dire que ces vers n'étaient pas des
vers, qu'ils ne rimaient pas, qu'ils n'étaient pas sur leurs pieds ;
l'enfant, sans maître et sans prosodie, lisait tout haut ce qu'il avait

écrit, s'apercevait que ça n'allait pas et recommençait, changeait, cherchait jusqu'à ce que son oreille ne fût plus choquée. De tâtonnements en tâtonnements, il s'apprit lui-même la mesure, la césure, la rime et l'entrecroisement des rimes masculines et féminines [1]... »

Mme Hugo régnait sans effort sur l'esprit de ses fils. Elle exigeait et obtenait une obéissance respectueuse et ponctuelle. « Une tendresse austère et réservée, une discipline régulière, impérieuse, peu de familiarité, nul mysticisme, des entretiens suivis, instructifs et plus sérieux que l'enfance : tels étaient les grands traits de cet amour maternel si profond, si dévoué, si vigilant [2]... » Sophie exerçait une autorité virile. Dans sa liaison avec Lahorie, elle avait représenté, plus que lui, l'ambition politique. Elle s'entêta, en 1812, à faire de lui un conspirateur. Dès le retour d'Espagne, elle alla le voir au parloir de Vincennes et le trouva voûté, amaigri, bilieux et remuant les mâchoires à vide. Il était mieux traité qu'au début. Sa garde-robe et sa lingerie étaient remontées. Surtout il possédait de nouveau ses livres favoris : Virgile, Horace, Salluste, plus de nombreux ouvrages de mathématiques, de chimie et d'art militaire. Avant l'arrivée de Sophie Hugo, il avait paru se résigner et Savary parlait de le bannir, ce qui est la clémence des tyrans. Tout fut changé par le retour de la femme forte.

Dès avril 1812, elle était entrée en rapports avec un abbé Lafon, qui complotait de réunir royalistes et républicains dans une vaste conspiration contre l'Empereur. Elle obtint (par un directeur de la police, ancien camarade de Lahorie à Louis-le-Grand) de faire transférer celui-ci à la prison de la Force, de discipline fort relâchée, où il pourrait recevoir des visites et même donner à dîner. Puis elle entra en rapports avec le général Malet, « républicain à tête brûlée » qui, tout en ne jurant que par Brutus et Léonidas, acceptait de travailler pour un roi « juste et bon ». L'Empereur était en Russie. Quoi de plus facile que de lancer la nouvelle de sa mort et de créer un gouvernement provisoire ?

Lahorie se méfiait de Malet, qu'il tenait pour un écervelé. « Nous avions besoin d'un sage, disait-il, c'est un bravache que l'on nous donne. » Le prisonnier désabusé lisait Salluste, admirait l'énergie de Catilina, mais pensait : « Quelle folie de jouer sem-

---

1. *Victor Hugo raconté par un témoin de sa vie*, t. I, p. 274.
2. Sainte-Beuve : *Portraits contemporains*, t. I, p. 391.

blable partie ! Que la fausse nouvelle soit reconnue pour telle, tout s'écroulera ! » Sophie, toute passion, ne voyait que les résultats : l'infâme Savary arrêté, ligoté ; le maître vaincu ; la liberté rétablie. Le 23 octobre 1812 au matin, Malet, en uniforme, vint annoncer la mort de l'Empereur à un geôlier crédule, qui libéra Lahorie. Celui-ci, accompagné de soldats, se rendit chez le ministre de la Police et arrêta Savary, duc de Rovigo. Sophie Hugo était allée chez son ami Pierre Foucher (maintenant commis au ministère de la Guerre) qui, par son beau-frère Asseline, greffier du Conseil de Guerre, devait avoir des nouvelles. Très vite, elle apprit que, la nouvelle de la mort de l'Empereur ayant été démentie, les conspirateurs étaient tous arrêtés et que l'on préparait leur procès. Elle rentra aux Feuillantines, trouva ses fils affolés par sa longue absence, apeurés par des bruits de révolution. « Ce n'est rien, leur dit-elle, il ne faut jamais s'inquiéter. Encore moins doit-on pleurer. »

Cette femme stoïque alla, pour mieux suivre les débats, dans l'appartement des Foucher, qui habitaient encore, rue du Cherche-Midi, un logement de fonction dans l'hôtel des Conseils de Guerre. Entre la salle du Conseil et la pièce où Sophie se tenait, il n'y avait qu'un couloir. Sans cesse, des officiers apportaient des nouvelles. Malet, au président qui lui demandait les noms de ses complices, avait répondu : « Toute la France, monsieur, et vous-même si j'avais réussi ! » Sophie Hugo, quand on lui rapporta ce mot, répéta avec ardeur : « Oh ! oui, toute la France ! » À deux heures du matin, Pierre Foucher, « avec ses allures de souris craintive et proprette », lui apprit les douze condamnations à mort. Elle demanda : « C'est pour aujourd'hui ? — Oui, quatre heures, dans la plaine de Grenelle. » Informée par lui de l'itinéraire que suivraient les tombereaux portant les corps des suppliciés, elle alla les attendre à la barrière, après l'exécution, et accompagna jusqu'à la fosse commune le seul homme qu'elle eût jamais aimé.

En 1813, le général Hugo, après la défaite de Joseph Bonaparte, dut rentrer en France. En septembre, il était à Pau avec Abel et celle que Mme Hugo appelait tantôt « la fille Thomas » et tantôt « la prétendue comtesse de Salcano ». *Madame Hugo à son fils Abel, 24 septembre 1813 :* « Je ne pense pas que ton père puisse te le défendre [de m'écrire], mais, si cela était, ce serait une circonstance d'une conduite répréhensible sous bien d'autres rapports,

et ton devoir alors serait de ne pas obéir, pas plus que tes frères
ne devraient le faire si j'oubliais assez les droits sacrés de la nature
pour leur défendre d'écrire à leur père. Si cette défense t'a été
faite, pour éviter des tracasseries, des discussions que les passions
qui aveuglent ton père élèveraient entre vous, écris-moi à son insu.
Je vois, mon pauvre ami, que tu as beaucoup à souffrir avec cette
femme. J'ai pleuré souvent sur ton sort, sur celui même de ton
malheureux père qui, s'il nous fait beaucoup de mal, s'en est fait
encore plus à lui-même. Espérons, mon Abel, un meilleur temps,
et surtout que nos malheurs communs te servent de leçon. Vois
où peuvent conduire le défaut de principes et des passions extra-
vagantes [1]... »

Général en Espagne, Léopold-Sigisbert Hugo n'était toujours
que chef de bataillon en France. La pension promise à sa femme
n'était pas payée ; Lahorie n'était plus là pour aider son amie.
Comment vivre ? « C'en était fini de faire la châtelaine. » Le
jardin des Feuillantines ayant été exproprié par la Ville de Paris
(en vue du prolongement de la rue d'Ulm), Sophie alla loger n° 2
rue des Vieilles-Thuilleries [2], à côté des Foucher, afin de jouir du
jardin de leur hôtel. Ceux-là restaient de fidèles amis. Victor avait
revu Adèle Foucher aux Feuillantines ; déjà ils n'étaient plus des
enfants. Rêveur et passionné, il avait cru retrouver en « son air
d'infante », en ses grands yeux bleus, en sa peau brune et dorée,
la Pepita de Madrid. On leur avait dit de courir, de jouer ; ils se
promenèrent et causèrent. Ils marchaient lentement ; ils parlaient
bas ; leurs mains tremblaient en se touchant. La petite fille était
devenue jeune fille.

Il lui passa par la tête une idée d'enfant. Pepa redevint
Pepita. Elle me dit : « Courons ! » Et elle se mit à courir
devant moi, avec sa taille fine comme le corset d'une abeille
et ses petits pieds qui relevaient sa robe jusqu'à mi-jambe. Je
la poursuivis ; elle fuyait ; le vent de sa course soulevait par
moments sa pèlerine noire et me laissait voir son dos brun et
frais.

J'étais hors de moi. Je l'atteignis près du vieux puisard en
ruine ; je la pris par la ceinture, du droit de victoire, et je la

---

1. Cf. LOUIS BARTHOU : *Le Général Hugo,* p. 88.
2. Aujourd'hui rue du Cherche-Midi.

fis asseoir sur un banc de gazon ; elle ne résista pas. Elle était essoufflée et riait. Moi, j'étais sérieux et je regardais ses prunelles noires à travers ses cils noirs.

« Asseyez-vous là, me dit-elle. Il fait encore grand jour ; lisons quelque chose. Avez-vous un livre ? »

J'avais sur moi le tome second des *Voyages* de Spallanzani. J'ouvris au hasard, je me rapprochai d'elle, elle appuya son épaule à mon épaule et nous nous mîmes à lire chacun de notre côté, tout bas, la même page. Avant de tourner le feuillet, elle était toujours obligée de m'attendre. Mon esprit allait moins vite que le sien.

« Avez-vous fini ? » me disait-elle, que j'avais à peine commencé.

Cependant nos têtes se touchaient, nos cheveux se mêlaient, nos haleines peu à peu se rapprochèrent, et nos bouches tout à coup. Quand nous voulûmes continuer notre lecture, le ciel était étoilé.

« Oh ! maman, maman ! dit-elle en rentrant, si tu savais comme nous avons couru ! »

Moi, je gardais le silence.

« Tu ne dis rien ? me dit ma mère. Tu as l'air triste. »

J'avais le paradis dans le cœur. C'est une soirée que je me rappellerai toute ma vie.

Toute ma vie [1]...

Ces amours demeurèrent chastes, absolument. Adèle Foucher était une jeune fille dévote et vertueuse. Sa mère ne la quittait guère. On voyait toujours Mme Foucher avec son nourrisson (le petit Paul) dans ses bras et Adèle dans ses jupons. Chaque soir, elle peignait les beaux cheveux noirs de sa fille « et cette coiffure n'était qu'un long baiser ». La mère, excellente ménagère, s'efforçait de dresser Adèle aux travaux domestiques. Dès six ans, la petite avait assemblé les lés d'une robe. Une voisine, Mme Delon, lui faisait marquer le linge de son fils. Les Foucher redoutaient les curiosités de cette femme et, quand le fonctionnaire, chaque mois, recevait son traitement, on fermait la porte pour qu'elle n'entendît pas le bruit des pièces de cent sous. Le ménage de l'ancien greffier

<hr />

1. VICTOR HUGO : *Le Dernier Jour d'un Condamné*, p. 682.

menait, malgré l'étrangeté des temps, la vie traditionnelle du petit bourgeois français, secrète, médiocre, austère et affectueuse.

Le général Hugo avait demandé à reprendre du service dans l'armée française. Il reçut, le 9 janvier 1814, le commandement de la place de Thionville. Il la défendit bravement contre l'invasion et ne capitula que lorsqu'il apprit l'abdication de Napoléon Ier. Abel avait rejoint sa mère à Paris. Elle était fière de ce beau garçon aux larges épaules et, bien qu'elle fût désargentée, lui fit faire un habit de ville en drap vert de Louviers, un pantalon en casimir gris clair, et une redingote en drap mélangé. Bientôt, Russes et Prussiens occupèrent la capitale. Une partie de la population les regardait comme des libérateurs et disait « les alliés », et non « l'ennemi ». Mme Hugo manifesta une grande joie lors de la restauration des Bourbons. Son royalisme avait été fort intermittent. Tant que son mari avait eu besoin des Bonaparte, elle s'était abstenue de montrer ses sentiments. D'ailleurs, Lahorie avait été républicain plutôt que monarchiste. Mais, depuis la mort violente de son ami, était devenue plus vivace en elle la haine de l'Usurpateur. Elle lui déniait tout génie, rappelait qu'elle était Vendéenne, ne manquait pas une fête publique, y assistait vêtue de percale blanche et portait des souliers verts « pour fouler, à chaque pas, les couleurs de l'Empire ». Ses fils la respectaient trop pour ne pas adopter ses opinions. Tacite leur avait appris à exécrer les Césars et Victor ne disait plus que *Buonaparte,* comme sa mère et leurs amis Foucher. Il fut fier d'aller à Notre-Dame pour la messe d'actions de grâces, et surtout de donner le bras à Mlle Adèle.

Le général Hugo resta dans sa place de Thionville jusqu'à mai 1814. Il avait écrit au roi pour l'assurer de son dévouement, pensant « qu'un guerrier doit être fidèle à sa patrie » quel que soit le gouvernement, ce qui est à la fois noble et commode. Sa femme, accompagnée d'Abel, fit le voyage de Thionville pour réclamer sa pension. Eugène et Victor allèrent, pendant l'absence de leur mère, passer leurs heures libres chez les Foucher.

À Madame la Comtesse Hugo, à Thionville, 23 mai 1814 :
« Ma chère maman, — Depuis ton départ, tout le monde s'ennuie ici. Nous allons très souvent chez M. Foucher, ainsi que tu nous l'as recommandé. Il nous a proposé de suivre les leçons qu'on donne à son fils ; nous l'avons remercié. Nous

travaillons tous les matins le latin et les mathématiques... M. Foucher a eu la bonté de nous mener au Muséum. Reviens bien vite. Sans toi, nous ne savons que dire et que faire ; nous sommes tout embarrassés. Nous ne cessons de penser à toi. Maman ! Maman !

« Ton fils respectueux.

« VICTOR [1]. »

La comtesse Hugo trouva, installée dans l'appartement du général et commandant en maîtresse souveraine, la fille Thomas, qui se donnait maintenant comme « *dame Anaclet d'Almet* » (ou *d'Almé*) et femme d'un colonel. Sophie Hugo, que son mari n'appelait plus que « *Madame Trébuchet* », fut mise à dormir dans l'antichambre tandis que la dame d'Almé s'enfermait à clef, avec le général, dans la chambre à coucher. La femme légitime introduisit une requête pour exiger la restitution de ses droits conjugaux et une pension alimentaire. Le général loua, aux portes de Thionville, le château d'Hus, sous le nom de sa maîtresse, et riposta par une instance en divorce. Le doux et sage Pierre Foucher craignit vivement pour ses amis l'éclat fâcheux d'une procédure où serait évoquée l'ombre sanglante de Lahorie. Il écrivit au général deux lettres pressantes pour le supplier d'éviter un scandale qui serait préjudiciable à ses enfants.

Le Général Hugo à sa sœur, Madame veuve Martin-Chopine [2], *14 juillet 1814 :* « Mme Trébuchet m'ayant attaqué, le 4 juin, devant les tribunaux, pour obtenir une provision de trois mille francs, je l'ai attaquée le 11 en divorce, et elle s'est sauvée le surlendemain 13 sans que personne ne sache rien. En me demandant ces trois mille francs, elle croyait que je ne savais pas qu'elle venait d'en prendre quatre mille chez M. Anceaux. Cette femme est insatiable d'argent. Tu parles de communauté comme si, avec Mme Trébuchet, qui n'a jamais fait qu'à sa tête et qui fait des scènes partout lorsqu'on la contrarie, il était possible de se conduire comme avec une autre femme. J'ai fait connaître à Foucher, qui

---

1. VICTOR HUGO : *Correspondance*, t. I, p. 291.
2. En avril 1810, Henry-François Martin-Chopine, époux de Marguerite Hugo, avait été tué en Espagne, dans une embuscade.

m'écrit au nom du Démon, que je consentirai à transformer
en demande de séparation de corps et de biens celle que j'ai
faite en divorce, mais à des conditions que je lui établis...
Quant au conseil de vivre avec elle, tu sais bien que cela est
impossible ! Je ne l'ai jamais tant abhorrée [1]... »

Sous l'influence de la maîtresse et du ressentiment, l'incompatibilité d'humeur était devenue de la haine. Le général voulait
arracher ses fils à cette épouse « abhorrée » ; déjà il les avait fait
enlever, par sa sœur, de chez les Foucher ; et, quand il vint à
Paris en septembre 1814, les mit en pension, comme la puissance
paternelle lui en donnait le droit, chez Cordier et Decotte, rue
Sainte-Marguerite, « voie sombre, enserrée entre la prison de l'Ab-
baye et le passage du Dragon ». Lorsqu'en mars 1815 il fut rappelé
à Thionville, pour défendre une seconde fois la place contre la
nouvelle invasion, ce ne fut pas à Sophie mais à l'acariâtre veuve
Martin-Chopine qu'il délégua son autorité : « Je te confie le soin
de mes deux jeunes enfants, placés chez M. Cordier, et, sous aucun
prétexte, je n'entends qu'ils soient remis à leur mère ni sous sa
surveillance [2]... » Contre cette femme, les deux garçons furent tout
de suite en rébellion ouverte. Ils l'appelaient *Madame* et non *Ma
tante ;* ils se plaignaient, avec une dignité toute castillane, de « ses
procédés inconvenants », de « ses basses injures » et des « scènes
dégoûtantes » qu'elle leur faisait. Tous deux demeuraient absolument dévoués à la mère dont on les séparait.

> Elle eût formé mon cœur... Je suis séparé d'elle !...
> Ma mère, des vertus m'offrait un pur modèle,
> Séparé de ma mère !... Ô vous, sensibles cœurs,
> Jugez de ma tristesse égale à mes malheurs [3] !...

Tous deux jugeaient avec une déférente sévérité leur père, dont
ils blâmaient le concubinage et qui les traitait en bandits rebelles.
Le Général Hugo à la veuve Martin-Chopine, 16 octobre 1815 :
« Ils semblent, ces messieurs, qu'ils se déshonoreraient en te donnant le titre de tante et en t'écrivant avec attachement et respect.

---

1. Cf. Louis Barthou : *Le Général Hugo,* p. 95.
2. *Opus cit.,* p. 99.
3. Victor Hugo : *Cahiers de Vers français inédits* (1815-1818) présentés
par Gérauld Venzac (Jacques Damase, éditeur, 1952), p. 29.

C'est à leur maudite mère qu'il faut attribuer la conduite des enfants [1]... »

> ...L'offense,
> Tombant du père au fils, est la fin de l'enfance.
> Nul ne répond du gouffre et qui s'en va, va loin.
> L'affront du père, ô bois ! je vous prends à témoin,
> Suffit pour faire entrer le fils en rêverie [2]...

Oui, cette pension-prison, ce père geôlier, c'était la fin de l'enfance. Malgré tant de traverses, malgré le noir nuage que le désaccord des parents faisait planer sur elle, cette enfance avait été poétique et belle. Le jardin des Feuillantines, mystérieux et touffu ; le ravin ombreux d'Avellino ; les feux des haltes militaires ; les galeries baroques et dorées du palais Masserano ; des ombres charmantes de femmes-enfants : l'inconnue de Bayonne, Adèle, Pepita ; pour toile de fond, les victoires de la France, les éclairs des cuirasses et le roulement des tambours ; quels décors pour la rêverie !

Et que de loisirs, pour rêver, dans cette éducation sans règles ! Tout s'était allié pour affranchir, pendant treize ans, ce jeune esprit des contraintes de l'éducation conventionnelle. Les voyages n'avaient jamais permis des classes normales ; l'humeur sauvage d'une mère dépaysée avait écarté le monde ; une amitié secrète, noble et dangereuse, avait renforcé autour d'eux cette barrière de feuillage et de silence ; le respect singulier, pour la lecture et la poésie, d'une petite bourgeoise « systématiquement libérale sous son apparente sévérité [3] » avaient favorisé l'heureux développement d'un génie naturel. Comme tous les enfants de ces temps héroïques, Victor avait d'abord « en son âme inquiète », rêvé de gloire militaire. Puis le conflit des parents, la chute de l'Empire avaient détourné ses désirs. Mais, quoi qu'il fût, il le voulait être grandement. « *Lorsque j'étais petit, j'ai vu quelqu'un de grand.* » Rival inconscient du père et de l'Empereur, qu'il a, en dépit de soi-même, tous deux admirés, il veut à son tour occuper les imaginations des hommes. Comment ? Il ne sait et « entre en rêverie » :

---

1. Cf. Louis Barthou : *Le Général Hugo*, p. 100.
2. Victor Hugo : *La Paternité La Légende des Siècles*, t. I, XXI. *Le Cycle pyrénéen*, III, p. 499.
3. Jean-Bertrand Barrère : *La Fantaisie de Victor Hugo*, t. I, p. 26.

Je revins, rapportant de mes courses lointaines
Comme un vague faisceau de lueurs incertaines.
Je rêvais comme si j'avais, durant mes jours,
Rencontré sur mes pas les magiques fontaines
      Dont l'onde enivre pour toujours...

Mes souvenirs germaient dans mon âme échauffée ;
J'allais, chantant des vers d'une voix étouffée ;
Et ma mère, en secret observant tous mes pas,
Pleurait et souriait, disant : « C'est une fée
      Qui lui parle et qu'on ne voit pas [1] ! »

Rarement esprit fut plus divisé. En lui luttaient le tempérament faunesque, l'imagination bizarre et portée à l'étrange du général Hugo et le stoïcisme sévère, le goût classique de Sophie Trébuchet ; l'amour de la gloire et la haine de la tyrannie ; la **grande poésie**, toujours un peu folle, et les vertus bourgeoises, d'autant plus précieuses à ses instincts qu'il avait souffert des atteintes que leur avaient portées les siens. Âme tout en contrastes. Si jamais écrivain fut modelé par la vie pour créer de belles et neuves antithèses, c'était celui-là. Il nous fallait le saisir en ces **premières années**, quand il est encore à l'état naissant. « Ce n'est pas dans les palais dont elle fera l'ornement que s'oriente la perle, c'est sous un polypier embryonnaire, à des centaines de lieues au fond des mers [2]... » Nous avons plongé dans les profondeurs glauques des magiques fontaines de cette enfance ; en ces abîmes liquides, à peine éclairés, nous avons entrevu de sinistres épaves, les tentacules verdâtres des cauchemars, mais aussi de blanches sirènes, des cathédrales englouties et les palais submergés de brillantes cités andalouses. « La meilleure partie du génie se compose de souvenirs. » C'est d'eux que nous verrons se former lentement les reflets nacrés, lumineux, inimitables et changeants qui, d'un grain de matière, font une pierre précieuse et, d'un homme, un génie.

---

1. VICTOR HUGO : *Mon Enfance* (*Odes et Ballades,* p. 255).
2. MARCEL PROUST : *Jean Santeuil,* t. I, p. 42.

DEUXIÈME PARTIE

LES FEUX DE L'AURORE

Les feux de l'aurore ne sont pas si doux que
les premiers rayons de la gloire.
VAUVENARGUES.

I

OISEAUX EN CAGE

APRÈS le paradis des Feuillantines et les marronniers de l'hôtel de Toulouse, la pension Decotte et Cordier, triste, sans verdure, semblait un morne purgatoire. Cordier, prêtre défroqué, âgé, malade, qui, par amour de Rousseau, portait houppelande et bonnet, ce qui lui donnait l'air d'un Arménien, cognait sur la tête des élèves avec sa tabatière en métal ; Emmanuel de Cotte, dit Decotte, faisait pleuvoir les pensums et crochetait les tiroirs de ses pensionnaires. Eugène et Victor, anges rebelles, n'étaient pas disposés à s'humilier. *Le Général Hugo à Madame veuve Martin-Chopine, 7 août 1817 :* « Je les considère perdus s'ils restent plus longtemps sous la cruelle influence de leur mère. Leur conduite envers toi n'est qu'une conduite habituelle, mais celle qu'ils ont tenue envers M. de Cotte est une chose tout à fait épouvantable ! Comment ? Peu s'en est fallu qu'ils ne frappassent le chef de leur pensionnat [1]... »

Tout de suite, ils jouirent d'un vif prestige parmi leurs camarades parce que leur père avait exigé pour eux une chambre à part. L'école se divisa en deux camps, qui eurent pour rois l'un Victor, l'autre Eugène. Le soir, les deux souverains rivaux se retrouvaient dans leur chambre commune et négociaient. Cela rappelait les frères Bonaparte se partageant l'Europe, et sans doute les frères

---

1. Maison de Victor Hugo. Catalogue *Enfance et Jeunesse de Victor Hugo,* n° 158, p. 53.

Hugo n'étaient-ils pas sans y penser. Nourris de vertus romaines, élevés à l'ombre des victoires, ils montraient un robuste appétit de gloire. Par eux furent organisées, à la pension Cordier, des représentations dramatiques. Victor, auteur des pièces, y jouait le rôle de Napoléon, entouré de maréchaux constellés de plaques en papier doré. Mais ce n'était que théâtre ; dans la vie, ses passions politiques demeuraient les mêmes : haine de la Révolution ; horreur de *Buonaparte* ; amour des Bourbons qui, croyait-il, apportaient, avec la Charte, la liberté.

Leur mère le leur disait et elle restait leur idole. À Mme Martin-Chopine, et même à leur père, ils tenaient tête avec une autorité et une dignité presque incroyables. Le général, que la Restauration avait mis en demi-solde, s'était retiré à Blois avec Mme d'Almé, comtesse de Salcano et fille Thomas, toute-puissante sur son esprit. L'odieuse veuve Martin versait aux deux garçons leur mince filet d'argent de poche et leur communiquait les ordres du général. Celui-ci entendait les préparer pour l'École polytechnique et voulait qu'ils fissent surtout du dessin et des mathématiques ; courtois et fermes, ses fils demandaient les moyens de lui obéir.

> *Victor Hugo à son père, 22 juin 1816 :* « Mme Martin est restée un mois sans daigner s'informer de nos besoins et, depuis deux mois, nous a retranché nos deux sous par jour ; encore a-t-elle eu la sage prévoyance de ne nous en prévenir que le 1er juin. Comme nous lui avons poliment représenté que, comptant sur cet argent, nous avions été dans la nécessité d'emprunter, tant pour payer nos chaises à l'église que pour faire repasser nos canifs, relier nos livres, acheter des instruments de mathématiques, elle nous a répondu qu'elle ne nous écouterait pas et nous a ordonné impérieusement de sortir de la salle. Elle ne le fera pas une seconde fois, mon cher papa. Nous aimons mieux renoncer à nos semaines que d'avoir désormais aucun rapport avec elle. Si cependant ton intention est que nous payions nos dettes et que nous ne soyons pas tout à fait sans argent, nous te prions d'en charger Abel, plutôt que tout autre [1]... »

> Et, *le 12 novembre 1816 :*

---

1. Victor Hugo : *Correspondance,* t. I, p. 294.

« Nous avons réfléchi sur tes propositions ; permets-nous de te parler avec franchise, comme nous l'avons fait, et ne nous réponds qu'après avoir pesé nos raisons. Nous voyant en état de juger du prix des choses, tu nous offres vingt-cinq louis par an pour notre entretien. Nous les acceptons, pourvu qu'ils nous soient remis en main propre. Car, alors, avec l'expérience que nous pouvons avoir acquise, et surtout avec l'aide et les conseils de maman, qui, quoi qu'on dise, s'entend en économie, nous sommes sûrs de pouvoir, au moyen de cette modique somme, nous entretenir plus décemment que nous ne l'avons été jusqu'ici en te coûtant certainement davantage. Mais, si l'argent est remis en d'autres mains, nous n'avons plus cette certitude ; nous ne pouvons plus nous servir des moyens qui nous la procurent ; nous ne pouvons plus faire comme toi : *proportionner nos dépenses à notre avoir et être d'autant plus à notre aise que nous aurons plus d'ordre et d'économie...* Quant à la fin de ta lettre, nous ne pouvons te cacher qu'il nous est extrêmement pénible de voir traiter notre mère de *malheureuse,* et cela dans une lettre ouverte qui ne nous a été remise qu'après avoir été lue... Nous avons vu ta correspondance avec maman. Qu'aurais-tu fait, dans ces temps où tu la connaissais, où tu te plaisais à trouver le bonheur près d'elle, qu'aurais-tu fait à la personne assez osée pour tenir un pareil langage ? Elle est toujours, elle a toujours été la même et nous penserons toujours d'elle comme tu en pensais alors. Telles sont les réflexions que ta lettre a fait naître en nous. Daigne réfléchir sur la nôtre et sois assuré de l'amour qu'auront toujours pour toi tes fils soumis et respectueux.

« E. Hugo. — V. Hugo [1]. »

Cette lettre prouve à la fois maturité d'esprit et vigueur de style. Point de redites ; l'expression ne fléchit jamais. Qui avait inspiré cette épître collective ? Elle était de l'écriture d'Eugène, mais cela importe peu. Les deux frères avaient reçu la même formation, tous deux disciples de leur mère, tous deux imprégnés des classiques, tous deux assoiffés de poésie. Le temps qu'ils pouvaient

---

1. Victor Hugo : *Correspondance,* t. I, pp. 294-295.

dérober aux mathématiques, ils le passaient à écrire des vers. Traductions de Virgile et de Lucrèce, élégies, épigrammes, chansons, tragédies, tout leur était bon.

À la vérité, la France alors versifiait beaucoup et cette pension regorgeait de poètes. Le sombre Decotte lui-même rimait et devint vite jaloux des deux génies qu'il avait pour élèves. Un jeune maître d'études, Félix Biscarrat, intelligent, à la figure marquée de petite vérole mais riante et loyale, aimait Eugène, Victor et, mieux encore, Mlle Rosalie, lingère de la pension, pour laquelle il composait des odes. Quand Biscarrat emmenait les jeunes Hugo, ses favoris, au sommet des tours de Notre-Dame, Victor, en montant derrière Mlle Rosalie, regardait les jambes de la lingère.

Il était naturel qu'à l'âge « *où tous les chérubins, — Rôdent, — tâchant de voir par les vitres des bains* », un adolescent, héritier d'un tempérament lascif et tout imprégné par Horace et Martial de poésie érotique, fût obsédé par le corps de la femme. Jamais il ne se blasera sur le plaisir de surprendre nus une épaule, un sein, une jambe rose. Faune ou sylvain, il guettera les belles filles sauvages dans les bois et les lavandières à la fontaine. Étudiant pauvre dans une mansarde, il épiera aux lucarnes voisines ou « aux fentes des greniers » quelque servante en train de se dévêtir.

> J'ai fait, vers dix-sept ans, ce rêve gracieux
> Que je voyais Hébé, la grisette des cieux,
> Mettre sa jarretière et dégrafer sa guimpe,
> Dans les mansardes d'ombre et d'azur de l'Olympe[1].

Ce sera là, toute sa vie, un *motif-clef*. Une jeunesse trop chaste fait un « voyeur » impénitent[2].

Pour la générale comtesse Lucotte, « jolie femme fort à la mode et fort adulée[3] », que les Hugo avaient connue à Madrid et qui habitait, à Paris, leur maison, il composait des madrigaux décents :

---

1. VICTOR HUGO : *Océan,* LIV, p. 91.
2. Cf. JEAN-BERTRAND BARRÈRE : *La Fantaisie chez Victor Hugo,* t. II, p. 25.
3. Petite-fille du marquis de Corberon, président au Parlement de Paris, fille d'un capitaine aux gardes françaises, Jeanne de Corberon, née en 1776 (dont le père et l'aïeul avaient été guillotinés sous la Terreur), avait épousé en secondes noces (17 juillet 1801) Edme-Aimé, général Lucotte (1770-1815).

J'entends... Mais, direz-vous, cette timide lyre
Aurait dû, ce me semble, en cet aimable jour,
M'exprimer ton sincère amour.
— Avant de m'accuser, commencez à me lire ;

Mon cœur suffit pour vous aimer,
Ma voix suffit pour vous le dire,
Mais, hélas ! pour vous l'exprimer,
Madame, quelle voix pourrait jamais suffire [1] ?

La chute était galante, le tour adroit et d'une élégance toute voltairienne. Mais, qu'ils fussent du directeur ou du maître d'études, d'Eugène ou de Victor, les milliers de vers qui naissaient chez Decotte et Cordier demeuraient assez plats. L'époque assistait au crépuscule d'une école et ne le savait pas. Elle tenait encore Delille et Parny pour de grands poètes. L'Académie française accueillait leurs disciples. « La langue était en ordre, auguste, époussetée. » Il y avait des mots nobles et des mots roturiers. Toute voiture devenait un *char ;* le nez s'appelait *narine,* le vent *aquilon,* les eaux des *ondes,* les chevaux des *coursiers,* les rois des *monarques,* l'épée un *glaive,* le poète : *tendre amant des neuf sœurs.* La plupart des termes concrets étaient bannis. *Marin* interdit, le malheureux auteur avait le choix entre *nocher* et *nautonier.* Le goût, enfantin et vieillot, imposait un froid délire, un didactisme dévot ou des galanteries banales. Les frères Hugo, comme tous les rimeurs du temps, ne pouvaient que suivre ces modèles.

Pourtant Victor, dès ce moment, montrait un sentiment naturel de la musique du vers et du mouvement de la strophe, un instinct du style qui lui faisait sentir, dans Horace et Virgile, des beautés qui s'évanouissaient dans les paraphrases d'un Delille. Biscarrat, lorsqu'il annotait les traductions de son élève favori, disait avec surprise : « Il y a, dans ces vers, une vigueur de pinceau que je ne trouve chez aucun poète. » Il louait : « *S'enivre de carnage et regorge de sang* », ou : « *Faisant crier leurs os sous ses dents dévorantes.* »

Didon, de tes époux victime infortunée,
Tu fuis quand Siché meurt, tu meurs quand fuit Énée.

---

1. Cf. PAUL BERRET : *L'Elève Victor Hugo,* article publié dans la *Revue des Deux Mondes,* numéro du 15 février 1928, p. 879.

Ce distique traduisait brillamment Ausone. Et cet autre, à la fin de la première *Bucolique,* sauvait la grâce de l'original :

Déjà les toits, au loin, fument dans les campagnes
Et l'ombre, en s'allongeant, descend de ces montagnes.

Virgile répondait, pour cet enfant, à un double besoin : le sens du mystère et l'expression nette, précise, arrêtée. Achevant de lire un poème de cinq cents vers, composé par son élève sur le Déluge, Biscarrat en trouvait trente-deux bons, quinze très bons, cinq passables. Victor, plus exigeant, brûlait chaque année le cahier qui contenait ses essais poétiques. Pauvres cahiers, brochés par lui-même d'une ficelle et d'un nœud ; il ne recevait que deux sous par jour et tout achat devait être pesé. Il ne commença de garder ses œuvres d'enfance qu'à partir du onzième cahier. Modeste et docile, travailleur acharné, il sollicitait les critiques ; Eugène, plus orgueilleux, se vantait volontiers. Tous deux faisaient hommage de leurs vers à leur mère, qui, ne pouvant avoir ses fils chez elle, leur rendait visite à la pension. Dans leurs travaux et succès, ils ne pensaient « qu'au plaisir que cela peut causer à maman ». À quatorze ans, Victor lui dédia une tragédie en vers : *Irtamène.*

Ô maman ! daigne donc, sur ces faibles essais,
        Jeter un regard peu sévère ;
Ces enfants de ton fils, maman, accueille-les
            Avec le sourire d'une mère !...
        Ce ne sont pas de ces fleurs immortelles
Dont Racine se pare au céleste banquet ;
        Ce sont des fleurs, simples et naturelles
Comme mon cœur ; maman, je t'en offre un bouquet [1].

Le « *maman* », naïvement enfantin et sans cesse répété, montrait combien le jeune poète restait dans l'entière dépendance de sa mère. *Irtamène* est un pastiche de Racine, ou plutôt de Voltaire, stupéfiant d'aisance et d'adresse. Le sujet en était, naturellement, le triomphe d'un roi légitime sur un usurpateur. « Quand on hait

---

1. Victor Hugo : *Trois Cahiers de Vers français* (1815-1818), pp. 43-44. Ces inédits ont été publiés, en 1952, par M. l'abbé Gérauld Venzac.

les tyrans, on doit aimer les rois », concluait l'auteur. Autrement dit, si l'on hait Buonaparte, on doit aimer Louis XVIII. Sur son cahier de *Poésies diverses* (1816-1817), à la date de septembre 1817, on lit : « J'ai quinze ans, j'ai mal fait, je pourrai faire mieux », et ailleurs : « Les bêtises que je faisais avant ma naissance. » Il était vrai que ces poèmes n'étaient pas des chefs-d'œuvre, mais vrai aussi que, d'un adolescent capable d'un effort si soutenu et si heureux, on pouvait tout attendre.

Car les cahiers conservés contiennent des milliers de vers ; un opéra-comique complet ; un mélodrame en prose : *Inez de Castro ;* une esquisse de tragédie en cinq actes et en vers : *Athélie ou les Scandinaves ;* un poème épique : *Le Déluge ;* le tout illustré, dans les marges, de dessins qui font parfois penser à ceux de Rembrandt par leur confuse hardiesse. Or il faut ajouter que, dans le même temps, Victor préparait Polytechnique, qu'il avait de bonnes notes en sciences et que, dès la fin de 1816, il suivait avec Eugène, de deux ans plus âgé, les cours du collège Louis-le-Grand, de huit heures du matin à cinq heures du soir. Pour écrire des vers, il devait prendre sur ses nuits et travaillait à la chandelle, dans son grenier, fournaise au mois de juin et glacière en décembre, d'où il apercevait le télégraphe sur les tours de Saint-Sulpice. Une blessure au genou, qui le tint au lit quelques semaines, lui permit de se donner plus encore à ce qu'il aimait. Le brave Biscarrat s'inquiétait : « Je vois avec peine que votre santé s'altère ; j'en attribue comme vous la cause à vos veilles. Au nom de ce qu'il y a de plus sacré, au nom de l'amitié qui nous unit, ménagez-vous... » Mais un travail aimé anime sans fatiguer.

1817 : « L'armée française était vêtue de blanc, à l'autrichienne... Napoléon était à Sainte-Hélène et, comme l'Angleterre lui refusait du drap vert, il faisait retourner ses vieux habits... On commençait à faire, au ministère de la Marine, une enquête sur cette fatale frégate de la *Méduse*... Les grands journaux étaient tout petits... Le divorce aboli. Les lycées s'appelaient collèges... Chateaubriand, debout tous les matins devant sa fenêtre du numéro 27 de la rue Saint-Dominique, en pantalon à pieds et en pantoufles, ses cheveux gris coiffés d'un madras, les yeux fixés sur un miroir, une trousse complète de chirurgien dentiste ouverte devant lui, se curait les dents, qu'il avait charmantes, tout en dictant des variantes de *La Monarchie selon la Charte* à M. Pilorgue, son secrétaire ¹... » L'Académie française proposait, pour sujet du concours de poésie : *Le Bonheur que procure l'étude dans toutes les situations de la vie*. Victor se dit : « Si je concourais... » Pour lui, concevoir, c'était agir. Il composa trois cent trente-quatre vers :

> Mon Virgile à la main, bocages verts et sombres,
> Que j'aime à m'égarer sous vos paisibles ombres !
> Que j'aime, en parcourant vos paisibles détours,
> À pleurer sur Didon, à plaindre ses amours ²...

Original ? Non point. Il sacrifiait au goût d'académie, classique et suranné, qui était aussi celui de sa mère. Les vers, corrects, exprimaient un sentiment juste, celui de l'adolescent qui, en étudiant Cicéron ou Démosthène, rêve de suivre leur exemple, puis découvre que ses héros ont fini dans la disgrâce.

> Le grand homme a passé, je ne suis plus que moi !
> Qu'importe ? Regagnons notre humble solitude ;
> Il me reste mon cœur ; il me reste l'étude ³...

Le poème achevé, il fallait le remettre au secrétariat de l'Institut. Or les pensionnaires, chez Cordier, étaient des prisonniers. Victor prit pour confident Biscarrat, qui surveillait la promenade des élèves, et le brave garçon s'arrangea pour conduire sa colonne devant le Palais Mazarin. Là, tandis que les autres regardaient la coupole et les lions, le maître et l'élève se précipitèrent au secrétariat de l'Académie française, où ils déposèrent le poème entre les mains d'un huissier à calotte. En sortant de l'Institut, ils tombèrent sur Abel qui, plus âgé que ses frères, et alors favori de son père, jouissait d'une liberté plus grande ; il fallut tout lui avouer. Puis le collégien alla retrouver ses camarades et ses problèmes d'algèbre.

Quelques semaines plus tard, il jouait aux barres dans la cour du pensionnat quand il vit apparaître Abel qui l'appela : « Viens ici, imbécile ! » Il avait été officier et traitait ses frères en enfants, avec une affection protectrice. Victor s'approcha. « Qui est-ce qui te demandait ton âge ? dit Abel. L'Académie a cru que tu voulais la mystifier. Sans cela, tu avais le prix. Quel âne tu es ! Tu as une

---

1. VICTOR HUGO : *Les Misérables*, Iʳᵉ partie, liv. III, chap. I, p. 121-123.
2. *Victor Hugo raconté par un témoin de sa vie*, t. I, p. 378.
3. *Opus cit.*, p. 380.

mention. » Il n'était pas exact que le prix lui eût échappé pour cette raison. Sa pièce avait été classée neuvième et le secrétaire perpétuel, Raynouard, auteur des *Templiers*, avait écrit dans son rapport : « Si véritablement il n'a que cet âge, l'Académie a dû un encouragement au jeune poète. » Une partie du poème fut lue en séance publique ; les dames applaudirent et Raynouard, auquel Victor avait envoyé son acte de naissance, l'invita à venir le voir par une lettre qui contenait une faute criante : « Je *fairais* avec plaisir votre connaissance. » On disait de ce Raynouard qu'il connaissait une langue, mais que c'était la romane et non la française.

Le vieux Cordier, voyant l'éclat jeté sur la pension, devint soudain tout miel et autorisa la visite. Raynouard, docte et brusque, reçut avec insolence le gamin, « ce qui fit dire à Victor qu'il savait la politesse comme l'orthographe [1] », mais d'autres académiciens le choyèrent, en particulier le doyen, François de Neufchâteau, qui avait eu, lui, un prix à treize ans, sous Louis XV ; que Voltaire avait alors sacré poète en lui écrivant : « *Il faut bien que l'on me succède, — Et j'aime en vous mon héritier* », et qui fut charmé de se croire, à son tour, le Voltaire de quelqu'un. Ce vieillard aimable avait été successivement, comme tant de gens, royaliste, jacobin, ministre du Directoire et comte de l'Empire. En 1804, il avait dit au Pape : « Je félicite Votre Sainteté d'avoir été désignée par la Providence pour sacrer Napoléon » ; en 1816, il s'était naïvement étonné de n'être pas nommé pair de France par Louis XVIII. Rivarol avait défini son œuvre : « De la prose où les vers se sont mis. » Au temps où le jeune Hugo le connut, Neufchâteau avait renoncé aux épopées, vécues ou versifiées, et cultivait sagement ses pommes de terre, qu'il s'efforçait de faire appeler *parmentières*. Cette rencontre avec un homme alors célèbre surprit le collégien ; Neufchâteau racontait le 18 Brumaire en ne parlant que de lui-même. Première révélation de l'égotisme des gens de lettres.

Les journaux s'intéressèrent à l'enfant prodige. À la pension, son peuple s'accrut aux dépens de celui d'Eugène, qui commença d'être jaloux. Il est pénible d'être distancé, plus pénible de l'être par un cadet. Pourtant le lauréat triomphait modestement. À son premier maître, M. de la Rivière, il dédiait sa première œuvre imprimée :

---

1. **Sainte-Beuve** : *Nouveaux Lundis,* t. XI, p. 2.

> Maître chéri, daigne accepter
> Le faible essai que mon cœur te présente.
> C'est toi qui, le premier, à ma raison naissante,
> Des leçons de l'étude appris à profiter.
> C'est par toi seul que j'ai pu la chanter ;
> C'est pour toi seul que je la chante [1].

S'effaçant devant Félix Biscarrat, poète lui aussi, mais non lauréat, il lui écrivait :

> Apollon t'ornera des lauriers de la gloire
> Et, quand mon nom obscur languira sans mémoire,
> Tes vers l'en feront souvenir [2]...

Toutefois cette modestie était de politesse. Pour lui-même, Victor tenait un journal plus sincère. Le 10 juillet 1816, à quatorze ans, il y avait écrit : « *Je veux être Chateaubriand ou rien.* » Choix facile à comprendre. Depuis 1789, la France, ivre de rhétorique romaine, avait cherché la grandeur. Après Vergniaud, Desmoulins, Robespierre, Bonaparte avait été le prince de la jeunesse. Napoléon tombé, il fallait trouver, à cet appétit de gloire, un autre aliment. Le vieux roi aux jambes enflées n'avait rien d'exaltant ; la foi religieuse, chez les fils de voltairiens, n'était plus vive. Les jeunes lévites qui pleuraient d'attendrissement sur les guêtres de Louis XVIII n'avaient pas bonne conscience. Élevés « au bruit des miracles de l'Empire [3]..., nourris de bulletins par l'Empereur [4] », ils n'oubliaient pas le temps où la France avait été maîtresse de l'Europe. Et pourtant il leur fallait aimer ce monde nouveau. Chateaubriand seul, pour eux, poétisait le ralliement. De la grandeur ? Qui en avait plus que cet homme de génie, aux allures nobles et dédaigneuses, qui se peignait toujours faisant front aux tempêtes de l'Océan et de la destinée, qui parait le christianisme de tous les charmes de l'art et la monarchie de tous les prestiges de la fidélité ? Après Napoléon, les adolescents gardaient la nostalgie des attitudes spectaculaires ; l'isolement splendide de Chateaubriand en était une.

---

1. Cf. Edmond Benoit-Lévy : *La Jeunesse de Victor Hugo*, p. 199.
2. Cf. Paul Berret : *L'Elève Victor Hugo,* article publié dans la *Revue des Deux Mondes,* numéro du 15 février 1928, p. 868.
3. Sainte-Beuve : *Vie de Joseph Delorme*, p. 4.
4. Alfred de Vigny : *Servitude et Grandeur militaires.*

Sur ce point, pour la première fois, Victor se séparait de sa mère. Il admirait *Atala* dont, femme du xviiie siècle, elle lisait avec amusement une sotte parodie : *Ah ! là là !* Que Chateaubriand ait connu les premiers essais de Victor Hugo n'est pas probable. Il était peu assidu à l'Académie et lisait de préférence les Anciens, en quoi il avait raison. Mais les jeunes Hugo vivaient, depuis la fameuse mention, dans un état de fièvre heureuse. François de Neufchâteau invitait Victor à dîner, puis le chargeait de faire pour lui, à la Bibliothèque royale, une recherche sur *Gil Blas,* à laquelle Victor associait Abel, qui savait mieux l'espagnol. À la pension Cordier, le portier avait reçu l'ordre de laisser sortir librement cet élève hors pair. Au collège Louis-le-Grand, dont il suivait les cours tout en restant interne chez Cordier, le professeur de philosophie, Maugras, bon esprit, libéral en un temps où on ne l'était guère, l'envoyait au Concours général de 1817 en lui disant : « Je compte sur vous. Quand on a eu une mention à l'Académie, c'est bien le moins qu'on ait un prix à l'Université. » Victor n'obtint rien en philosophie, où il dut traiter de *L'existence de Dieu,* mais eut un cinquième accessit de physique, le sujet donné par Cuvier étant : *La théorie de la rosée.* Il avait, pour les sciences, de réelles aptitudes. « Toute mon enfance n'a été qu'une longue rêverie mêlée d'études exactes... Il n'y a d'ailleurs aucune incompatibilité entre l'exact et le poétique. Le nombre est dans l'art comme dans la science [1]... »

Les vacances de l'été 1817 « furent une fête perpétuelle pour Victor », dont tous les amis célébraient les succès. Abel, qui, voyant l'avenir militaire bouché, avait quitté l'uniforme, faisait maintenant des affaires tout en continuant d'écrire. Ayant un peu d'argent, il patronnait un banquet littéraire mensuel dont les convives, tous adolescents, devaient lire leurs œuvres nouvelles. Victor n'y manqua jamais. Eugène, capricieux et bizarre (l'ami Biscarrat l'avait surnommé *L'Énergumène*), refusait la plupart de ces invitations et s'enfermait à la pension. Ce fut pour une de ces lectures que Victor esquissa, en trois semaines, une nouvelle : *Bug-Jargal,* sur la révolte de Saint-Domingue, texte surprenant par la sûreté du récit, la sobriété des effets et, par bien des endroits, égal aux meilleurs contes de Mérimée. Là se révélait un écrivain-né, une

---

1. Cf. Edmond Benoit-Lévy : *La Jeunesse de Victor Hugo,* p. 217.

maîtrise de nature. Cependant les trois frères Hugo rêvaient de fonder ensemble un hebdomadaire littéraire : *Les Lettres bretonnes,* mais deux d'entre eux étaient encore en pension et l'éditeur manquait.

Pendant toute l'année 1817, une lutte ouverte avait continué entre Eugène, Victor et la veuve Martin-Chopine. Cette mauvaise fée ne leur avait même pas permis de passer le Jour de l'an chez leur mère. Victor et Eugène lui écrivaient des lettres sarcastiques :

> *21 mai 1817 :* « Madame, — Vous nous permettrez de vous rappeler que nous sommes sans argent depuis le 1ᵉʳ. Comme nos besoins sont toujours les mêmes, nous avons été obligés d'emprunter. Nous vous prions en conséquence de nous faire passer les six francs qui nous reviennent, savoir : trois francs pour le 1ᵉʳ mai et trois francs pour le 15 ; de nous envoyer un perruquier et de parler à Mme Dejarrier pour nos chaussures et les chapeaux. Daignez, Madame, agréer l'assurance des sentiments d'estime et d'affection que vous méritez de notre part. Vos très humbles et très obéissants serviteurs,
>
> « VICTOR HUGO, EUGÈNE HUGO [1]. »

Abel, jusqu'alors favori du général, s'exposa bravement à un conflit en défendant ses frères :

> *26 août 1817, Abel Hugo au Général Hugo :* « Où tout autre se glorifierait de tels enfants, tu ne vois que des misérables, des polissons prêts à déshonorer un nom que tu as rendu recommandable par ta carrière militaire... Non, mon père, je te connais, tu as écrit cette fatale lettre, mais ton cœur ne l'a pas dictée. Tu aimes encore tes enfants ; un mauvais génie, un démon de l'enfer, auquel tu devrais attribuer tes malheurs plutôt qu'à notre respectable mère, fascine tes yeux et ne te montre que des signes de haine où tu trouverais des preuves d'amour si tu osais t'approcher de cœurs qui te chérissent... Un jour viendra où tu verras, dans tout son jour, l'infernale créature dont je veux te parler ; l'heure

---

1. VICTOR HUGO : *Correspondance,* t. I, p. 297.

de notre vengeance sera arrivée ; nous retrouverons notre père [1]... »

Catherine Thomas ou, comme l'appelait le général dans sa correspondance, *Madame,* indignée par cette lettre, obtint que son amant n'y répondit pas. Entre le général et ses trois fils, le gouffre s'élargissait. Le 3 février 1818, un événement capitalissime se produisit : le jugement de séparation des époux Hugo fut prononcé. « Mme Trébuchet » obtint la garde de ses enfants, avec une pension de trois mille francs. Eugène et Victor restèrent chez Cordier jusqu'au mois d'août, puis écrivirent à leur père une lettre respectueuse en demandant à faire leur droit, chemin le plus rapide vers une carrière lucrative. *20 juillet 1818 :* « Tu sais bien, mon cher papa, qu'il n'est plus possible que nous restions chez M. Decotte, maintenant que nos études sont finies. Nous te proposons de nous donner huit cents francs à chacun pour nos dépenses. Nous voudrions te demander moins, mais tu sentiras que cela nous est impossible si tu considères que tu nous donnes déjà trois cents francs pour notre entretien et qu'avec cinq cents francs de plus nous ne pourrons, sans la plus stricte économie, subvenir aux frais de notre nourriture, à l'achat de nos livres, au paiement de nos inscriptions et diplômes [2], etc. » Le général se montra généreux, si l'on considère qu'il était lui-même désargenté : « Je ne trouve point vos prétentions exagérées... Suivez donc le droit. Je vous ferai compter à chacun, et par douzièmes, huit cents francs par an [3]... »

Au mois d'août, les deux frères quittèrent avec ivresse la pension Decotte et Cordier pour venir habiter chez leur mère, 18, rue des Petits-Augustins [4]. L'appartement, situé au troisième étage, était plus petit que celui de la rue du Cherche-Midi et la pension servie par le général en demi-solde ne permettait plus d'avoir un jardin. De leur fenêtre, ils voyaient une cour de musée, tout encombrée de tombeaux qui étaient ceux des rois de France, arrachés à Saint-Denis par la Révolution. Assis l'un en face de l'autre, à une petite table, ils écrivaient tout au long des jours. À seize ans, Victor composait des *Adieux à l'Enfance :*

---

1. Ancienne collection Louis Barthou.
2. VICTOR HUGO : *Correspondance,* t. I, p. 300.
3. Lettre du général Hugo datée du 6 août 1818.
4. C'est l'actuelle rue Bonaparte.

> Ô temps ! Qu'as-tu fait de cet âge ?
> Ou plutôt qu'as-tu fait de moi ?
> Je me cherche, hélas ! et ne voi
> Qu'un fou qui gémit d'être sage [1]

Pour se consoler de « vieillir », il invoquait la Gloire, sa constante pensée :

> Ô Gloire, ô déité puissante,
> Accorde à celui qui te chante
> Une place dans l'avenir ;
> Gloire, c'est à toi que j'aspire ;
> Ah ! fais que ton grand nom m'inspire
> Et mes vers pourront t'obtenir [2].

De cette gloire future, il y avait au moins un être au monde qui ne doutait pas, c'était la générale Hugo.

---

1. VICTOR HUGO : *Mes Adieux à l'Enfance* (*Odes et Ballades,* p. 445).
2. VICTOR HUGO : *Le Désir de la Gloire* (*Océan,* VI, p. 31).

II

PREMIERS SOUPIRS

R IEN de plus beau que la confiance d'une femme dans le génie
de ses enfants. Mme Hugo n'eut même pas l'idée de con-
traindre ses fils à étudier le droit. Ce n'était là qu'un écran
de parchemin entre eux et le général. En fait, si Eugène et Victor
prirent, pendant deux ans, leurs inscriptions, ils n'allèrent pas aux
cours et ne passèrent jamais un examen. Non, déjà fière des triomphes attendus, elle ne voulait faire de ses garçons ni des avocats,
ni des fonctionnaires, mais de grands écrivains. Rien de moins.
Jour après jour, elle les laissait travailler librement dans le petit
cabinet qui donnait sur la cour peuplée de gisants. Après le dîner,
ils sortaient avec elle et il est émouvant d'imaginer Sophie Hugo,
un peu raide, un peu mère des Gracques, dans sa robe amarante
et son cachemire à palmes, encadrée de ces deux jeunes hommes
tendres et soumis. Chaque soir, on allait à pied jusqu'à la rue du
Cherche-Midi, où Pierre Foucher, maintenant chef de bureau au
ministère de la Guerre, continuait pourtant d'habiter l'hôtel de
Toulouse.

Là on trouvait Mme Foucher, pieuse et douce personne, encore
fraîche, et sa fille Adèle à la beauté espagnole, jadis compagne de
jeux pour les trois garçons Hugo. *Tres para una.* Ils avaient peine
à croire qu'ils eussent, dix ans plus tôt, aux Feuillantines, promené
dans une brouette et balancé sur l'escarpolette cette adorable jeune
fille. Mme Hugo tirait un ouvrage de son sac et travaillait en
silence, à l'aiguille, comme Mme Foucher et Mlle Adèle. Le maigre
et ascétique Foucher, à la lueur d'une bougie, calotte sur la tête
et manches de lustrine aux bras, compulsait des dossiers. Eugène
et Victor avaient été dressés par leur mère à ne jamais parler qu'on
ne les interrogeât, mais ces soirées passées à écouter le feu qui

pétillait ne les ennuyaient ni l'un ni l'autre, car ils regardaient
Mlle Adèle, penchée sur son ouvrage, « sourcils arqués, bouche
en cerise, paupières dorées [1] », et tous deux l'aimaient. Si elle jetait
parfois à la dérobée son regard sur l'un d'eux, c'était sur Victor
qui, avec ses longs cheveux blonds, son front élevé, son regard profond et candide, donnait une impression de souveraine puissance
et déjà, dans leur petit monde, était célèbre. Le fidèle Biscarrat,
qui avait quitté Paris pour Nantes, lui écrivait presque avec respect : « Vous serez mis un jour au rang de nos meilleurs poètes.
Je crois entendre Racine dans ses chœurs », et, un autre jour :
« Vous faites toujours bien ; vous avez fait cette fois mieux que
bien [2]... » Pourtant Victor savait, lui, que la vraie gloire serait difficile à conquérir. Il aurait pu, dès cet âge, écrire de beaux vers.
Les exercices d'assouplissement qu'il avait faits en traduisant les
poètes latins lui avaient enseigné des coupes nouvelles. La puissance de travail ne lui manquait pas ; il possédait un naturel instinct du langage. Mais cette forme, déjà belle, était vide. « Fils de
Mme Hugo et de la Restauration », il n'avait pas encore, en 1819,
trouvé la matière brûlante que ses dons lui eussent permis de modeler. Ayant obtenu ses premiers succès dans les concours académiques, il était dangereusement tenté de continuer dans cette voie
facile, ce qui le rendait esclave de la mode. Le jargon de la poésie
française était alors une langue morte. Pour dire : « Les plaisirs
de l'amour peuvent être préférés à la gloire militaire », il fallait
écrire :

> La ceinture de Cythère
> Vaut bien l'égide de Pallas [3]...

« L'idéal était de joindre un adjectif noble à un nom no-
ble [4]... » : la *douce paix*, les *chastes amours*, la *sainte et pure amitié*.
Quant aux sujets, en un temps de réaction toute fraîche, ils étaient
imposés au jeune Hugo par son attitude politique. Qu'aurait-il eu

---

1. RAYMOND ESCHOLIER : *Un Amant de Génie*, p. 78.
2. Maison de Victor Hugo. Catalogue *Enfance et Jeunesse de Victor
Hugo*, n° 173, pp. 59-60.
3. VICTOR HUGO : *Les Deux Anges* (*Le Conservateur littéraire*, numéro
de septembre 1820, t. II, p. 227).
4. CHARLES BRUNEAU : *Histoire de la Langue française des origines à
nos jours*, t. XII, p. 52.

à dire s'il eût été sincère ? Sans doute, les cauchemars d'un esprit hanté trop tôt par le malheur, et les rêves sensuels d'un adolescent pur en action, libertin en images. Chez Decotte et Cordier, il avait composé, pour son plaisir, des chansons anacréontiques :

> Ô sommeil, les amants s'adorent ;
> Tu fuis loin d'eux, tu leur es doux ;
> Contre eux quand les jaloux t'implorent,
> Tu cours endormir les jaloux.
>
> Par deux portes, l'on peut m'en croire,
> Les songes viennent à Paris ;
> Aux amants par celle d'ivoire,
> Par celle de corne aux maris.
>
> Parfois, trop fortuné mensonge !
> Tu mets Glycère dans mes bras ;
> Ah ! si ce n'était pas un songe,
> Sommeil, je ne dormirais pas [1]...

Cela rappelait Bertin et Parny ; cela n'était ni meilleur ni moins bon. Quant aux académies, elles exigeaient des odes pompeuses, ornées d'apostrophes et de prosopopées, toutes fleuries de bons sentiments ; ou, limite extrême de leur fantaisie, des pastorales exotiques vaguement inspirées de Chateaubriand. La *Canadienne suspendant au palmier le corps de son enfant* et *La Fille d'O-Taïti* sont les essais de Hugo dans le genre *Atala* versifié.

Bientôt il entra en rapport avec l'Académie des Jeux Floraux de Toulouse, que le souvenir des troubadours et de Clémence Isaure parait d'antiques prestiges, qui couronnait des poètes, les fêtait au son des flûtes et leur donnait en prix des soucis, des violettes, des amarantes et des lis d'or ou d'argent. Eugène avait envoyé là une *Ode sur la Mort du duc d'Enghien* et obtenu un « souci réservé ». Les jeunes poètes se sentaient mieux accueillis au Capitole de Toulouse qu'au Palais Mazarin. Victor soumit une *Ode sur les Vierges de Verdun* conduites au supplice pendant la Révolution pour avoir paru à un bal donné par les Prussiens, et participa à un concours avec sujet imposé : *Le rétablissement de*

---

1. VICTOR HUGO : *Au Sommeil* (*Essais et Poésies diverses. — Odes et Ballades,* p. 419).

la statue de Henri IV. Jusqu'au dernier jour, il n'avait pu écrire ce poème parce qu'il soignait sa mère malade d'une bronchite, puis, voyant qu'elle se désolait qu'il ne courût pas cette chance, il composa l'ode en une nuit :

> Tout un peuple a voué ce bronze à ta mémoire,
> Ô chevalier, rival de gloire
> Des Bayard et des Duguesclin !
>
> De l'amour des Français, reçois la noble preuve,
> Henri, nous te devons au denier de la veuve,
> À l'obole de l'orphelin [1].

Exercices scolaires, mais d'une si évidente maîtrise dans l'emploi de l'alexandrin mêlé à l'octosyllabe, dans le balancement simultané de l'idée et du vers, qu'il obtint le lis d'or, premier prix du concours, l'emportant sur de nombreux concurrents, dont Alphonse de Lamartine, qui avait dix ans de plus. Un membre de l'Académie toulousaine, Alexandre Soumet, écrivit à Victor en louant son « beau talent » et en parlant des prodigieuses espérances » que ce jeune poète donnait à notre littérature : « Si l'Académie partage mes sentiments, Isaure n'aura pas assez de couronnes pour les deux frères. Vos dix-sept ans ne trouvent ici que des admirateurs, presque des incrédules. Vous êtes pour nous une énigme dont les Muses ont le secret [2]... » Ce précieux éloge venait d'un écrivain déjà connu à Toulouse, et même à Paris, comme « notre grand Alexandre ». Soumet se montrait affable aux débutants. « Tout était poésie en lui... Il semblait que l'affection débordât de son cœur. » En 1811 (à vingt-cinq ans), il avait obtenu la grande amarante d'or pour une *Ode sur la Naissance du Roi de Rome.* Les sujets changent avec les régimes ; au retour du roi de France, il avait jugé prudent de se retirer à Toulouse pour un temps et d'y écrire un *Éloge de Louis XVI.* « Il est permis, disait-il, d'y voir un effet des événements politiques. » Cela est permis.

Soumet, encore en période de rodage monarchiste, venait alors

1. Victor Hugo : *Ode sur le Rétablissement de la Statue de Henri IV* (*Recueil de l'Académie des Jeux Floraux*, Toulouse, chez M.-J. Dalles, 1819, p. IV).
2. Cf. Edmond Benoit-Lévy : *La Jeunesse de Victor Hugo*, p. 249.

peu à Paris, mais il y avait des amis qu'il fit connaître à Victor Hugo. Il l'introduisit chez un grand fonctionnaire des Domaines, Jacques Deschamps de Saint-Amant, vieillard aimable et cultivé chez lequel vivaient ses fils, tous deux poètes : Émile et Antoni Deschamps. Autour d'eux se réunissait un groupe d'hommes de trente ans environ, écrivains bourgeois, catholiques et monarchistes. Milieu traditionnel, mais où l'on parlait beaucoup de Gœthe, de Byron, de Schiller, de Chateaubriand. L'Allemagne et l'Angleterre semblaient alors à l'avant-garde des lettres parce que la France, de 1789 à 1815, n'avait fait que la guerre. On rêvait, dans ce salon, d'une poésie nouvelle ; on était agité par les œuvres posthumes d'André Chénier, que venait de publier Henri de Latouche ; on s'émerveillait d'y trouver des coupes de vers toutes nouvelles et une simplicité de ton qui ramenait au véritable antique. Victor, enfant aux cheveux blonds, se voyait pris au sérieux et traité en « cher confrère » par des hommes arrivés. Il ne s'en étonnait pas, ayant en soi cette confiance tranquille que donne la force. En septembre 1819, parce que Chateaubriand avait écrit dans son journal, *Le Conservateur,* un bel article sur la Vendée, le jeune Hugo, Vendéen par sa mère, composa une ode sur *Les Destins de la Vendée* et osa la dédier à Chateaubriand. Le généreux Abel était l'ami d'un imprimeur ; l'ode fut publiée. Elle se vendit un peu. Paris en parla.

Il y avait une jeune fille aux yeux noirs qui assistait, avec émotion, à cette montée en flèche de son ami. C'était Adèle Foucher. Un jour qu'elle se trouvait seule avec Victor, sous les grands marronniers, elle lui dit : « Tu dois avoir des secrets ; n'en as-tu pas un qui est le plus grand de tous ? » Il en convint. « C'est comme moi, dit-elle. Eh bien ! écoute : dis-moi quel est ton plus grand secret, je te dirai le mien. — Mon grand secret, répondit Victor, c'est que je t'aime. — Mon grand secret, c'est que je t'aime », répéta-t-elle. Cela se passait le 26 avril 1819. Ils étaient tous deux timides et sages, lui ardent et grave, elle très pieuse. Cet amour demeura tout à fait innocent et n'en fut que plus fort. « Après ta réponse, mon Adèle, j'eus un courage de lion [1]. »

Les Foucher passèrent l'été à Issy, près de Paris. Victor y allait parfois avec sa mère et, le reste du temps, pensait à l'absente. « *Le*

---

1. VICTOR HUGO : *Lettres à la Fiancée,* p. 42.

doux penchant devint une indomptable flamme. » Pendant l'hiver
1819-1820, une correspondance s'établit. Victor, lecteur de *Werther* et de *René,* de Tibulle et de Catulle, traducteur de la *Priapée*
d'Horace, brûlait de désirs inavoués ; Adèle, petite bourgeoise de
dix-sept ans, élevée sévèrement, avait honte de son « péché ». Fière
d'être aimée par un jeune homme qu'effleurait déjà la gloire, mais
honteuse de le voir et de lui écrire en secret, elle craignait ses
parents et son confesseur. Quand, en décembre 1819, Victor lui
donna un poème écrit pour elle : *Premier Soupir,* et demanda en
échange douze baisers, elle promit, puis marchanda et n'en accorda
que quatre.

> Ces vers pour qui ton jeune amour
> M'a promis des baisers que ta pudeur craintive
> Me refuse de jour en jour [1]...

Victor avait été formé par sa mère à prendre la vie au sérieux.
Dès ce moment, il pensait au mariage et ne voulait pas compromettre sa fiancée. « *Car l'amant à l'époux garde sa pureté.* » Il se
prosternait aux pieds de cette enfant : « Il est donc vrai que tu
m'aimes, Adèle ? Dis-moi, est-ce que je peux me fier à cette ravissante idée ?... Que tu me rends heureux ! Adieu, adieu. Je vais
passer une bien douce nuit à rêver de toi ; dors bien et laisse ton
mari te prendre les douze baisers que tu lui as promis [2]... » Adèle
répondait, parfois en femme amoureuse, plus souvent en petite fille
modèle grondée par sa mère. Mme Foucher avait déclaré qu'elle
était « très mécontente » de la préférence témoignée par sa fille à
un jeune homme. *Adèle à Victor :* « On est bien malheureuse, Victor, quand on désire l'absence de sa mère... Je suis désolée, quand
je veux faire ma prière, de ne pouvoir adresser à Dieu que des
oraisons de bouche et que toute mon âme soit portée vers toi. C'est
certainement une chose bien triste... Quand ma pauvre mère a le
dos tourné, je prends ma plume en cachette et la trompe [3]... » Elle
suppliait Victor d'être prudent. Bien qu'à regret, il promit.

Victor Hugo à Adèle Foucher, 19 février 1820 : « Je pense
que nous devons désormais conserver en public la plus grande

---

1. Victor Hugo : *Le Jeune Banni. — Essais et Poésies diverses. — Odes
et Ballades,* p. 489.
2. Victor Hugo : *Lettres à la Fiancée,* p. 12.
3. Bibliothèque nationale, département des manuscrits, n. a. fr. 13414.

réserve l'un vis-à-vis de l'autre ; ce n'est pas sans de longs combats que j'ai pu me résoudre à te recommander d'être froide avec moi, avec ton mari, ton Victor, celui qui donnerait tout pour t'épargner la moindre peine ; il faut encore que je me condamne à ne plus m'asseoir près de toi, et ici, chère amie, je t'en conjure, aie pitié de ma malheureuse jalousie, évite tous les autres hommes comme tu m'éviteras moi-même. Je ne viendrai plus à tes côtés ; que du moins j'aie la consolation de ne pas voir d'autres que moi jouir d'un bonheur auquel ton intérêt seul peut me faire renoncer. Reste auprès de ta mère ; place-toi entre d'autres femmes. Tu ne sais pas, mon Adèle, à quel point je t'aime. Je ne puis voir un autre seulement t'approcher sans tressaillir d'envie et d'impatience ; mes muscles se tendent, ma poitrine se gonfle, et il me faut toute ma force et toute ma circonspection pour me contenir [1]... »

Pourtant, le 28 décembre, on leur permit d'aller, chaperonnés par le jeune frère d'Adèle (Paul Foucher), au Théâtre-Français, où l'on donnait *Hamlet* : « Dis-moi, chère amie, as-tu conservé quelque idée de cette charmante soirée ? Te rappelles-tu que nous attendîmes bien longtemps ton frère dans la rue voisine du théâtre et que tu me disais que *les femmes étaient plus aimantes que les hommes* ? Te rappelles-tu que, durant toute la représentation, ton bras resta appuyé sur le mien ? Que je t'entretins de malheurs imminents et qui, en effet, ne tardèrent pas à nous frapper [2] ?... »

Un jour qu'Adèle avait une lettre cachée dans son corsage, elle se baissa pour se chausser. La lettre tomba et Mme Foucher demanda : « Qu'est-ce que cela ? Dis-le-moi. Je le veux. » La jeune fille décrivit l'amour de Victor et avoua qu'ils étaient convenus de se marier. Les parents Foucher, ayant discuté la situation, ne virent que deux solutions : ou fiancer ces jeunes gens, ou les séparer. Pierre Foucher n'était pas hostile à l'idée du mariage ; à ses yeux, un général de l'Empire, fût-il en demi-solde, restait un beau-père souhaitable ; il avait confiance en l'avenir de Victor et connaissait les jugements portés sur le jeune homme par de bons esprits. Mais il fallait en avoir le cœur net, car, autour d'eux, l'on

---

1. VICTOR HUGO : *Lettres à la Fiancée,* p. 14.
2. *Opus cit.,* p. 89.

jasait. Adèle l'écrivit à Victor : « Toutes les commères du quartier
se moquent de moi, ne font que tenir des propos qui, s'ils ne me
perdent pas, me nuisent certainement beaucoup. D'un autre côté,
je ne suis pas sans me reprocher ma conduite envers maman ; je
l'aime ; je ferais tout pour elle... Oh ! cher Victor, que je suis coupable ! Après une pareille conduite, je ne m'étonne plus si tu me
méprises [1]... »

Il était loin de la mépriser, mais il la régentait et lui faisait des
recommandations déjà maritales : « Maintenant, tu es la fille du
général Hugo. Ne fais rien d'indigne de toi ; ne souffre pas qu'on
te manque d'égards ; maman tient beaucoup à ces choses-là [2]... »
Il y tenait lui-même bien plus encore. « Une épingle de moins à
ma guimpe le fâchait, dit Adèle. La plus petite licence de langage
le choquait. On peut imaginer ce que pouvaient être ces licences,
dans un intérieur si chaste que ma mère ne pouvait admettre qu'on
prêtât un amant à une femme mariée ; elle n'y croyait pas ! Il
voyait des périls, prenait à mal une infinité de choses où je n'aper-
cevais rien de mal. Sa pensée allait loin, et je ne pouvais tout
prévoir [3]... »

> *Victor Hugo à Adèle Foucher, 4 mars 1822 :* « J'ai, ma
> bien chère Adèle, à te dire une chose qui m'embarrasse. Je
> ne puis ne pas te la dire et je ne sais comment te la dire...
> Je voudrais, Adèle, que tu craignisses moins de crotter ta robe
> quand tu marches dans la rue. Ce n'est que d'hier que j'ai
> remarqué, et avec peine, les précautions que tu prends... Il
> me semble que la pudeur est plus précieuse qu'une robe...
> Je ne saurais te dire, chère amie, quel supplice j'ai éprouvé
> hier dans la rue des Saints-Pères en voyant celle que je res-
> pecte l'objet de coups d'œil impudents. J'aurais voulu t'aver-
> tir, mon Adèle, mais je n'osais, car je ne savais quels termes
> employer... Prends garde à ce que je te dis ici, si tu ne veux
> m'exposer à donner un soufflet au premier insolent dont le
> regard osera se tourner vers toi [4]... »

Elles sont curieuses, ces lettres à la Fiancée, toutes pleines de

1. VICTOR HUGO : *Lettres à la Fiancée*, p. 22.
2. *Opus cit.*, p. 23.
3. Cf. RAYMOND ESCHOLIER : *Un Amant de Génie*, p. 80.
4. VICTOR HUGO : *Lettres à la Fiancée*, pp. 154-155.

« truismes bien pensants », écrites avec la sincérité d'un enfant de chœur amoureux » et une « vertueuse exaltation ». Le vocabulaire est « terriblement dessus de pendule de la Restauration [1]... ». Mais comment cet adolescent n'eût-il pas été de son temps et de son milieu ? Et comment eût-il osé dire à cette petite fille dévote et pure les pensées qui traversaient son esprit ? Le mélange du désir et du respect le rendait tout embarrassé quand il était près d'elle. Elle s'en apercevait et interprétait mal l'attitude contrainte de Victor. « Ce n'est pas assez pour moi, gémissait la malheureuse Adèle, d'être malade de chagrins et de peines ! Il faut encore que je t'ennuie dans le peu d'instants que tu es avec moi [2]... » « L'ennui, il est peint sur ton visage et jusque dans tes moindres paroles [3]... » Que de tourments ! Sur quoi il a une idée à la Werther : ne pourrait-il l'épouser, être son mari une nuit et se tuer le lendemain ? « Personne n'aurait de reproches à te faire. Tu serais ma veuve... Un jour de bonheur vaut bien une vie de malheur [4]... » Adèle refusait de le suivre dans cette voie sublime et le ramenait aux commérages du quartier. Sa mère lui disait : « Adèle, si tu ne cesses pas, si les propos que l'on tient sur ton compte continuent toujours, je me verrai forcée de parler à M. Victor, ou plutôt à sa mère, et tu seras cause, ma fille, que je me brouillerai avec une personne que j'aime et que j'estime beaucoup [5]... »

Aussi fut-il terrifié quand il vit, le matin du 26 avril 1820, anniversaire de la mutuelle déclaration, M. et Mme Foucher arriver solennellement chez Mme Hugo et lui demander un entretien. Sophie Hugo était une mère dévorante, jalouse et fière de son fils. Elle *savait*, à n'en point douter, Victor destiné à une gloire éblouissante. En outre, il était fils du général comte Hugo. Allait-il, à dix-huit ans, gâcher sa vie en épousant une petite Foucher ? « Jamais, elle vivante, un tel mariage ne se ferait. » Cette attitude offensante avait, pour conséquence nécessaire, une froideur « qui approchait de la brouille » totale. Victor fut appelé au salon et la rupture lui fut signifiée. Devant les Foucher, il se contint, mais affirma son amour. Quand ils furent partis : « Ma mère me vit

1. EMILE HENRIOT : *Les Romantiques*, p. 82.
2. Cf. VICTOR HUGO : *Lettres à la Fiancée*, p. 24.
3. Bibliothèque nationale, département des manuscrits, n. a. fr. 13414.
4. VICTOR HUGO : *Lettres à la Fiancée*, p. 22.
5. *Opus cit.*, p. 23.

pâle et muet. Elle devint plus tendre que jamais, elle essaya de
me consoler ; alors je m'enfuis et, quand je fus seul, je pleurai
amèrement et longtemps [1]... » L'idée de fléchir sa mère ne lui vint
même pas. Il la savait « inébranlable et inexorable », « aussi into-
lérante dans ses haines qu'ardente dans ses affections ». Quant à
la pauvre Adèle, ses parents, à leur tour, lui dirent simplement
qu'elle ne reverrait jamais ni la générale comtesse, ni Victor. L'ai-
mait-il encore ? Elle ne savait. Ses parents prétendaient qu'il *refusait* de venir chez eux. Entre les amants, un rideau de silence tomba.

---

1. Victor Hugo : *Lettres à la Fiancée,* p. 42.

II

« LE CONSERVATEUR LITTÉRAIRE »

> Hugo, comme tout véritable poète, est un
> critique de premier ordre.
>
> PAUL VALÉRY.

L'AMOUR le fuyait ; il chercha consolation dans le travail. Abel décida que les trois frères Hugo auraient enfin leur revue. Le journal de leur maître, Chateaubriand, s'appelait *Le Conservateur* ; leur revue serait *Le Conservateur littéraire*. Elle parut de décembre 1819 à mars 1821 et fut surtout rédigée par Victor. Abel donna quelques articles ; Eugène, ombrageux, se tint à l'écart et ne contribua que par quelques pièces de vers ; Biscarrat, de Nantes, adjurait Victor de faire travailler son frère : « Faute de quoi, c'est un jeune homme perdu [1]... » Ce fut la verve débordante du cadet qui, sous onze pseudonymes, alimenta la revue où il publia, en seize mois, cent douze articles et vingt-deux poèmes.

On demeure confondu, quand on parcourt cette collection, par l'intelligence et l'érudition de cet enfant. Critique littéraire, critique dramatique, littératures étrangères, il parle de tout avec une richesse de références qui prouve une réelle culture, surtout latine et grecque. Sa philosophie est généreuse. À Voltaire, qu'alors il admire, il fait ce reproche : « Ce beau génie qui écrivit l'histoire des hommes pour lancer un long sarcasme contre l'humanité... Il y aurait pourtant quelque injustice à ne trouver, dans les annales du monde, qu'horreur et crime [2]... » Pourtant lui-même montre souvent un cynisme dur qu'ont engendré les spectacles du temps :

---

1. Maison de Victor Hugo. Catalogue *Enfance et Jeunesse de Victor Hugo*, n° 173, p. 60.
2. VICTOR HUGO : *Fragments de critique. — Journal d'un jeune Jacobite de 1819* (*Littérature et Philosophie mêlées*, pp. 26 et 38).

« Le Sénat romain déclare qu'il ne rachèterait point les prisonniers. Qu'est-ce que cela prouve ? Que le Sénat n'avait pas d'argent... Le Sénat marche au-devant de Varron, qui s'est sauvé de
la bataille et le remercie de n'avoir pas désespéré de la République. Qu'est-ce que cela prouve ? Que la faction qui avait fait
nommer Varron général fut encore assez puissante pour empêcher
qu'il fût puni [1]... » La force de cette pensée juvénile, la fermeté
du style, l'étendue des connaissances annoncent un grand écrivain.
En politique, il demeurait monarchiste :

> Peut-être tu me crois de ces vieux cacochymes,
> Nobles, et grands prêcheurs des anciennes maximes ;
> Ourry, détrompe-toi : j'ai seize ans, et mes jours
> Dans une humble roture ont commencé leur cours ;
> Je respecte la Charte et son frein salutaire,
> Je lis l'*Esprit des Lois* et j'admire Voltaire ;
> Suis-je *ultra ?* Je ne sais, mais je hais tout excès [2]...

En littérature, les frères Hugo pratiquent un éclectisme timide :
« Nous n'avons jamais compris cette distinction entre le genre
classique et le genre romantique. Les pièces de Shakespeare et
Schiller ne diffèrent des pièces de Corneille et Racine qu'en ce
qu'elles sont plus défectueuses [3]... » Pourtant Victor a l'audace de
dire que, si Delille est un maître, c'est un maître dangereux ; il
entrevoit la faiblesse de l'érotisme académique. « La peinture des
passions est une source inépuisable d'expressions et d'idées neuves ;
il n'en est pas de même de celle de la volupté ; là, tout est matériel
et, quand vous avez épuisé l'albâtre, la rose et la neige, tout est
dit [4]... » Il exige du poète « un esprit droit, un cœur pur, une âme
noble et élevée ». Son sens critique est juste : « Quand donc ce
siècle aura-t-il une littérature au niveau de son mouvement social,
des poètes aussi grands que ses événements [5] ?... » Le jeune Hugo

---

1. VICTOR HUGO : *Fragments de critique* (*Littérature et Philosophie
mêlées*, p. 38).
2. VICTOR HUGO : *Réponse à l'Epître au Roi de monsieur Ourry* (*Essais
et Poésies diverses. — Odes et Ballades*, pp. 449-450).
3. Cité par Benoît-Lévy, p. 328, d'après le n° VIII du *Conservateur
littéraire* (25 mars 1820). Non reproduit dans *Littérature et Philosophie mêlées*.
4. VICTOR HUGO, cité par E. Benoît-Lévy, dans *La Jeunesse de Victor
Hugo*, p. 321.
5. VICTOR HUGO : *Littérature et Philosophie mêlées*, p. 53.

jugeait la platitude, en une telle époque, impardonnable « puis-qu'il n'y a plus là de Bonaparte pour résorber le génie et en faire des généraux ».

Son admiration, il la réserve à ceux qui en sont dignes : à Corneille, dont il découvre la fantaisie hardie, singulièrement dans les comédies ; à Chénier, que Latouche vient de révéler et sur le cercueil de qui la critique classique s'acharne ; à Walter Scott, dont il prévoit l'influence ; à Lamartine, dont les *Méditations* pa-raissent en 1820. « Voilà donc enfin des poèmes d'un poète, des poésies qui sont de la poésie [1] ! ... » La simplicité de Lamartine surprend Hugo : « Ces vers m'étonnèrent d'abord, me charmèrent ensuite. Ils sont dépouillés à la vérité de notre élégance mondaine et de notre grâce étudiée [2]... » Sur Chénier et Lamartine comparés, une phrase pénétrante : « Enfin, si je comprends bien des distinc-tions, du reste assez insignifiantes, le premier est romantique parmi les classiques, le second est classique parmi les romantiques [3]. »

En 1820, Victor Hugo portait dans sa poche un carnet où il notait des pensées : « On marche pesamment dans la vie comme dans la boue. — Chateaubriand traduit Tacite comme Tacite le traduirait. — Les ministres disent ce qu'on veut pour que l'on fasse ce qu'ils veulent [4]... » Le garçon qui écrivait ces phrases avait dix-huit ans. On lit aussi dans ce carnet : « De Vigny dit que, lorsque le Soumet s'anime, son âme se met à la fenêtre [5]... » Car Soumet et ses amis toulousains : le volcanique Alexandre Guiraud, le comte Jules de Rességuier, jouaient un rôle de premier plan au *Conserva-teur littéraire*. Soumet, poète dans chaque pouce de sa personne, plaisait par ses longs cils noirs, par son expression séraphique, par le toupet auquel il donnait l'effarement de l'inspiration. Il était capable d'un grand dévouement, pourvu qu'on le mît à l'épreuve dans l'instant. « Mais avec lui, disait Virginie Ancelot, il ne fallait rien remettre au lendemain. » Guiraud « tenait de l'écureuil par sa vivacité et il semblait toujours tourner dans sa cage [6]... ». Victor

1. VICTOR HUGO : *Littérature et Philosophie mêlées*, p. 45.
2. Cf. *Le Conservateur littéraire* (1820), p. 192.
3. VICTOR HUGO : *Littérature et Philosophie mêlées*, p. 45.
4. VICTOR HUGO : *Reliquat de Littérature et Philosophie mêlées*, pp. 252-253.
5. *Opus cit.*, p. 252.
6. ALFRED DE VIGNY : *Journal d'un Poète.*

pouvait se dire leur confrère, ayant été nommé maître ès Jeux
Floraux. Autres collaborateurs précieux : les frères Deschamps,
dont le père recevait toute cette jeunesse dans son bel appartement : Antoni, un peu bizarre ; Émile, fils fervent, mari fidèle
d'une femme sans beauté, homme « châmant, trop châmant ». « Ce
poète-là, une étoile ? Non, une bougie », disait-il de Jules de Rességuier. On retournait le mot contre lui.

Émile Deschamps avait eu pour ami d'enfance Alfred de Vigny
et présenta, en 1820, à Victor Hugo ce beau sous-lieutenant à la
Garde Royale, poète, mais qui n'avait encore rien publié. Au début,
les relations furent cérémonieuses ; ils s'appelaient « Monsieur Alfred » et « Monsieur Victor ». Vigny, en garnison à Courbevoie,
fut invité chez les Hugo. « Quand le cœur vous en dira, j'espère
que vous y viendrez chercher de l'ennui et apporter du plaisir. »
Humilité de parade ? Certes, mais aussi légère appréhension à
l'idée de recevoir en famille cet aîné de cinq ans, officier, et fier
de sa grandeur ancestrale. Craintes vaines, car Vigny, qui commençait à se lasser de ses épaulettes d'or et de son grand sabre,
devint l'ami, non seulement de Victor, mais d'Abel, et d'Eugène,
qu'il nommait *Harold l'intrépide :* « Vous voyez que je suis avide
de vous trois, leur écrivait-il. Venez, que nous ayons de ces longues
conférences dans lesquelles le temps passe si vite. »

Par les Deschamps encore, Hugo connut Mme Sophie Gay et
sa ravissante fille Delphine qui, à peine adolescente, composait elle
aussi des vers que sa beauté rendait admirables ; par Vigny, les
deux meilleurs amis de celui-ci : Gaspard de Pons et Taylor, officiers de son régiment, le premier poète, le second féru de littérature. L'écrivain qu'il souhaitait le plus rencontrer était évidemment
Chateaubriand. Le *Génie du Christianisme,* dont « la musique et
la couleur l'avaient ébloui », lui avait révélé un catholicisme poétique qui « se confondait avec l'architecture des cathédrales et les
grandes images de la Bible [1]... ». Il passait rapidement du royalisme voltairien de sa mère au royalisme chrétien de Chateaubriand,
ce qui, espérait-il, le rapprocherait un peu des Foucher, tous dévots
catholiques. Quand le duc de Berry fut assassiné, Victor Hugo écrivit sur cette mort une ode qui fit grand effet ; une strophe arracha
les larmes au vieux Louis XVIII :

---

1. *Victor Hugo raconté par un témoin de sa vie,* t. II, p. 5.

Monarque en cheveux blancs, hâte-toi, le temps presse ;
Un Bourbon va rentrer au sein de ses aïeux ;
Viens, accours vers ce fils, l'espoir de ta vieillesse ;
    Car ta main doit fermer ses yeux [1]...

Apostrophe de banale rhétorique, mais la monarchie, en ce temps-là, n'avait pas mieux et le sentiment toucha le roi ; il ordonna qu'une gratification de cinq cents francs fût remise au jeune poète. Un député de droite, Agier, dans *Le Drapeau blanc,* publia un article sur l'*Ode* et cita un mot de Chateaubriand : « *Enfant sublime.* » Avait-il été prononcé ? Rien ne le prouve. Le vicomte fit toujours la grimace quand on le lui rappelait. Un soir, chez Mme Récamier, en 1841, le comte de Salvandy, qui allait recevoir Hugo à l'Académie, dit à Chateaubriand : « Je me contenterai de paraphraser votre beau mot d'*enfant sublime.* — Mais je n'ai jamais dit cette bêtise-là ! » s'écria avec impatience Chateaubriand.

Quoi qu'il en soit, Agier conduisit Victor Hugo 27, rue Saint-Dominique, et la réception fut ce qu'elle pouvait être : Mme de Chateaubriand au nez pointu, assise sur une causeuse, ne bougea ni ne parla ; Chateaubriand, en redingote noire, adossé à la cheminée, redressait son petit corps voûté. René, devenu vieux, ne ménageait pas l'éloge, « pourtant il y avait dans l'attitude, dans l'inflexion de voix, dans cette façon de distribuer les places, quelque chose de si souverain que Victor se sentit plutôt diminué qu'exalté. Il balbutia une réponse embarrassée et eut envie de partir [2]... ». À la prière de sa mère, il y retourna, mais les autres visites ne furent pas beaucoup plus exaltantes, sauf une seule, où le vicomte, à son petit lever, daigna se faire doucher et frictionner, nu, devant son disciple surpris. L'Enchanteur avait une manière redoutable de laisser tomber la conversation et de signifier, par une politesse glacée, son ennui. « On éprouvait plus de respect que de sympathie ; on se sentait devant un génie, non devant un homme [3]... »

La littérature est parfois, pour un écrivain, un instrument qui lui permet de faire savoir à ceux qu'il aime des choses qu'il ne peut leur dire. Victor, qui adressait chaque mois *Le Conservateur littéraire* à M. Foucher et y rendait compte, comme d'œuvres ma-

---

1. Victor Hugo : *La Mort du duc de Berry* (*Odes et Ballades,* p. 68).
2. *Victor Hugo raconté par un témoin de sa vie,* t. II, p. 7.
3. *Victor Hugo raconté par un témoin de sa vie,* t. II, p. 12.

jeures, des petits ouvrages administratifs de celui-ci, espérait que
la revue tomberait sous les yeux d'Adèle. Il y publia donc une
élégie, *Le Jeune Banni,* où un disciple de Pétrarque, Raymond
d'Ascoli, chassé par son père à cause de son amour pour une jeune
fille, annonce qu'il va se donner la mort :

> J'ose t'écrire. Hélas ! à nos ardeurs naissantes
> Qu'eût servi jusqu'ici ce pénible secours ?
>   Les doux aveux de nos amours
> À peine ont effleuré nos lèvres innocentes ;
>   Un mot faisait tous nos discours [1]...

Ce dernier vers n'était pas indigne de La Fontaine. Adèle le
lirait-elle ? Victor essayait aussi d'exprimer son amour en écrivant
un roman frénétique, *Han d'Islande,* où il se peignait sous le nom
d'Ordener et Adèle sous celui d'Ethel. « J'avais une âme pleine
d'amour, de douleur et de jeunesse ; je n'osais en confier les secrets
à aucune créature vivante ; je choisis un confident muet, le papier [2]... »

Han d'Islande, inachevé, ne put paraître dans *Le Conservateur
littéraire,* qui s'était éteint en mars 1821 ou, plus exactement, avait
fusionné avec les *Annales de la Littérature et des Arts.* La fusion
est, pour les revues, la forme la plus honorable du suicide. *Le Conservateur littéraire* avait été, pour l'enfant sublime, une utile expérience. « Les années de journalisme (1819 et 1820) furent, dans sa
vie, une période décisive : amour, politique, indépendance, chevalerie et religion, pauvreté et gloire, étude opiniâtre, lutte contre le
sort en vertu d'une volonté de fer, tout en lui apparut et grandit à
la fois, à ce degré de hauteur qui constitue le génie. Tout s'em-
brasa, se tordit, se fondit intimement dans son être au feu volcanien
des passions, sous le soleil de canicule de la plus âpre jeunesse, et
il en sortit cette nature d'un alliage mystérieux où la lave bouil-
lonne sous le granit, cette armure brûlante et solide [3]... » Il y avait
en ce jeune homme autre chose et plus qu'un grand journaliste,
mais il possédait et allait toute sa vie conserver ce don précieux :
l'art de donner au quotidien une intensité dramatique.

_____

1. Victor Hugo : *Le Jeune Banni (Odes et Ballades,* p. 487).
2. Victor Hugo : *Lettres à la Fiancée,* p. 141.
3. Sainte-Beuve.

IV

LES FIANÇAILLES

> J'ai appris, d'une mère forte, qu'on peut
> maîtriser les événements.
>
> VICTOR HUGO.

FÉVRIER 1821. Les deux amants ne se sont pas vus depuis dix mois. Mme Hugo, pour faire oublier Adèle par son fils, a tout essayé : « Elle a cherché à me livrer aux dissipations du monde... Pauvre mère ! Elle-même avait mis dans mon cœur le dédain du monde et le mépris du faux orgueil [1]... » Il ne lui parlait jamais de ses amours ; elle lisait dans ses yeux qu'il ne pensait à rien autre. Avec la fiancée, aucun moyen de communication directe. Pourtant Victor savait qu'elle prenait des leçons de dessin chez une amie, Julie Duvidal de Montferrier, et qu'elle y allait seule. Il se mit à rôder le matin autour de la maison, aborda sa « fiancée » et lui parla. Elle en parut d'abord heureuse, puis fut épouvantée de ce qu'on allait encore dire si on la rencontrait avec un jeune homme. Contre Victor, elle gardait quelque rancune. N'était-ce pas lui qui, par soumission filiale, avait accepté de ne plus la voir ? Il jura qu'il ne demandait qu'à venir rue du Cherche-Midi, si cela était « honorablement possible » ; Adèle détesta cet *honorablement ;* l'amour vrai, pensait-elle, ne pose pas de telles conditions. « Tu as éludé à merveille la demande que je te faisais de venir chez nous [2]. »

Fâcheux état, pour deux amants, que d'avoir à tenir compte de l'amour-propre de leurs familles. Victor devint amer : « Je me serais jeté pour toi dans un précipice ; tu m'as arrêté avec une main de glace [3]... » Adèle se piqua : « Je veux absolument que

---

1. VICTOR HUGO : *Lettres à la Fiancée,* p. 185.
2. *Opus cit.,* p. 35, n. 1.
3. *Opus cit.,* p. 35.

maman me rencontre te parlant ; elle me mettra dans un couvent ;
je serai heureuse tout à fait [1]... » Querelles d'amoureux à la Molière
qui, par dépit, vont au sarcasme, mais se gardent bien de briser.
« Adieu, disait Victor, je ne t'écrirai plus, je ne te parlerai plus,
je ne te verrai plus. Sois contente [2]... » Mais, deux jours plus tard :
« Si, par impossible, tu avais encore quelque chose à me faire
savoir, tu pourrais m'écrire par la poste à cette adresse : *À Monsieur Victor Hugo, de l'Académie des Jeux Floraux. Poste restante,
au bureau général, à Paris* [3]... » Et, naturellement, elle écrit une
fois encore et redevient l'Adèle adorée. Le carnet de Victor, cet
hiver 1820-1821, est plein de notes mystérieuses : Rendez-vous
« rue du Dragon, rue de l'Échaudé, rue du Vieux-Colombier, au
Luxembourg (R.)... Chambre-sourire (x)... Main-adieu (lux g) [3]... »

26 avril 1821. Double anniversaire de leur bonheur et de leur
désespoir. *Victor à Adèle :* « Voici la seconde année de malheur
qui commence. Arriverai-je à la troisième ?... Adieu pour ce soir,
mon Adèle. La nuit est avancée, tu dors et tu ne songes pas à une
boucle de tes cheveux que, chaque soir, avant de s'endormir, ton
mari presse religieusement sur ses lèvres [4]... » *Adèle à Victor :*
« Voici la dernière fois que je t'écris. Je te donnerai ce mot à la
hâte parce que j'ai toute la maison Duvidal sur le dos. Ainsi je
ne te verrai plus du tout, cela est impossible, et je ne recevrai plus
de tes nouvelles. Je ne tromperai plus maman, mais m'en aura-t-elle
plus d'obligations ? Je ne sais pas [5]... »

Ici, coup de théâtre. La générale Hugo tomba soudain gravement malade. Ne supportant pas de vivre au troisième étage et
sans jardin, elle avait déménagé pour aller, en janvier 1821, rue
de Mézières, n° 10, dans un rez-de-chaussée loué par Abel. Les
fils, habitués par elle à travailler de leurs mains (et d'ailleurs arti-
sans par tradition familiale), s'étaient faits menuisiers, peintres,
tapissiers, teinturiers, car leur mère n'avait plus de ressources pour
s'installer. Mme Hugo et ses enfants bêchaient, plantaient, gref-
faient, ratissaient. Elle se fatigua, s'échauffa, prit froid et eut une

---

1. Victor Hugo : *Lettres à la Fiancée,* p. 36, n. 2.
2. *Opus cit.,* p. 36.
3. Cf. Raymond Escholier : *Un Amant de Génie,* pp. 90-91.
4. Victor Hugo : *Lettres à la Fiancée,* pp. 42-43.
5. Bibliothèque nationale, département des manuscrits, n. a. fr. 13414.

grave fluxion de poitrine. Ses fils passèrent des nuits à la soigner. Le 27 juin, à trois heures, elle mourut dans leurs bras [1].

Abel, appelé, aida ses cadets à régler les lugubres détails. Les trois frères et quelques amis, dont un jeune prêtre, le duc de Rohan, admirateur des premiers essais poétiques de Hugo, la conduisirent au cimetière de Vaugirard. Le soir, Victor erra, découragé de vivre. Qu'il était seul ! Morte, celle qui avait été tout pour lui. Son père vivait à Blois, hostile ou au moins indifférent. Sa fiancée lui était refusée. Entre Eugène et lui-même, il y avait deux ombres : Adèle et le succès. Déjà au temps de l'escarpolette des Feuillantines, les deux frères avaient lutté pour attirer l'attention « d'une beauté naissante ». Chez Eugène, depuis les triomphes de Victor, montait une haine mal refoulée ; cependant que chez Victor, à quelque pitié, se mêlait le plaisir de se sentir le plus fort. Revanche de cadet. Mais revanche vite douloureuse. Eugène, depuis longtemps, effrayait sa famille par de sombres périodes de dépression et la mort de sa mère l'avait rendu comme fou. Pour se rattacher à quelque espérance, Victor alla, sous la pluie, vers l'hôtel de Toulouse.

Il fut stupéfait de voir, un soir de deuil, les fenêtres illuminées chez les Foucher. Des bouffées de musique, des éclats de rire l'atteignaient dans l'ombre du jardin. Par des détours connus de lui, il alla coller ses yeux à un carreau et vit Adèle en robe blanche, coiffée de fleurs, et qui dansait en souriant. Ce fut un choc qu'il n'oublia de sa vie. Si, plus tard, il comprit si bien les pauvres gens qui, le nez collé aux vitres des riches, contemplent avec amertume des fêtes auxquelles ils n'auront jamais part, ce fut grâce à de tels souvenirs. Le lendemain, Adèle se promenait dans le jardin quand elle vit accourir Victor, dont la présence et la pâleur annonçaient un malheur. Elle courut à lui : « Qu'y a-t-il donc ? — Ma mère est morte. Je l'ai enterrée hier. — Et moi, je dansais ! » Ils se mirent à sangloter ensemble et ce furent leurs fiançailles.

M. Foucher fit, rue de Mézières, une visite de condoléance et conseilla vivement à Victor de quitter Paris. La vie y était chère et ces jeunes hommes semblaient bien pauvres. Victor avait écrit à son père pour lui annoncer l'affreuse nouvelle.

---

1. Le récit de *Victor Hugo raconté* se trouve démenti par une lettre contemporaine de Hugo.

Au Général Hugo, 28 juin 1821 : « Notre perte est immense, irréparable. Cependant, mon cher papa, tu nous restes et notre amour et notre respect pour toi ne peuvent que s'accroître... Tu dois connaître son âme telle qu'elle était : elle n'a jamais parlé de toi avec colère... Il ne nous appartient pas, il ne nous a jamais appartenu de mêler notre jugement dans les déplorables différends qui t'ont séparé d'elle, mais, maintenant qu'il ne reste plus d'elle que sa mémoire pure et sans tache, tout le reste n'est-il pas effacé ?... Notre pauvre mère ne laisse rien que quelques vêtements, qui nous sont bien précieux. Les frais de sa maladie et de son enterrement ont bien outrepassé nos faibles moyens ; le peu d'objets de prix qui nous restaient, comme argenterie, montres, etc., ont disparu et à quel meilleur usage peuvent-ils être employés ? Nous avons son médecin et quelques autres dettes à payer. Si tu ne peux t'en charger, nous tâcherons par la suite de les acquitter du produit de notre travail. Le mobilier, qui n'est rien, appartient à Abel, chez qui maman demeurait avec nous, ne pouvant payer elle-même de loyer. Tout notre but, mon cher papa, est de cesser d'être à ta charge le plus tôt possible [1]... »

Les trois fils auraient souhaité que leur père vînt à Paris pour régler leurs affaires ; désemparés, ils se raccrochaient à cette épave que décoraient encore les restes d'une figure de proue. Mais la situation financière du général ne s'améliorait pas. Veuf, son premier désir avait été d'épouser « la dame Marie-Catherine Thomas y Sactoin, âgée de trente-sept ans, veuve du sieur Anaclet d'Almet, propriétaire ». Tels sont les noms inscrits sur le registre de l'état civil, tandis que la lettre de faire-part annonce le mariage du général Hugo avec « Mme veuve d'Almé, comtesse de Salcano ». Elle était sa maîtresse depuis dix-huit ans. Entre ces « vieux mariés ». le « oui municipal » suffisait et il n'y eut point de noces carillonnées. Le colonel Louis Hugo, qui habitait Tulle, écrivit à sa sœur Goton pour s'indigner que « le général n'ait pas seulement fait part de la mort de sa femme à ses frères ! Cette insouciance prouve combien il nous est peu attaché [2]... ». Le second mariage

---

1. Victor Hugo : *Correspondance*, t. I, pp. 322-323.
2. Maison de Victor Hugo. Catalogue *Enfance et Jeunesse de Victor Hugo*, n° 257, p. 94.

avait été célébré le 20 juillet 1821, à Chabris (Indre) ; Louis Hugo
l'apprit seulement en janvier 1822 ; il en informa aussitôt la veuve
Martin-Chopine : « Si la chose est vraie, il faut bien [en] prendre
son parti et faire contre [mauvaise] fortune bon cœur [1]... » Les fils
feignirent, pendant quelques mois, d'ignorer cette régularisation.
Comment eussent-ils protesté ? Ils dépendaient entièrement du
général, leur mère n'ayant laissé que des dettes et eux-mêmes, hors
Abel, ne gagnant rien.

Les Foucher se dirent que, s'ils louaient pour l'été, comme d'habitude, une maison proche de Paris, ils y verraient arriver le jeune
Hugo. Ils décidèrent d'aller à Dreux. La ville était, en diligence,
à vingt-cinq francs de Paris, et Victor n'avait pas vingt-cinq francs.
C'était oublier qu'il possédait mieux que de l'argent : une volonté
de fer et le goût de l'aventure. Les Foucher et leur fille partirent
en voiture, le 15 juillet ; Victor suivit dès le 16.

> *Victor Hugo à Alfred de Vigny, 20 juillet 1821 :* « J'ai
> fait tout le voyage à pied, par un soleil ardent et des chemins
> sans ombre d'ombre. Je suis harassé, mais tout glorieux d'avoir
> fait vingt lieues sur mes jambes ; je regarde toutes les voitures
> en pitié ; si vous étiez avec moi en ce moment, jamais vous
> n'auriez vu plus insolent bipède... Je dois beaucoup à ce
> voyage, Alfred : il m'a un peu distrait. J'étais las de cette
> triste maison [2]... »

Il s'arrêta un jour à Versailles, chez Gaspard de Pons ; puis se
reposa dans le vallon de Chérizy, où il écrivit une élégie lamar-
tinienne sur les malheurs d'un cœur noble et pur, dont la vie
isolée

> Ressemble au noir cyprès qui croît dans la vallée.
> Loin de lui, le lys vierge ouvre au jour son bouton ;
> Et jamais, égayant son ombre malheureuse,
>   Une jeune vigne amoureuse
> À ses sombres rameaux n'enlace un vert feston [3]...

Plainte sincère ; ton conventionnel. En fait il jouit de ce voyage,

---

1. Maison de Victor Hugo. *Catalogue Enfance et Jeunesse de Victor Hugo,* n° 261, p. 95.
2. VICTOR HUGO : *Correspondance,* t. I, p. 327.
3. VICTOR HUGO : *Au Vallon de Chérizy* (*Odes et Ballades,* p. 240).

de sa jeunesse, de sa force, d'un bain de rivière sous les bouleaux, de la beauté des paysages et des ruines. Le 19, il était à Dreux, escaladant de vieilles tours sur une colline escarpée et admirant « la chapelle funèbre des d'Orléans... Cette chapelle blanche et inachevée contraste avec la forteresse noire et détruite ; c'est un tombeau qui s'élève sur un palais qui croule [1]... ». Déjà ses goûts sont fixés : « des ruines et de la verdure, du noir et du blanc, l'interprétation symbolique de ce contraste dans l'opposition du passé et de l'avenir [2] ».

Il était fermement décidé à se promener jusqu'à ce qu'il eût rencontré Adèle et son père. Dreux n'est pas grand et la rencontre se produisit. *Adèle à Victor* (au crayon) : « Mon ami, que fais-tu ici ? Je n'en peux pas croire mes yeux. Je n'ai aucun moyen de te parler. Je t'écris en cachette, pour te dire que tu sois prudent, que je suis toujours ta femme [3]... »

> *Victor Hugo à Pierre Foucher, 20 juillet 1821 :* « Monsieur, j'ai eu le plaisir de vous voir aujourd'hui, ici même, à Dreux, et je me suis demandé si je rêvais. Je ne crois pas que vous m'ayez vu ; j'ai pris du moins mille soins pour que cela ne fût pas ; cependant, comme il serait possible que vous me rencontrassiez de manière ou d'autre ces jours-ci, et que ma présence ici fût diversement interprétée, je crois convenable et loyal de vous en avertir... Il ne nous reste qu'à nous étonner du plus bizarre de tous les hasards... Toutes mes intentions sont pures. Je ne serais pas franc si je ne vous disais que la vue inespérée de mademoiselle votre fille m'a fait un vif plaisir [4]... »

Mensonge ingénu et transparent, mais qui devait toucher un brave homme comme Pierre Foucher. Il avait connu jadis ce petit Victor, « malingre, chétif et ne paraissant pas vouloir de la vie [5] ». Il retrouvait un jeune homme florissant de santé, maître de soi, et qui exprimait son amour avec éloquence et aplomb. Il ne crut pas possible de refuser une audience au fils d'anciens amis, en un mo-

1. VICTOR HUGO : *Correspondance,* t. I, p. 327.
2. JEAN-BERTRAND BARRÈRE : *La Fantaisie de Victor Hugo,* t. I, p. 43.
3. Bibliothèque nationale, département des manuscrits, n. a. fr. 13414.
4. VICTOR HUGO : *Correspondance,* t. I, pp. 325-326.
5. *Souvenirs de Pierre Foucher,* publiés par LOUIS GUIMBAUD, p. 201.

ment où celui-ci était en si grand deuil, reçut Victor en présence d'Adèle et de Mme Foucher, et lui demanda ses intentions. Victor n'en avait qu'une : épouser sa bien-aimée ; il affirmait sa foi en son avenir ; il avait commencé un grand roman, à la Walter Scott, *Han d'Islande,* qui certainement se vendrait bien ; le gouvernement du roi se devait de pensionner un poète monarchiste ; il obtiendrait le consentement du général Hugo au mariage. Tout cela était douteux, mais les jeunes gens s'aimaient. Pierre Foucher décida que les fiançailles ne seraient pas déclarées, qu'il n'ouvrirait pas encore sa maison à Victor, mais qu'Adèle et son prétendant désigné seraient autorisés à s'écrire.

La joie au cœur, Victor alla passer la première quinzaine d'août à Montfort-l'Amaury, chez son ami Saint-Valry, autre poète, ami de tout le groupe Deschamps, aimable géant dont Alexandre Dumas disait : « Quand il prend froid aux pieds, il est enrhumé l'année suivante. » Plein d'admiration pour Victor, Saint-Valry lui ouvrait généreusement sa maison familiale. De Montfort-l'Amaury, puis de La Roche-Guyon, où il fit un séjour chez le duc de Rohan, Victor écrivit plusieurs fois à son beau-père présomptif :

> *Victor Hugo à Pierre Foucher, 3 août 1821 :* « Non, quel que soit l'avenir, quels que soient les événements, ne perdons point l'espérance : l'espérance est une vertu. Faisons tout pour être heureux noblement et, si nous échouons, nous n'aurons de reproches à faire qu'au bon Dieu. Ne vous effrayez pas de l'exaltation de mes idées. Songez que je viens d'éprouver un immense malheur, que je vois mon sort mis en question et que je ne manque pas de sérénité. Peut-être eût-il mieux valu pour mademoiselle votre fille qu'elle se fût attachée à un homme adroit et souple, prompt à tendre la main à la fortune... Cependant un tel homme l'eût-il aimée comme elle mérite de l'être ? Y a-t-il tendresse véritable sans énergie ? Je lui présente ces questions en tremblant, parce que je sais que je ne lui offre d'autre gage de bonheur qu'un indicible désir de la rendre heureuse [1]... »

M. Foucher répondit : « Un homme souple est un fort vilain hôte dans une famille. » Cela semblait encourageant.

---

1. Victor Hugo : *Correspondance,* t. I, p. 330.

Le duc de Rohan, qui avait suivi le convoi de Mme Hugo, était un homme de trente ans, souverain au petit pied de la Bretagne, où il possédait Josselin et Pontivy. En janvier 1815, un accident effroyable avait bouleversé sa vie. Sa jeune femme, qui s'habillait pour un bal, s'était approchée d'une cheminée ; le feu avait pris aux dentelles de sa robe ; elle était morte de ses brûlures, avec une héroïque résignation. Le duc était alors entré à Saint-Sulpice, bien que cette règle austère fût dure pour un homme frêle, de délicatesse toute féminine. L'abbé de Rohan avait le sentiment inné du beau et du bien. Dès les premiers vers de Lamartine, il lui avait fait dire qu'il serait heureux de son amitié. C'était aussi l'admiration qui l'avait attiré vers Victor Hugo. Celui-ci, après l'enterrement de Mme Hugo, était allé le remercier et avait été reçu avec une cordiale simplicité. Le duc n'avait, disait-il, d'autre ambition que de devenir curé de son village, ce qui plut beaucoup au poète. Devinant en celui-ci une âme religieuse, mais qui ne savait presque rien de sa religion, Rohan chercha pour Hugo un confesseur. « Il vous en faut un ; je m'en charge », et il le conduisit chez l'abbé Frayssinous. Ce prêtre mondain, fort à la mode et bien en cour, expliqua au jeune homme que son devoir serait de réussir et de mettre son succès au service de la foi. Cette religion commode déplut au néophyte qui, en sortant, dit à Rohan que l'abbé Frayssinous ne serait jamais son directeur. Rohan lui fit alors connaître Lamennais, dont la redingote usée, les bas de grosse laine bleue et les souliers de paysan firent grande impression. Lamennais devint, pour Victor, non seulement un confesseur, mais un ami dont il aimait la franchise bourrue. Il connut encore un Lamennais bienveillant et tendre, auquel les persécutions devaient trop vite substituer le Lamennais « nerveux et irascible » des années 1830.

La Roche-Guyon était, au bord de la Seine, un château Renaissance aux murs couverts d'admirables boiseries et de tapisseries des Gobelins. L'hôte semblait « divinement » aimable ; une évidente beauté d'âme ajoutait à sa séduction, mais il restait en lui du prince. Quand il regardait dans les glaces sa chevelure noire et fine, il ne pouvait maîtriser toujours une œillade riante et coquette. Évêque de Stendhal. Victor, qui occupait au château une chambre magnifique, y fut servi par une armée de laquais obséquieux. Le contraste lui parut brutal quand, rentrant à Paris, il dut quitter l'appartement de la rue de Mézières et aller loger dans un grenier, rue du Dragon, n° 30, avec un cousin de Nantes : Adolphe Trébuchet. Dans leur délaissement, les trois frères tentaient de se raccrocher à leur famille maternelle. Abel, Eugène et Victor écrivaient collectivement à leur oncle Trébuchet : « Mon cher oncle, permettez à votre famille de Paris de joindre ses vœux à ceux de vos parents de Nantes, pour vous féliciter le jour de votre fête, comme tous vos autres enfants... Nous qui vous connaissons dans Adolphe, nous sentons vivement que notre oncle manque à tous nos plaisirs... Cet Adolphe est si bon, si gai, si aimable... Heureux les pères qui, comme vous, sont loués par les bonnes qualités de leurs enfants [1]. »

Victor et son cousin « avaient pris en commun une mansarde à deux compartiments. L'un était leur salon de réception ; sa splendeur consistait dans une cheminée de marbre Sainte-Anne, au-dessus de laquelle était accroché le Lis d'Or des Jeux Floraux. L'autre compartiment était un boyau mal éclairé et qui avait grand-peine à contenir deux lits... Les cousins avaient, à eux deux, une armoire. C'était beaucoup pour Victor, qui possédait en tout trois chemises [2]. »

Plus tard, il peignit, sous le nom de Marius, le jeune homme qu'il avait été rue du Dragon :

> Un front haut et intelligent, les narines ouvertes et passionnées, l'air sincère et calme et, sur tout son visage, je ne sais quoi qui était hautain, pensif et innocent... Ses façons étaient réservées, froides, polies, peu ouvertes... Il mangea de cette chose inexprimable qu'on appelle *de la vache enragée*... Il y eut un moment, dans la vie de Marius, où il balayait son palier, où il achetait un sou de fromage de Brie chez la fruitière... Avec une côtelette qu'il faisait cuire lui-même, il vivait trois jours. Le premier jour, il mangeait la viande ; le second jour, il mangeait la graisse ; le troisième jour, il rongeait l'os [3]...

Mais il gardait, dans cette misère, une dignité souveraine, se respectait et se faisait respecter. Il n'hésitait pas, lui monarchiste,

---

1. Lettre inédite. Collection Alfred Dupont.
2. *Victor Hugo raconté par un témoin de sa vie*, t. II, pp. 51-52.
3. VICTOR HUGO : *Les Misérables*, IIIe part., liv. V, chap. 1, pp. 391-392, et liv. VI, chap. 1, p. 411.

à offrir asile à un jeune camarade républicain, Delon, recherché par la police. Sa mère lui avait appris à protéger les proscrits.

Tout aurait été supportable si ses amours avaient été heureuses, mais les querelles à la Molière avaient repris. Adèle, pour un rien, se croyait « méprisée » ; Victor prenait feu dès qu'un mot allumait sa jalousie. Il s'attaquait maintenant à Julie Duvidal de Montferrier, amie d'Adèle, professeur et peintre de grand talent, avec une violence de préjugés qu'il tenait de sa mère.

> *Victor Hugo à Adèle Foucher, 3 février 1822 :* « Cette jeune personne a eu le malheur de se faire artiste ; cela suffirait pour ruiner sa réputation. Il suffit qu'une femme appartienne au public sous un rapport pour que le public croie qu'elle lui appartient sous tous. Comment, d'ailleurs, supposer qu'une jeune fille conserve une imagination chaste et, par conséquent, des mœurs pures après les études qu'exige la peinture, études pour lesquelles il faut d'abord abjurer la pudeur ?... Ensuite convient-il à une femme de descendre dans la classe des artistes, classe dans laquelle se rangent comme elle les actrices et les danseuses [1] ?... »

Tant de sévérité accablait la pauvre Adèle : « Je te le demande en grâce, écrivait-elle, aime-moi avec cette paix, cette tranquillité que tu dois nécessairement à ta femme », et aussi : « La passion est de trop ; ce n'est pas durable ; du moins je l'ai toujours entendu dire [2]... » C'était gentil et drôle, mais Victor n'avait aucun sens de l'humour. Sérieux, solennel, il répondit par un cours sur les passions de l'amour.

> *Victor Hugo à Adèle Foucher, 20 octobre 1821 :* « L'amour, pour le monde, n'est qu'un appétit charnel ou un penchant vague, que la jouissance éteint et que l'absence détruit. Voilà pourquoi tu as entendu dire, par un étrange abus de mots, que *les passions ne duraient pas*. Hélas ! Adèle, sais-tu que *passion* signifie *souffrance ?* Et crois-tu, de bonne foi, qu'il y ait quelque souffrance dans ces amours du commun des hommes, si violentes en apparence, si faibles en réalité ? Non, l'amour immatériel est éternel, parce que l'être qui l'éprouve

---

1.   VICTOR HUGO : *Lettres à la Fiancée,* pp. 123-124.
2.   *Opus cit.,* p. 51, n. 1, et p. 55, n. 1.

ne peut mourir. Ce sont nos âmes qui s'aiment et non nos corps. Ici, pourtant, remarque qu'il ne faut rien pousser à l'extrême. Je ne prétends pas dire que les corps ne soient pour rien dans la première des affections, car à quoi servirait alors la différence des sexes, et qui empêcherait que deux hommes pussent s'aimer d'amour [1] ?... »

Elle était, au fond, contente d'être ainsi adorée, mais inquiète de l'avenir. Pourrait-elle tenir le rôle de grande amoureuse qu'il lui assignait ? « Il faut, Victor, que je te dise que tu as tort de me croire au-dessus des autres femmes [2]... » Et c'est, en effet, le tort des hommes passionnés que de hisser la femme qu'ils aiment au-dessus d'elle-même, situation qui amène vertige et chute. Quant aux parents Foucher, ils étaient, eux aussi, parfois terrifiés par les violences du fiancé. Un soir, rue du Cherche-Midi, où Adèle, à force de supplications, avait obtenu qu'il fût invité, la conversation étant venue sur l'adultère, il montra une véritable férocité. Il soutenait qu'un mari doit, en pareil cas, tuer ou se tuer. Adèle se cabra : « Quelle intolérance chez toi ! Tu serais bourreau s'il n'y en avait pas... Quel sera mon sort ? Je n'en sais rien... Toute ma famille, je ne te le cache pas, a été effrayée... Un jour, je tremblerai devant toi [3]... » Il maintint son point de vue : « Je me suis demandé si j'avais tort et non seulement je n'ai pu blâmer mon ombrageuse jalousie, mais j'ai même reconnu qu'elle était de l'essence de cet amour chaste, exclusif et pur, que j'éprouve pour toi et que je tremble de ne t'avoir pas inspiré... Crois que ceux qui aiment toutes les femmes ne sont jaloux d'aucune [4]... »

Autre difficulté entre eux. Hors son amour, seul comptait pour lui son travail et il essayait d'y associer sa bien-aimée. Or elle confessait ne rien comprendre à la poésie : « Ce n'est pas, je l'avoue, ton esprit et le talent que tu peux avoir, que je ne sais malheureusement pas apprécier, qui ont fait la moindre impression sur moi [5]... » Cela le faisait sourire : « Tu dis, Adèle, qu'un jour je m'apercevrai de ton peu de savoir et que ce sera un vide pour moi... Tu m'as déjà dit une fois, avec une simplicité charmante, que tu

1. Victor Hugo : *Lettres à la Fiancée,* p. 54.
2. *Opus cit.,* p. 58, n. 1.
3. *Opus cit.,* p. 79, n. 1.
4. *Opus cit.,* pp. 84-85.
5. *Opus cit.,* p. 64, n. 1.

n'entendais pas la poésie [1]... » « En deux mots, la poésie, Adèle, c'est l'expression de la vertu ; une belle âme et un beau talent poétique sont presque toujours inséparables. Tu vois donc que tu dois comprendre la poésie ; elle ne vient que de l'âme et peut se manifester aussi bien par une belle action que par un beau vers [2]... » Qu'elle ne le force pas, en se dépréciant, à défendre sa femme contre sa femme : « Tu me dis que j'entends la poésie, écrivait-elle, et je n'ai jamais pu faire un vers. Des vers ne sont donc pas la poésie [3] ?... » À quoi il répondait patiemment : « Quand je t'ai dit que ton âme comprenait la poésie, je n'ai fait que te révéler une de ses célestes facultés. « *Les vers ne sont donc « pas de la poésie ?* » demandes-tu. Les vers, *seuls,* n'en sont pas. La poésie est dans les idées ; les idées viennent de l'âme. Les vers ne sont qu'un revêtement élégant sur un beau corps. La poésie peut s'exprimer en prose ; elle est seulement plus parfaite sous la grâce et la majesté du vers [4]... » Voilà qui promettait de belles leçons pour les futures soirées du ménage.

À son amour, il avait fait un grand sacrifice : celui de se rapprocher de son père. Il lui semblait trahir ainsi la mémoire de sa mère adorée. « Je suis fier et timide, et je sollicite ; je voudrais ennoblir les lettres, et je travaille pour gagner de l'argent ; j'aime et je respecte la mémoire de ma mère, et je l'oublie, cette mère, en écrivant à mon père [5]... » À le mieux connaître, ce père parut pourtant plus aimable que ne l'avait peint le ressentiment de « Madame Trébuchet ». Le général était un très brave homme qui aimait la poésie, écrivait des nouvelles et avait la modestie de les juger indignes d'être publiées. Ayant compris que ses fils, contrairement à leurs promesses, ne faisaient pas leur droit, il acceptait gracieusement l'idée d'une carrière purement littéraire.

Le général Hugo à son fils Victor, 19 novembre 1821 : « Je savais très bien qu'Eugène et toi, vous ne suiviez pas vos cours avec assiduité et j'attendais que d'un jour à l'autre vous m'en fissiez connaître la raison. Je ne la vois pas tout entière dans l'excuse respectable que vous me donnez, mais

1. Victor Hugo : *Lettres à la Fiancée,* p. 81.
2. *Opus cit.,* p. 64.
3. *Opus cit.,* p. 90, n. 1.
4. *Opus cit.,* p. 90.
5. *Opus cit.,* p. 153.

je crois devoir la chercher dans les goûts, nés avec vous, pour la littérature ; dans ton penchant pour la poésie, penchant qui m'a fait tant gronder votre oncle Juste parce qu'il le détournait des devoirs de son état ; penchant qui m'entraîne aussi bien souvent, mais que tu justifies par des vers vraiment admirables. Créé non sur le Pinde, mais sur un des pics les plus élevés des Vosges, lors d'un voyage de Lunéville à Besançon, tu sembles te ressentir de cette origine presque aérienne, et ta Muse est constamment sublime dans ce que j'ai vu [1]... »

Victor prit l'habitude de lui envoyer ses odes ; le général les loua, tout en faisant des critiques de forme, naïves et pédantesques. Sur le plan de l'argent, il se montrait bon prince, pleurant ses châteaux en Espagne et sa dotation perdue, mais aidant ses fils dans la faible mesure de ses moyens. Ceux-ci seraient accrus, disait-il, si le gouvernement lui donnait un avancement auquel il avait droit, et Victor, ami de Chateaubriand alors si puissant, avait le devoir de l'y aider. Victor devint donc le protecteur de son père et bientôt les rapports furent si affectueux que le général invita le poète à venir travailler à Blois, où il avait acheté, conjointement avec sa seconde femme, une vaste maison de campagne : le prieuré de Saint-Lazare. Mais ce séjour eût impliqué la reconnaissance de la seconde Mme Hugo et les fils de la première n'en étaient pas encore là.

Avec son père aussi, Victor partageait une grave inquiétude : la santé d'Eugène. Autant Abel était calme, posé, autant Eugène, depuis longtemps, se montrait sujet à des crises de fureur. Qu'il y eût dans la famille de la violence, un goût morbide de l'horreur, un esprit visionnaire, cela était certain. Mais chez Eugène, et plus encore depuis la mort de sa mère, cette violence prenait des formes inquiétantes. Il critiquait les poèmes de Victor avec une hargne jalouse qui choquait Biscarrat. Il disparaissait pendant des jours, ne témoignait plus à ses frères aucune affection, écrivait au général des lettres odieuses que Victor s'efforçait d'excuser : « Suspendons notre jugement, mon cher papa ; Eugène a un bon cœur ; il reconnaîtra sa faute [2]... » La vérité était qu'Eugène, fou de jalousie,

---

1. Cf. Louis Barthou : *Le Général Hugo,* pp. 115-116.
2. Victor Hugo : *Correspondance,* t. I, p. 344.

cherchait refuge dans le délire. Il ne pouvait supporter l'idée que son frère allait sans doute épouser Adèle et alla jusqu'à dire à Victor des choses horribles sur sa fiancée.

> *Victor Hugo à Adèle Foucher, 30 novembre 1821 :* « Une lumière hideuse a été jetée sur le caractère d'un être pour lequel, la veille encore, je me serais dévoué ; à l'avenir duquel j'avais immolé une partie de mon avenir ; pour lequel j'avais sacrifié ce produit de mes veilles que j'aurais dû considérer comme ton bien. Jusqu'ici je lui avais tout pardonné ; je n'avais vu dans sa basse envie, dans ses lâches méchancetés, que la singularité incommode d'un naturel atrabilaire... Dieu ! si je te le nommais ! — Non, je ne te le nommerai pas, je voudrais ne pas me le nommer à moi-même... Tu ne me comprends pas, mon Adèle, tu t'étonnes que ton Victor soit si violent dans son indignation, si implacable pour un tort. Adèle, tu ne sais pas ce qu'il m'a fait. Je lui pardonnais tout, je lui aurais tout pardonné, excepté cela. — Que ne m'a-t-il plutôt poignardé pendant mon sommeil ? Il n'y a qu'*un être au monde* envers lequel je ne puisse pas pardonner le moindre tort, même d'intention, et cet être n'est certes pas moi ! Pourquoi ce misérable a-t-il osé toucher à ce que j'ai de plus cher et de plus sacré au monde ? Pourquoi m'ôter mon bien, ma vie, mon seul trésor ? Que ne m'est-il étranger [1] ?... »

Pourtant il pardonna. La justice ne lui permettait pas de traiter en être tout à fait responsable ce frère qui, par moments, ne semblait plus savoir lui-même ce qu'il disait.

---

1. Victor Hugo : *Lettres à la Fiancée,* pp. 72-73.

V

VOULOIR, C'EST POUVOIR

O temps de rêverie et de force, et de grâce !
...Etre pur, être fort, être sublime et croire
A toute pureté...

VICTOR HUGO.

PLUS de six mois s'étaient écoulés depuis les accordailles de
Dreux et, autour des Foucher, on recommençait à clabauder.
L'oncle Asseline, assez malveillant ; le frère aîné, Victor Foucher ; les amis, les commères disaient qu'Adèle se compromettait
dangereusement avec un garçon qui ne faisait rien pour gagner
sa vie, ni même pour obtenir le consentement de son père. La
petite fiancée devenait sceptique et pressante : « Je vois, mon Victor, lorsque je ne m'étourdis pas, quel peu de probabilités nous
avons à penser que notre mariage soit possible. Tu comprends la
position de mes parents : ils ne voient rien de fixe [1]... » La plainte
d'Adèle était douce et bourgeoise ; l'attitude naturelle de Victor,
en pareil cas, était de répondre à l'espagnole : « J'irai chez tes
parents et je leur dirai : « ...*Adieu, vous ne me reverrez qu'avec*
« *un sort indépendant et le consentement de mon père, ou vous ne*
« *me reverrez plus* [2]... » Puis il décrivait, avec amertume, ce qui
suivrait. Il en mourrait et « quelque jour, Adèle, tu te lèveras la
femme d'un autre ; alors tu prendras toutes mes lettres et tu les
brûleras, afin qu'il ne reste aucune trace du passage de mon âme
sur la terre [3]... ». Aussitôt Adèle, avec son obstination pratique, le
ramenait à cette terre : « Notre amour présente des difficultés immenses, surtout lorsque tu es dans l'intention de laisser venir les

---

1. VICTOR HUGO : *Lettres à la Fiancée,* p. 103, n. 1.
2. *Opus cit.,* p. 103.
3. *Opus cit.,* p. 107.

événements [1]... » Et un autre jour : « Oui, mon ami, j'ai été contente que tu aies travaillé... Peut-être serais-je encore plus satisfaite de te voir plus de suite dans ton travail. Il me semble qu'à moins de choses qu'on ne peut prévoir, on ne devrait commencer une chose qu'après avoir terminé ce que l'on a mis en train. Me voilà bien sévère [2]... »

Ces doutes déterminaient en lui un sursaut de fierté.

Victor Hugo à Adèle Foucher, 8 janvier 1822 : « Ne me demande pas, mon Adèle, comment je suis sûr de me créer une existence indépendante, car c'est alors que tu m'obliges à te parler d'un *Victor Hugo* que tu ne connais pas et avec lequel *ton Victor* ne se soucie nullement de te faire faire connaissance. C'est le Victor Hugo qui a des amis et des ennemis ; auquel le rang militaire de son père donne le droit de se présenter partout comme l'égal de tout le monde ; qui doit à quelques essais, bien faibles, les avantages et les inconvénients d'une renommée précoce et que tous les salons, où il ne montre que bien rarement un visage triste et froid, croient occupé de quelque grave conception lorsqu'il ne rêve qu'à une jeune fille, douce, charmante, vertueuse et, heureusement pour elle, ignorée de tous les salons.

« On m'a répété bien souvent, on me disait encore tout à l'heure, beaucoup trop crûment, que j'étais appelé à je ne sais quelle *éclatante illustration* (je répète l'hyperbole en propres termes) ; pour moi, je ne me crois fait que pour le bonheur domestique. Si pourtant il fallait passer par la gloire avant d'y arriver, je ne considérerais cette gloire que comme un moyen, et non comme un but. Je vivrais hors de ma gloire, tout en ayant pour elle le respect que l'on doit toujours à de la gloire. Si elle m'arrive, comme on le prédit, je ne l'aurai ni espérée, ni désirée, car je n'ai ni espérance, ni désir à donner à d'autre qu'à toi [3]... »

Et pourquoi le mariage serait-il impossible, ou même lointain ? La pension ? Il a des promesses du ministre : « Il serait très possible, chère amie, que d'ici à peu de mois j'obtinsse pour deux ou trois mille francs de places ; alors, avec ce que la littérature me

---

1. VICTOR HUGO : *Lettres à la Fiancée*, p. 106, n. 2.
2. Bibliothèque nationale, département des manuscrits, n. a. fr. 13414.
3. VICTOR HUGO : *Lettres à la Fiancée*, pp. 99-101.

rapporterait, ne pourrions-nous pas vivre ensemble doucement et paisiblement, sûrs de voir notre revenu s'accroître à mesure que notre famille s'accroîtrait ?... » Le consentement du général ? « Mais dis-moi pourquoi mon père, lorsqu'il me verra indépendant, se refuserait-il à me rendre heureux ?... Mon père est un homme faible, mais réellement bon. En lui témoignant beaucoup d'attachement, ses fils pourront beaucoup sur lui... J'espère que mon père, après avoir fait le malheur de ma mère, ne voudra pas le mien... Un jour, Adèle, nous demeurerons sous le même toit, dans la même chambre, tu dormiras dans mes bras... Nos plaisirs seront nos devoirs et nos droits [1]... »

Visions enchanteresses pour un adolescent aux sens enflammés, qui lit et écrit des vers d'amour en vivant dans la chasteté la plus rigoureuse. Cela aussi, il voulait s'en faire un mérite aux yeux de la fiancée : « Je ne considérerais que comme une femme ordinaire (c'est-à-dire assez peu de chose) une jeune fille qui épouserait un homme sans être moralement certaine, par les principes et le caractère connu de cet homme, non seulement qu'il est *sage,* mais encore, et j'emploie exprès le mot propre dans toute sa plénitude, qu'il est *vierge,* aussi vierge qu'elle-même [2]... » Mais la réaction adélienne fut de surprise ; parle-t-on de choses « si extraordinaires » à une jeune fille bien élevée ? *Certainement,* répondait l'impétueux fiancé : « Je te montrais combien est grande ta puissance sur moi, puisque ta seule image est plus forte que toute l'effervescence de mon âge ; je te disais que l'être qui serait assez imprudent pour s'unir, lui impur et souillé, à un être pur et sans tache, ne serait digne que de mépris et d'indignation... Si j'étais femme et que l'homme qui me serait destiné me dît : « *Tu es la* « *femme qui m'a servi de rempart contre toutes les autres femmes ;* « *tu es la première que j'aie pressée dans mes bras, la seule que j'y* « *presserai jamais ; autant je t'y attire avec délices, autant j'en* « *repousserais, avec horreur et dégoût, toute autre que toi* », il me semble, Adèle, que si j'étais femme, de pareilles confidences de la part de celui que j'aimerais seraient bien loin de me déplaire. Serait-ce que tu ne m'aimes pas [3] ?... » Non, c'était qu'elle aimait à la manière Foucher, qui était plus simple.

---

1. VICTOR HUGO : *Lettres à la Fiancée,* pp. 99, 117 et 118.
2. *Opus cit.,* p. 148.
3. *Opus cit.,* p. 150.

Le 8 mars 1822, aiguillonné par elle, il se décida enfin à demander le consentement du général. La lettre fut communiquée à Adèle, qui la trouva très bien, hors la peinture angélique qui y était faite d'elle-même : « Je ne suis nullement angélique ; c'est une idée qu'il faut que tu t'ôtes de la tête ; je suis terrestre. » Ô réalisme admirable des femmes ! Puis elle tentait de lui expliquer qu'elle souhaitait le bonheur plus que la gloire : « Comment peux-tu me dire que la seule considération qui doive me faire envisager mon mariage avec toi comme avantageux pour moi est *le rang de ton père ?* Quelle erreur est la tienne ! Et que me font les rangs, les dignités ?... Je te déclare que la dernière des considérations est, pour moi, celle que tu mettais au-dessus des autres. Que me fait d'être la femme d'un académicien pourvu que je sois la tienne, et comprends ce que me doit faire d'être la belle-fille d'un général [1]... »

Suivirent quelques jours d'attente anxieuse. Ils parlèrent, en cas de refus du père, de s'enfuir ensemble et d'aller se marier en quelque pays étranger. Cette fois la jeune fille bien élevée de la rue du Cherche-Midi s'élevait jusqu'à la passion. Vaines audaces, car la réponse du général, sage en somme, fut un consentement, sous conditions. Il était loin de blâmer l'attachement de son fils pour Mlle Foucher ; le « rang » des Foucher, vieux amis, lui suffisait ; l'absence de fortune, de part et d'autre, l'inquiétait davantage. Ah ! s'il avait encore les millions de réaux promis par Joseph Bonaparte ! Mais il ne possédait rien. « De ce tableau il résulte qu'avant de songer au mariage il faut que tu aies un état ou une place, et je ne considère pas comme telle la carrière littéraire, quelle que soit la manière brillante dont on y débute. Quand donc tu auras l'un ou l'autre, tu me verras seconder tes vœux auxquels je ne suis point contraire [2]... » Il n'y avait, dans cette lettre, qu'un nuage : le général parlait avec insistance de « son épouse actuelle ». Il devenait indispensable, pour garder ses bonnes grâces, de reconnaître le second mariage, ce que Victor fit avec un tact parfait et sa coutumière dignité.

L'été venait, saison de l'annuelle villégiature des Foucher. Il fut décidé qu'ils loueraient une maison à Gentilly ; que Victor

---

1. Victor Hugo : *Lettres à la Fiancée,* p. 160, n. 1.
2. *Opus cit.,* p. 163.

désormais fiancé investi, serait invité, mais que, pour respecter les convenances, il serait logé dans le colombier. Mme Foucher, alors enceinte pour la quatrième fois, souffrait d'une grossesse difficile et « ce fruit tardif » l'incommodait. *Adèle à Victor :* « Si maman nous donne un petit frère, dois-je l'engager à le nourrir ?... Maman n'étant pas d'âge à se charger d'un petit être toute seule, je me trouverais engagée à rester chez nous encore au moins deux ans. Si tu crois que je doive rester chez nous ce temps-là, alors je conseillerai à maman de garder ce petit innocent... Dis-moi franchement ce que tu penses. Nous avons tous été nourris chez nous et je voudrais qu'il en fût de même pour ce petit individu [1]... Cela dépend beaucoup de moi. Je désire que tu me dises ta volonté [2]... » À cette question, la réponse de Victor ne nous est point connue ; sans doute ne vit-il aucun inconvénient à ce que son futur beau-frère fût mis en nourrice.

Adèle à Victor : « Tu vas donc venir à Gentilly ! Comme j'en serai heureuse !... Je te verrai tous les jours ; tous les jours, je te parlerai. Quand nous aurons des discussions, nous serons moins longtemps fâchés. Lorsque je serai dans le jardin et que tu seras à ton colombier, nous nous dirons bonjour... Mais point de promenades ensemble dans le jardin sans maman. Tel est l'ordre... Il faut en savoir gré à mes parents ; ils le font parce qu'ils croient que cela doit être ainsi [3]... » Victor disait sa joie, puis évoquait sa mère admirable : « Une fois réunis, ce n'est pas elle qui nous eût imposé des entraves, si singulières et presque si offensantes. Elle eût cru s'humilier elle-même si, nous estimant tous deux, elle eût gêné notre liberté. Elle eût voulu au contraire que, par de hautes et intimes conversations, nous nous préparassions mutuellement à la sainte intimité du mariage... Le soir, qu'il m'eût été doux d'errer loin de tous les bruits, sous les arbres, parmi les gazons, devant toi et devant une belle nuit ! C'est alors qu'il se manifeste à l'âme des choses inconnues à la plupart des hommes [4]... »

Malgré les heures qu'il fallait passer le soir en famille « dans une gêne perpétuelle », il goûta délicieusement « le bonheur de Gentilly », jours de paix, d'ivresse et de mystère où parfois Adèle,

---

1. L'enfant attendu fut une fille, baptisée Julie.
2. Bibliothèque nationale, département des manuscrits, n. a. fr. 13414.
3. VICTOR HUGO : *Lettres à la Fiancée,* p. 172, n. 1, et p. 173, n. 1.
4. *Opus cit.,* p. 173.

en cachette, venait le voir dans sa tour et permettait un baiser, une caresse. Ah ! pourquoi deux êtres qui s'aiment ne peuvent-ils ainsi passer leur vie dans les bras l'un de l'autre ? Mais il fallait, pour rendre permanent le bonheur de Gentilly, réussir. Aussi Victor pressait-il la publication en volume des *Odes*. C'était le généreux Abel qui les avait fait imprimer, puis confiées pour la vente au libraire Pélicier, place du Palais-Royal, et avait fait à son frère la délicate surprise de lui envoyer des épreuves. Le volume parut en juin, sous couverture gris vert, tirage à quinze cents. L'auteur recevait cinquante centimes par volume, soit sept cent cinquante francs. Le premier exemplaire alla, comme il convenait : « *À mon Adèle bien-aimée, l'ange qui est ma seule gloire, comme mon seul bonheur.* — VICTOR. »

Le titre de ce premier livre était : *Odes et Poésies diverses.* La préface mettait l'accent sur les intentions politiques de l'auteur. Ayant constaté que l'ode française était accusée de froideur et de monotonie, il se proposait « d'en placer l'intérêt plutôt dans les idées que dans les mots... L'histoire des hommes ne présente de poésie que jugée du haut des idées monarchiques et des croyances religieuses... ». La plupart des pièces du recueil étaient de ton officiel et composées sur des thèmes historiques. « Exercices élégants d'un écolier correct et bien doué [1] », elles chantaient *Le Rétablissement de la Statue de Henri IV, La Mort du duc de Berry, La Naissance du duc de Bordeaux,* sujets de commande, indignes d'un adolescent qui avait suivi, en Italie et en Espagne, les aigles victorieuses ; vu grandir et tomber l'Empereur et observé, tout jeune, la disgrâce et la mort. Les lecteurs libéraux furent trop rebutés par les apostrophes, prosopopées et interrogations de ce jeune *ultra* pour reconnaître la qualité de ses odes.

La presse royaliste elle-même, sur laquelle il comptait, ne réagit guère. Il y eut peu d'articles. La critique littéraire tenait alors une place fort petite et Hugo considérait « comme indigne d'un homme qui se respecte cette habitude qu'ont adoptée tous les gens de lettres d'aller mendier la gloire auprès des journalistes... J'enverrai mon livre aux journaux ; ils en parleront s'ils le jugent à propos, mais je ne quêterai pas leurs louanges comme une au-

---

1. LÉOPOLD MABILLEAU : *Victor Hugo,* p. 16.

mône ¹... » Lamennais l'en approuva : « J'aime votre droiture, votre franchise et vos sentiments élevés plus encore que votre talent, que j'aime cependant beaucoup... Et puis, mon Dieu ! qu'est-ce que ce vain bruit qu'on appelle gloire, renommée, et qui s'éteint si vite dans le silence de la tombe ² ?... » Pourtant la vente fut assez encourageante. Cela rendait le mariage plus proche et Adèle avait maintenant l'audace d'aller, toute seule, voir son fiancé malade, à Paris, chez lui : « Tant pis pour les on-dit... Il est des cas où je viole sans remords les droits paternels ³... » Mais, pour se donner l'un à l'autre, ils attendirent le mariage. *Adèle à Victor :* « Trois mois encore et je serai toujours près de toi... Et quand nous pensons que nous n'aurons rien fait qui soit indigne, et que même nous aurions pu être ensemble plus tôt, mais que nous avons préféré notre propre estime à notre bonheur, certes, combien ne serons-nous pas plus heureux ⁴ !... »

Trois mois... Elle osait fixer un délai, car on n'attendait plus que le brevet de la pension. La promesse était ferme, mais les gens du ministère tardaient : « Ils traitent l'affaire de ma pension comme une affaire, sans soupçonner qu'ils devraient la traiter comme un bonheur ⁵... » Phrase charmante. Enfin, l'abbé-duc de Rohan intervint, obtint l'appui de la duchesse de Berry et, le 18 juillet 1822, Victor put écrire au général que c'était fait : douze cents francs de pension annuelle sur la cassette du roi. Le ministère de l'Intérieur en promettait autant. En ajoutant aux douze cents francs déjà garantis une somme égale, produit du travail littéraire, un jeune ménage pouvait vivre, d'autant que les bons Foucher offraient de garder leur fille et leur gendre près d'eux. Aussitôt le général écrivit une lettre officielle : « Victor me charge de vous demander la main de cette jeune personne dont il prétend faire le bonheur et dont il attend le sien ⁶... » M. Foucher répondit aimablement. Il louait l'ordre et la gravité de Victor, se félicitait de renouer avec le général des liens anciens, et regrettait de ne pouvoir mieux doter sa fille. Elle aurait « deux mille francs en meubles, nippes et espèces » et les jeunes époux seraient logés à

---

1. Victor Hugo : *Lettres à la Fiancée,* pp. 177-178.
2. *Historique des « Odes et Ballades »,* p. 552.
3. Victor Hugo : *Lettres à la Fiancée,* p. 202, n. 1.
4. *Opus cit.,* p. 216, n. 1.
5. *Opus cit.,* p. 232.
6. *Victor Hugo raconté par un témoin de sa vie,* t. II, p. 63.

l'hôtel de Toulouse jusqu'au moment où ils pourraient tenir maison.

Il ne manquait plus que l'acte de baptême du fiancé. Hélas ! il n'y en avait pas. Le général se souvenait mal de ces jours lointains, mais ne pensait pas que son fils eût été baptisé, à moins que sa femme ne l'eût fait à son insu, ce qui, en raison du voltairianisme qu'elle avait toujours professé, paraissait invraisemblable. « Victor avait *de la* religion, mais non pas *une* religion [1]. » Le général suggérait une solution : « On m'assure qu'en faisant au vicaire de Saint-Sulpice une déclaration que tu as été baptisé en pays étranger, par les soins de ta mère et en l'absence de ton père, mais que tu ne sais où, cet ecclésiastique te fera donner un autre baptême, en présence d'un parrain et d'une marraine de ton choix... Tu feras immédiatement ta première communion et n'éprouveras plus d'obstacle pour ton mariage à l'église [2]... » Subterfuge déplaisant. Pourtant il semblait impossible d'avouer aux pieux Foucher que Sophie Hugo s'était abstenue « de faire donner à son fils le sacrement qui fait le chrétien ». Victor demanda au général, suivant le conseil de son « illustre ami M. de Lamennais », d'attester que l'enfant avait été baptisé en Italie. Le général attesta tout ce qui était nécessaire et Lamennais donna le billet de confession. Le mariage fut béni à Saint-Sulpice, le 12 octobre 1822, par l'abbé-duc de Rohan. Les témoins du marié étaient Alfred de Vigny et Félix Biscarrat, revenu de Nantes, enchanté de revoir ses deux élèves favoris ; ceux de la mariée : l'oncle Jean-Baptiste Asseline et le marquis Duvidal de Montferrier. Le général Hugo ne vint pas à la noce.

On dîna chez les Foucher, puis un bal eut lieu dans la grande salle du Conseil de Guerre, celle-là même où le général Lahorie, parrain de Victor, avait été condamné à mort. Pendant la soirée, Biscarrat, le jeune maître d'études au visage grêlé, remarqua l'insolite agitation d'Eugène, qui semblait hors de lui et tenait des propos bizarres. Sans attirer l'attention, Biscarrat avertit Abel et tous deux emmenèrent le malheureux qui, dans la nuit, eut une véritable crise de folie furieuse. Toujours sombre, se croyant persécuté, amoureux d'Adèle, souffrant d'une jalousie ancienne et atroce, il n'avait pu supporter la vue du bonheur de son frère.

---

1. Abbé P. Dubois : *Victor Hugo et ses Idées religieuses,* p. 318.
2. Collection Jean Hugo.

De cette tragédie, ce soir-là, les époux ne surent heureusement rien. Enfin, comme ils l'avaient désiré depuis tant d'années, ils passèrent la nuit sous le même toit et dans les bras l'un de l'autre. Pour Victor, à la fois si chaste de mœurs et si ardent d'imagination, il était enivrant de posséder enfin cette fille, à ses yeux l'image même de la beauté, et d'être devenu l'un des fils de la maison dans cet hôtel de Toulouse à travers les fenêtres duquel, un an auparavant, il avait regardé sa fiancée, couronnée de fleurs, danser dans les bras d'un autre. Une mère forte lui avait enseigné qu'on peut maîtriser les événements. Que de chemin il avait fait depuis un an ! À vingt ans, il était sur la route de la gloire ; le vieux roi et les jeunes hommes le lisaient ; le ministère le pensionnait ; les poètes l'estimaient. Il avait conquis de haute lutte la femme qu'il s'était choisie ; retrouvé l'affection d'un père ; imposé à tous son choix d'une carrière. Cela semblait, après tant de malheurs, un songe heureux, plein d'ombre et d'amour, ou l'accomplissement par un magicien de tous les vœux d'un enfant. Mais le magicien, c'était lui-même. *Ego Hugo.*

Cette nuit de bonheur, il l'avait bien gagnée. Qu'il y eût en lui une puissance de désirs toute faunesque est certain (il raconta, dans sa vieillesse, qu'il avait possédé sa femme neuf fois au cours de cette première nuit [1]), mais il éprouvait aussi le besoin de lier aux joies du corps les plus hautes valeurs humaines. « Là où il y a vraiment mariage, dira-t-il un jour, c'est-à-dire là où il y a amour, l'idéal s'en mêle. Un lit nuptial fait dans les ténèbres un coin d'aurore... Ces félicités sont les vraies. Pas de joie hors de ces joies-là... Aimer ou avoir aimé, cela suffit. Ne demandez rien ensuite. On n'a pas d'autre perle à trouver dans les plis ténébreux de la vie [2]... » Au temps où il écrira ces phrases, la jeune mariée tant aimée sera une femme triste et désabusée, qui ne voudra plus être son épouse que de nom. Pourtant, même en cet avenir décevant où Adèle deviendra *l'Ève qu'aucun fruit ne tente,* Hugo n'oubliera jamais qu'ils avaient ensemble goûté, en un jour très ancien, un bonheur presque surhumain. Cette petite Foucher n'avait été qu'une jeune fille comme tant d'autres, mais, telle qu'elle était, naïve, un peu butée, artiste (ses dessins le prouvent), point sotte, mais indifférente à la

---

1. HENRI GUILLEMIN : *Victor Hugo par lui-même,* p. 50.
2. VICTOR HUGO : *Les Misérables,* V^e part., liv. VI : *La Nuit blanche,* chap. II, p. 215.

poésie, Adèle avait aidé à la naissance d'un poète. Un jour, il
saura dire ce qu'il doit à ces années d'angoisse et de passion :

> Oh ! qui que vous soyez, jeune ou vieux, riche ou sage ;
> Si jamais vous n'avez épié le passage,
> Le soir, d'un pas léger, d'un pas mélodieux,
> D'un voile blanc qui glisse et fuit dans les ténèbres,
> Et, comme un météore au sein des nuits funèbres,
> Vous laisse dans le cœur un sillon radieux...
>
> Si vous n'avez jamais attendu, morne et sombre,
> Sous les vitres d'un bal qui rayonne dans l'ombre,
> L'heure où, pour le départ, les portes s'ouvriront,
> Pour voir votre beauté, comme un éclair qui brille,
> Rose avec des yeux bleus et toute jeune fille,
> Passer dans la lumière avec des fleurs au front ;
>
> Si vous n'avez jamais senti la frénésie
> De voir la main qu'on veut par d'autres mains choisie ;
> De voir le cœur aimé battre sur d'autres cœurs ;
> Si vous n'avez jamais vu, d'un œil de colère,
> La valse impure, au vol lascif et circulaire,
> Effeuiller en courant les femmes et les fleurs...
>
> Si jamais vous n'avez, à l'heure où tout sommeille,
> Tandis qu'elle dormait, oublieuse et vermeille,
> Pleuré comme un enfant à force de souffrir,
> Crié cent fois son nom, du soir jusqu'à l'aurore,
> Et cru qu'elle viendrait en l'appelant encore,
> Et maudit votre mère, et désiré mourir ;
>
> Si jamais vous n'avez senti que d'une femme
> Le regard dans votre âme allumait une autre âme,
> Que vous étiez charmé, qu'un ciel s'était ouvert,
> Et que, pour cette enfant qui de vos pleurs se joue,
> Il vous serait bien doux d'expirer sur la roue...
> Vous n'avez point aimé, vous n'avez point souffert [1] !

Un dernier coup d'œil sur le jeune homme au grand front,
« d'une virginité redoutable », que nous abandonnons au seuil de

---

1. VICTOR HUGO : *Les Feuilles d'Automne*, XXIII, pp. 70-71.

la chambre nuptiale. Beau chevalier sur le seuil de la vie, il affronte le monde avec confiance. Il attend la gloire ; il ne doute point de l'obtenir. Bien qu'il ait seulement vingt ans, il a connu, plus d'une fois, le désespoir. « Comment cela s'appelle-t-il, demande un personnage de Giraudoux, quand le jour se lève comme aujourd'hui, et que tout est gâché, que tout est saccagé, et que l'air pourtant se respire, et qu'on a tout perdu, que la ville brûle, que les innocents s'entre-tuent mais que les coupables agonisent, dans un coin du jour qui se lève ? » Et un mendiant répond : « Cela a un très beau nom, femme Narsès. Cela s'appelle l'aurore... »

Comment cela s'appelle-t-il, quand les sens brûlent et que le cœur est pur ; que le génie ne demande qu'à jaillir et que l'on ne sait comment atteindre cette nappe liquide et fraîche ; quand on se sent plus fort que le monde et impuissant à lui prouver sa force ; quand déjà notre vie, à peine commencée, est jonchée de souvenirs tragiques, et que notre cœur chante en nous ; quand on est impatient, désespéré, et débordant d'espérance ? — Cela a un très beau nom, femme Hugo, cela s'appelle la jeunesse.

TROISIÈME PARTIE

L'HOMME TRIOMPHANT

> Il n'est que de vivre ; on voit tout et le
> contraire de tout.
>
> Sainte-Beuve.

I

LENDEMAINS DE NOCES

« L ES lendemains de noces sont solitaires. On respecte le recueillement des heureux. Et aussi un peu leur sommeil attardé [1]... » Adèle et Victor Hugo n'eurent pas ce calme réveil. Dès le matin, Biscarrat, bouleversé, frappait à la porte de la chambre nuptiale ; l'état d'Eugène était effrayant. Victor suivit en hâte son ami et « trouva le pauvre compagnon de son enfance en pleine divagation ». Eugène avait illuminé sa chambre comme pour un mariage, et pourfendait les meubles avec un sabre. Pendant un mois Abel et Victor, Paul Foucher et le cousin Trébuchet se relayèrent pour le veiller. Il fallut prévenir le général, qui entreprit aussitôt le voyage de Blois à Paris : « Il n'était pas venu prendre sa part du bonheur ; il voulut être du malheur. » Victor et Adèle accueillirent affectueusement le « cher papa » auquel ils devaient leur union. « Comme la gelée blanche au soleil, l'amertume du fils s'évapora aux rayons de la bonté de cet homme excellent [2]. »

Il fut douloureux pour le père de trouver délirant ce bel Eugène qu'il avait connu, en Corse et en Italie, gros garçon blond et joyeux ; puis à Madrid, collégien plein de promesses. Il décida, et c'est à son honneur, de l'emmener à Blois où, pendant quelque temps, Eugène parut retrouver la raison et écrivit même à Victor

---

1. Victor Hugo : *Les Misérables,* V^e part., liv. VII : *La Dernière Gorgée du Calice.* — I : *Le Septième et le Huitième Ciel,* p. 223.
2. *Victor Hugo raconté par un témoin de sa vie,* t. II, p. 87.

pour envoyer ses vœux au jeune ménage. Il disait à quel point leur père « et madame leur belle-mère » étaient bons pour lui. Hélas ! il eut une nouvelle crise, si grave qu'il fallut le ramener à Paris et le mettre en traitement dans la clinique du docteur Esquirol. La pension y était de quatre cents francs par mois, que la famille ne pouvait payer. Victor intervint et obtint que son frère fût soigné, aux frais du gouvernement, à Saint-Maurice, chez le docteur Royer-Collard. Les médecins disaient le cas incurable. Le pauvre Eugène devint une espèce de mort vivant, que ses frères eux-mêmes visitaient peu. *Eugène Hugo à Victor, 12 décembre 1823 :* « Depuis plus de sept mois que je suis ici, je ne t'ai vu qu'une fois et mon frère Abel que deux... Tu dois éprouver quelque désir de me voir, et tu dois avoir des facilités pour le satisfaire [1]... » Ce qui implique un reproche tragique.

Cet effrayant destin fut, pour Victor, une cause permanente de tristesse et de vagues remords. N'était-ce pas lui qui, en triomphant de son frère, tant sur le plan de la poésie que sur celui de l'amour, l'avait réduit au désespoir ? Il n'avait commis ni crime ni faute, mais c'est un fait que le thème des frères ennemis sera l'une de ses obsessions. Théâtre, poésie, roman, sous toutes les formes, il y reviendra. Parfois Caïn se nommera Satan, Claude Frollo dans *Notre-Dame de Paris*, Job dans *Les Burgraves* ; parfois il paraîtra sous son nom véritable, comme dans *La Conscience* ou dans *La Fin de Satan*. Que son autre frère eût pour nom Abel renforça peut-être l'idée fixe [2]. Et pourtant Victor n'avait rien fait de mal ; bien plutôt était-ce Eugène qui, par sa jalousie, avait joué à son égard le rôle de Caïn. Mais toujours Victor Hugo verra, dans ses cauchemars, l'enterré vivant, le cachot du Masque de Fer, la tombe de Torquemada. Toujours il imaginera un malheureux accroupi dans l'obscurité, sous une voûte basse. « *Ô génie ! ô folie ! effrayants voisinages.* »

De ce voisinage, il est conscient. Tout songeur — et Victor Hugo aime à se nommer le Songeur — porte en soi un monde imaginaire, rêve chez les uns, folie chez les autres. « Ce somnambulisme est humain. Une certaine disposition d'esprit, momentanément ou partiellement déraisonnable, n'est point un fait rare...

---

1. Maison de Victor Hugo. Catalogue *Enfance et Jeunesse de Victor Hugo*, n° 299, p. 110.
2. Voir Baudouin : *Psychanalyse de Victor Hugo*.

Ces empiétements sur l'ombre ne sont pas sans danger. La rêverie a ses morts : les fous... Des sinistres arrivent dans ces profondeurs. Il y a des coups de feu grisou... N'oubliez pas ceci : il faut que le songeur soit plus fort que le songe. Autrement danger. Tout rêve est une lutte. Le possible n'aborde pas le réel sans on ne sait quelle mystérieuse colère. Un cerveau peut être rongé par une chimère [1]... » En Victor Hugo, le Songeur sera toujours plus fort que le songe. Il est sauvé, parce qu'il sublime en poèmes ses angoisses hallucinantes ; il pousse de solides racines dans le réel ; mais il reconnaît, en Eugène, ce qu'il aurait pu être.

De ces sombres feux intérieurs, rien ne paraît au dehors. Tous ceux qui l'ont connu en ces premiers mois de son mariage ont remarqué son air conquérant, son allure « d'officier de cavalerie qui enlève un poste ». Cela était dû au sentiment qu'il avait de sa force après de telles victoires ; à l'enivrement de posséder la femme choisie ; et aussi à la conscience qu'il prenait, en se rapprochant de son père, d'une grandeur militaire à laquelle, assez étrangement, il croyait participer. Ses admirateurs, quand ils le voyaient pour la première fois, étaient frappés par le sérieux de ce visage et surpris, quand il les recevait au haut de son escalier, par la dignité un peu sévère de cet adolescent vêtu de probité candide et de drap noir.

« Rien de plus intéressant à voir que ce jeune couple, écrivait Saint-Valry à Rességuier. Ce sont les amours des anges, et beaucoup plus poétiques encore que sous la plume de Thomas Moore [2]... » Adèle avait des cheveux brillants et sombres ; de fort beaux yeux andalous ; sur tout cela, un mélange singulier de calme et de passion, quelque chose « qui voudrait s'élancer et qui semble comprimé ». L'ensemble manquait, au premier abord, de charme ; il fallait s'y faire, mais on s'y faisait. Très vite, elle fut enceinte et Victor bien heureux de cette paternité précoce. Si jeune, il éprouvait le désir de vivre en époux et en père. « Une atmosphère patriarcale, à la fois idyllique et sublime, naissait spontanément autour de lui. » Il lui fallait désormais gagner la vie de trois personnes, Léopold II Hugo étant né, ponctuellement, neuf mois après le mariage, le 16 juillet 1823.

---

1. Victor Hugo : *Promontorium Somnii*. — Reliquat de *William Shakespeare*, pp. 304 et 310-311.
2. Cité par Louis Guimbaud, dans *Les « Orientales » de Victor Hugo*, p. 10.

Travail, travail, travail, au-dessus des grands marronniers de la rue du Cherche-Midi. De nouvelles odes naissaient. *Han d'Islande,* achevé, avait été remis à Persan, marquis devenu éditeur qui promettait, par contrat, la réimpression des *Odes* et un tirage à mille exemplaires de *Han d'Islande.* Mais, sur ses droits d'auteur, Victor ne toucha que cinq cents francs, car Persan fit faillite et, ne pouvant payer Hugo, le calomnia ; c'est la coutume. L'apprentissage du côté sordide des lettres était commencé. Il fallut, une fois encore, recourir au général. Heureusement, le ministre de l'Intérieur accorda une seconde pension, de deux mille francs par an, et le bon M. Foucher reçut le jeune ménage à Gentilly, pour l'été. Cette fois Victor ne fut point logé dans le colombier gothique, mais dans la chambre de son Adèle.

Han d'Islande avait paru en quatre volumes, sous couverture grise, sur papier grossier et sans nom d'auteur. « Cette composition singulière, annonçait Persan, est, dit-on, le premier ouvrage d'un jeune homme connu déjà par de brillants succès poétiques. » Le livre, inspiré des romans noirs anglais (Maturin, Lewis, Radcliffe), avait été commencé jadis à la fois pour gagner de l'argent et pour exprimer, à travers les héros, Ethel et Ordener, l'amour de l'auteur pour Adèle Foucher. Il faut comprendre qu'il y avait du jeu et de la parodie dans cette accumulation de meurtres, de monstres, de potences, de bourreaux, de tortures. C'était, dans le genre frénétique, un exercice de virtuosité. « La maîtrise dans le hagard [1]. » Une part de mystification entrait dans la prétendue érudition de l'auteur. Il avait lu, au hasard, des livres peu connus, depuis le *Voyage en Norvège* de Fabricius jusqu'à *L'Héritier du Danemark* de P.-H. Mallet, et versé dans le récit toute cette pseudo-science indigeste : « Le vrai nom d'Odin est Frigge, fils de Fridulph [2]. » Ce pédantisme en imposait, mais Hugo n'avait fait, sur le monde décrit par lui, aucune recherche sérieuse. Sa préface l'avoue ironiquement. L'auteur « se bornera seulement à faire remarquer que la partie pittoresque de son roman a été l'objet d'un soin particulier ; que l'on y rencontre fréquemment des K, des Y, des H et des W, quoiqu'il n'ait jamais employé ces caractères romantiques qu'avec une extrême sobriété... qu'on y trouve également de nom-

1. Jules Renard : *Journal,* t. IV, p. 882.
2. Cf. Jean-Bertrand Barrère : *La Fantaisie de Victor Hugo,* t. I, pp. 56-57.

breuses diphtongues variées avec beaucoup de goût et d'élégance ;
et qu'enfin tous les chapitres sont précédés d'épigraphes étranges
et mystérieuses, qui ajoutent singulièrement à l'intérêt [1]... » On
croit ici lire Sterne ou Swift, plutôt que Walter Scott ou Monk
Lewis.

Cependant il avait réussi à exciter l'horreur et l'intérêt. Il était
servi par une imagination bizarre. Son père et ses frères avaient,
comme lui, le goût du macabre fantastique. Comme Byron, il prodiguait les crânes où ses héros buvaient « l'eau des mers et le sang
des hommes ». Dans sa tourelle de Gentilly, il avait prétendu travailler à son roman en compagnie d'une chauve-souris. Ses amis
ne prirent pas tous ce livre au sérieux. Lamartine, de Saint-Point,
lui écrivit le 8 juin 1823 : « Nous relisons vos ravissantes poésies
et votre terrible *Han*. Soit dit en passant, je le trouve aussi trop
terrible ; adoucissez votre palette ; l'imagination, comme la lyre,
doit caresser l'esprit ; vous frappez trop fort. Je vous dis ce mot
pour l'avenir, car vous en avez un et je n'en ai plus [2]... » Henri de
Latouche, hargneux et spirituel, se moqua du nouveau romancier :

> Dites que si, le soir, sous des porches gothiques,
> L'*Angelus* réunit deux auteurs romantiques,
> Le plus naïf des deux dit à l'autre innocent :
> « Monsieur a-t-il goûté l'eau des mers et le sang ?
> A-t-il pendu son frère ? Et lorsque la victime
> Rugissait, palpitante, au-dessus d'un abîme,
> A-t-il, tranchant le nœud qui l'étreint sans retour,
> Vu la corde fouetter au plafond de la tour [3] ? »

Et sans doute *Han d'Islande* était « trop terrible », comme le
disait Lamartine, et fut aisément parodié. Mais que de vigueur
et de fantaisie ! Dans un article de *La Quotidienne*, Charles Nodier, tout en regrettant qu'un jeune auteur se condamnât à re-
chercher toutes les infirmités de la vie, toutes les anomalies dégoûtantes, reconnaissait qu'il appartient à un très petit nombre d'hommes de commencer par de pareilles erreurs. et louait le style vif,

---

1. VICTOR HUGO : Préface de *Han d'Islande*, p. 6.
2. Cf. GUSTAVE SIMON : *Lamartine et Victor Hugo*, article publié dans
la *Revue de Paris*, numéro du 15 avril 1904, p. 671.
3. HENRI DE LATOUCHE : *Les Classiques vengés*.

pittoresque, comme la délicatesse de certains sentiments. Article enivrant lorsqu'il est signé d'un tel nom.

Charles Nodier, critique et romancier, de vingt-deux ans plus âgé que Victor Hugo, avait eu la vie la plus étrange. Fils d'un oratorien défroqué qui était devenu, à Besançon, chef révolutionnaire, il avait été confié, pour son éducation, par ce père sans-culotte, à un ci-devant : Girod de Chantrans. L'enfant avait fait alors des lectures infinies, s'était épris d'Amyot, de Ronsard, de Montaigne. Il lisait Homère à livre ouvert. Son maître lui avait traduit Gœthe et Shakespeare à la volée. Nodier avait épousé, à Dole, une femme sans défauts et sans argent ; il était devenu bibliothécaire à Besançon, puis secrétaire d'un Anglais complètement fou, Sir Herbert Croft, et enfin bibliothécaire à Laybach, en Illyrie, pays d'où il avait tiré mille contes : *Jean Sbogar, Smarra, Trilby ou le Lutin d'Argail.*

C'était un esprit gracieux et aventureux. Il y avait en lui du Hoffmann, plus un botaniste, un entomologiste, un peintre, un voyageur et un archéologue fou de gothique. Il savait tout. Entré aux *Débats,* puis à *La Quotidienne,* il avait soutenu les jeunes en camarade, puis en frère aîné, et prenait peu à peu de la consistance. Hugo courut le remercier, rue de Provence, et ne le trouva pas. Le lendemain, Nodier, « figure anguleuse, œil vif et las, démarche fantasque et pensive », vint chez les Hugo, qui l'invitèrent, avec sa femme et sa fille Marie (douze ans, mais la finesse d'une femme). Ce fut le commencement d'une belle amitié.

Le « cher Alfred » (Vigny) loua *Han d'Islande :* « Mon ami, je vous le dis — et vous êtes le centième à qui je le dise, quoique je sois à Orléans, — c'est un beau, et grand, et durable ouvrage que vous avez fait là... Vous avez posé en France les fondements de Walter Scott... Faites un pas ; naturalisez le génie que vous avez jeté sur la Norvège, changez les noms et les décorations et nous serons plus fiers que des Écossais... Tout l'intérêt est pressant, tout est palpitant ; je n'ai respiré qu'au dernier mot. Je vous remercie au nom de la France [1]... » Dans cette lettre, Vigny parlait de ses « misères de cœur » ; il avait confié à Hugo qu'il était amoureux de Delphine Gay. Amour réciproque. Delphine avait été touchée par « le plus aimable de tous », disait sa mère, Sophie Gay.

---

1. Cf. Louis Barthou : *Lettres inédites d'Alfred de Vigny à Victor Hugo.* (*Revue des Deux Mondes,* numéro du 1ᵉʳ février 1925, p. 516).

Mais la comtesse Léon de Vigny voulait, pour rétablir sa famille ruinée, un mariage riche et avait opposé son veto ; Vigny s'était incliné tristement, et Delphine se résignait.

Avec le général Hugo, les rapports devenaient de plus en plus affectueux. Père et fils correspondaient au sujet d'Eugène, puis du désir exprimé par le père d'être réintégré et avancé en grade. Victor s'en occupait et parlait même d'obtenir, de Chateaubriand, une ambassade pour le général. Il patronnait aussi les *Mémoires* de son père et les fit publier par le libraire Ladvocat. Les intérêts renforçaient utilement les sentiments. Le général Hugo avait deux objectifs : s'appuyer sur ce fils bien en cour ; faire accepter par ses enfants la nouvelle Mme Hugo qui était, disait-il, « une seconde mère pour vous tous ». En fait, lorsque naquit, après des couches pénibles, le premier fils de Victor et que « le pauvre petit ange » parut dépérir, le général et son épouse l'installèrent avec sa nourrice à Blois, dans la grande maison blanche qu'ils venaient d'acheter. La fille Thomas n'était plus appelée que « la grand-mère de Léopold ». Adèle broda un bonnet pour sa belle-mère. Il y avait à peine deux ans que la première Mme Hugo avait été enterrée.

Le 9 octobre, le petit Léopold mourut. Vigny, qui était en garnison à Pau, écrivit : « Vos douleurs de père ont été bien proches de celles de fils et de frère ; vous êtes accablé par les peines de famille, cette assemblée naturelle que l'on croit notre seule source de biens... Mon Dieu ! mon ami, que la vie est triste [1]... » À propos d'Eugène, Vigny parlait, en fort beau langage, de « ces grands fléaux dont nous frappe notre propre nature physique, quand elle se dégrade tout à coup, longtemps avant la mort, et que l'âme s'absente en laissant le corps debout et souriant, comme ces horribles figures d'Herculanum [2]... ». Mais Hugo, malgré tant de malheurs (sa mère, son frère, son fils), ne jugeait pas la vie triste ; il était trop occupé à vivre, à travailler, à faire l'amour. De nouveau Adèle se trouvait enceinte. « Victor, disait Émile Deschamps, fait des odes et des enfants sans se reposer. »

---

1. Cf. Louis Barthou : *Lettres inédites d'Alfred de Vigny à Victor Hugo.* (*Revue des Deux Mondes,* numéro du 1er février 1925, p. 520).
2. *Opus cit.,* p. 516.

II

« LA MUSE FRANÇAISE »

> Les admirables temps de la Restauration, où
> l'on avait une âme romantique avec une disci-
> pline classique.
>
> MAURICE BARRÈS.

« DE 1819 à 1824, sous la double influence directe d'André
Chénier et des *Méditations,* sous le retentissement des
chefs-d'œuvre de Byron et de Scott, au bruit des cris de
la Grèce, au fort des illusions religieuses et monarchiques de la
Restauration, il se forma un ensemble de préludes, où dominaient
une mélancolie vague, idéale, l'accent chevaleresque et une grâce
de détails souvent exquise [1]... » Les Toulousains, le tendre Soumet,
le pétulant Guiraud aux cheveux rouges, au parler gascon, avaient
les premiers donné le ton ; Émile Deschamps proposa de créer un
groupe et de fonder une revue. Ce fut *La Muse française,* réunion
de jeunes hommes distingués, trop distingués, aimant la poésie,
royalistes par tradition, « chrétiens par convenance et vague sentiment [2] ».

Le programme était : en religion, le merveilleux chrétien à la
Chateaubriand au lieu des grivoiseries païennes de l'Empire ; en
politique, la Monarchie selon la Charte ; en amour, le platonisme
chevaleresque. C'était « quelque chose de doux, de parfumé, de
caressant et d'enchanteur ; l'initiation se faisait dans la louange ;
on était reconnu et salué poète à je ne sais quel signe mystérieux...
La chevalerie dorée, le joli Moyen Âge de châtelaines, de pages et
de marraines, le christianisme de chapelles et d'ermites, les pauvres
orphelins, les petits mendiants faisaient fureur et se partageaient le

---

1. SAINTE-BEUVE : *Portraits contemporains,* t. II, p. 179.
2. *Opus cit.,* t. I, p. 409.

fonds général des sujets, sans parler des innombrables mélancolies personnelles... » On s'appelait par son prénom : *Alfred, Émile, Gaspard* ou *Victor.* Des femmes appartenaient à cette franc-maçonnerie sentimentale. La belle Delphine Gay était *Delphine* pour tous. Mais quand Jules de Rességuier, le plus troubadour de ces troubadours, demanda en grasseyant à Victor Hugo la permission d'appeler sa femme *Adèle,* « le jeune et grave poète s'y refusa ». La familiarité n'était pas son fort.

Pour fonder la *Muse,* Émile Deschamps avait proposé que chacun versât mille francs. C'était trop pour le ménage Hugo. Lamartine, qui déjà préférait siéger au plafond et vivre en gentilhomme campagnard, loin du monde bruyant des lettres, refusa de faire partie du groupe, mais offrit de payer pour Hugo la cotisation : « Entrez comme fondateur, et moi, qui ne puis y mettre ni nom, ni esprit, j'y mettrai bien volontiers les mille francs convenus. Cela restera entre nous deux [1]... » Victor Hugo, offensé par cette dérobade prêteuse, n'accepta pas, mais n'en joua pas moins un rôle prépondérant, tant par ses articles et poèmes que par sa naturelle autorité.

Toutefois le véritable centre du cénacle de *La Muse française* fut vite le bon Nodier, et le lieu de rendez-vous son salon, d'abord rue de Provence, puis, depuis le 1er janvier 1824, à la bibliothèque de l'Arsenal, un ministre ami lui ayant, pour ses étrennes, avec l'appui de Monsieur, comte d'Artois, donné ce beau poste. La nonchalance est une suprême adresse et nul n'obtient plus que ces étourdis un peu enfantins. Les grands aiment à protéger les distraits parce que ceux-ci semblent avoir besoin de protection. Nodier se trouva soudain logé dans un palais, au cœur d'un quartier populaire. De sa fenêtre, il voyait le soleil se coucher derrière Notre-Dame. Un conservateur de bibliothèque est une sorte de chanoine laïque. Délicieusement casanier et routinier, Nodier jouissait de ce confort tardif. Sa femme, si simple, avait tout de suite embourgeoisé le pavillon royal et sa figure vive, « éclatante comme un bouquet », en égayait le décor sévère. Leur fille Marie croissait en beauté et tous les poètes étaient ses amis.

Le dimanche, le salon de l'Arsenal s'illuminait. On y entrait

---

1. Lettre citée par Léon Séché dans *Le Cénacle de la Muse française,* p. 60.

comme dans un moulin. Il y avait là Séverin Taylor, né à Bruxelles
de parents anglais, officier français, camarade de Vigny et favori
du pouvoir ; Sophie et Delphine Gay, celle-ci radieuse comme le
jour et baptisée « la Muse française » ; Soumet, qui venait d'avoir
deux triomphes au théâtre, « les deux plus belles tragédies de
l'époque », disait Hugo, et qui était plus que jamais « notre grand
Alexandre » ; Guiraud, célèbre pour son *Petit Savoyard ;* Alfred
de Vigny et Gaspard de Pons, en uniforme bleu de roi ; naturellement les frères Deschamps, et le géant Adolphe de Saint-Valry,
codirecteur de *La Muse française.*

De huit à dix heures, on causait. Nodier, debout à la cheminée,
commençait un récit : souvenirs de jeunesse ou conte fantastique.
Sortant de son indolence, il devenait éloquent. Puis une discussion
littéraire s'ouvrait : « André Chénier est allé trop loin, disait Victor Hugo ; son vers, à force de coupures et d'enjambements, n'est
plus musical et la poésie est un chant avant tout. » Nodier protestait : « Chénier est romantique à sa façon, qui est la bonne... Il
n'y a pas de règles fixes dans l'art. » Émile Deschamps, souriant,
ses lèvres fines découvrant des dents admirables, intervenait : « Vous
en reviendrez, mon cher Victor [1]... » Sur le coup de dix heures,
Marie Nodier se mettait au piano et les conversations cessaient.
Les chaises rangées le long des murs, on dansait. Nodier, joueur
enragé, s'asseyait à la table d'écarté ; Vigny, pâle, délicat, valsait
avec Delphine Gay. Les hommes sérieux, dont le jeune Hugo, continuaient à mi-voix la discussion dans un coin. Mme Victor Hugo,
ses yeux espagnols s'animant soudain, dansait, et son mari, de
temps à autre, lui jetait un regard inquiet.

Tous ces hommes, bien que confrères, étaient bons amis. Au
règne du bel esprit, disait Émile Deschamps, a succédé celui du
beau cœur. On se louait les uns les autres, généreusement. « Notre
grand Alexandre » recevait les plus grands éloges :

> La France attend tes vers ; et ton siècle enchanté
> Les lègue avec orgueil à la postérité [2]...

Mais tous avaient leur tour et Rességuier encensait Hugo :

---

1. Cité, d'après les *Mémoires* de GUTTINGUER, par LÉON SÉCHÉ, dans
Le Cénacle de la Muse française, pp. 244-245.
2. ARSÈNE ANCELOT : *Epître,* publiée dans *La Muse française,* numéro
de septembre 1823.

La gloire est à Bouvine ainsi qu'à Marengo :
Immortalisez-vous par une ode superbe.
N'importe, après cela, qu'on se nomme Malherbe,
        Jean-Baptiste ou Victor Hugo [1]...

Cette société d'admiration mutuelle exaspérait l'amer Henri de Latouche qui, dans le *Mercure,* en dénonçait les excès : « Il paraît convenu entre MM. Alexandre S***, Alexandre G***, Gaspard de P***, Saint-V***, Alfred de V***, Émile D***, Victor H*** et quelques autres qu'ils se citeront réciproquement en exemple. Et pourquoi ces petits princes de la poésie n'auraient-ils pas fait alliance ? » Les petits princes, par la plume de Hugo, répondirent vigoureusement : « On insulte à l'enthousiasme que le chant d'un poète inspire à un poète, et l'on veut que ceux qui ont du talent ne soient jugés que par ceux qui n'en ont pas... On dirait que nous ne sommes plus accoutumés qu'aux jalousies litté-raires ; notre âge envieux se raille de cette fraternité poétique, si douce et si noble entre rivaux [2]. »

La plupart des collaborateurs de *La Muse française* souhai-taient, tout en rénovant la poésie, ne point prendre parti dans la querelle romantisme-classicisme. En des vers, les plus plats du monde, Jules de Rességuier avait exprimé cet éclectisme prudent :

Des deux écoles, donc, quelle est la différence ?
Ce sont d'aimables sœurs, leur âge n'y fait rien :
L'une est le souvenir et l'autre l'espérance.
Leur intérêt commun est de s'entendre bien [3]...

De quoi s'agissait-il ? Et quelles réalités couvraient les mots *romantisme* et *classicisme ?* Mme de Staël avait vu là deux divi-sions marquées : « La littérature imitée des anciens et celle qui doit sa naissance à l'esprit du Moyen Âge ; la littérature qui, dans son origine, a reçu du paganisme sa couleur ; et la littérature dont l'impulsion et le développement appartiennent à une religion essen-tiellement spiritualiste [4]... » Si telles étaient les définitions, ces messieurs de la *Muse* se rapprochaient du romantisme. Ils étaient

1. Cité par EDMOND BIRÉ dans *Victor Hugo avant 1830*, p. 341.
2. *La Muse française*, t. II, numéro du 12 mai 1824, p. 286.
3. Cité par EDMOND BIRÉ dans *Victor Hugo avant 1830*, p. 341.
4. MME DE STAËL : *De l'Allemagne.*

chrétiens et troubadours ; ils accordaient aux lutins et aux vampires nordiques les places tenues jadis par les nymphes et les Euménides ; ils lisaient Schiller (dans la mesure où ils le connaissaient, et elle était petite, car peu d'entre eux savaient l'allemand). D'autres novateurs tenaient cette forme de romantisme pour barbare et rétrograde. Lamartine disait de la *Muse :* « C'est le délire au lieu du génie. » Stendhal, vers 1823, redoutait « ce galimatias allemand que beaucoup de gens appellent romantique [1] ». Il écrivait *romanticisme,* à l'italienne, et souhaitait un romantisme libéral, un romantisme de prosateur épris de vérité. Il raillait « ces jeunes hommes qui exploitent le genre rêveur, les mystères de l'âme et qui, bien nourris et bien rentés, ne cessent de chanter les misères humaines et les joies de la mort ». Il les jugeait « lugubres et niais ».

Le chauvinisme s'en mêlait. « Werther, de je ne sais quel poète allemand », avait écrit, dans les *Débats,* le critique Geoffroy [2] en 1805. Plus tard, Hoffman [3] n'avait cessé de railler « les adorateurs de la Melpomène germanique ». Les adversaires libéraux de *La Muse française* lui reprochaient d'être plus allemande et anglaise que française ; d'offrir de la mysticité à un peuple qui n'a jamais vu, dans le mysticisme, qu'un sujet de plaisanteries ; d'avoir présenté des odes vaporeuses à une nation que son génie particulier porte aux choses positives ; d'avoir traité sérieusement des croyances superstitieuses devant un lecteur philosophe. C'était tout l'esprit du XVIIIᵉ siècle qui se dressait contre celui du XIXᵉ. À l'Académie française, qui, par l'effet de l'âge, joue souvent à contretemps et qui était alors classique et philosophe, Auger, secrétaire perpétuel, tonna contre le cénacle de l'Arsenal, qu'il appelait un schisme littéraire : « La secte est nouvelle et compte encore peu d'adeptes déclarés ; mais ils sont jeunes et ardents ; mais la ferveur et l'activité leur tiennent lieu de la force et du nombre [5]... » Il rappelait à l'ordre Mme de Staël, pour sa distinction du classicisme et du romantisme « qui divisait à leur insu toutes les littératures et par-

---

1. STENDHAL : *Racine et Shakespeare.*
2. Julien-Louis Geoffroy (1743-1814).
3. François-Benoit Hoffman (1760-1828).
4. Discours prononcé par Louis-Simon Auger, le 24 avril 1824, à la séance publique des Académies. Cité par LÉON SÉCHÉ dans *Le Cénacle de la Muse française,* p. 79.

tageait la nôtre même, qui ne s'en est jamais douté [1]... ». Il reprochait aux romantiques de vouloir détruire les règles sur lesquelles sont fondés la poésie et le théâtre français, d'avoir la gaieté
en horreur et de ne trouver de poésie que dans l'affliction. Tristesse
toute littéraire d'ailleurs, disait Auger, et qui ne portait aucune
atteinte à leur brillante santé. Bref, le romantisme n'avait pas de
vie réelle ; c'était un fantôme qui s'évanouissait dès qu'on essayait
de le toucher.

L'étrange est que ce contempteur du romantisme allait bientôt
se tuer, comme un simple Werther, mais nul alors ne pouvait
prévoir ce suicide et ces messieurs de la *Muse* furent gênés par
les attaques d'Auger. « Notre grand Alexandre » avait des ambitions académiques, et l'autre Alexandre, Guiraud, pensait aussi à
la maison du quai Conti. D'ailleurs, ils ne se croyaient pas romantiques et comprenaient de moins en moins ce que le mot signifiait.
« On a défini tant de fois le romantisme, disait Émile Deschamps,
que la question est bien assez embrouillée comme cela, sans que je
l'obscurcisse encore par de nouveaux éclaircissements [2]... ». Ce que
ces jeunes gens éprouvaient en commun, c'était une inquiétude
au sujet de mystères négligés et méprisés par les philosophes du
XVIIIe siècle, une révolte contre la froide poésie de l'Empire, un
élan vers le trône et l'autel. Était-ce là du romantisme ? À la vérité,
« il est impossible de penser sérieusement avec des mots comme
classicisme et *romantisme* ; on ne s'enivre ni ne se désaltère avec
des étiquettes de bouteilles [3]... ».

Si l'Académie veut à toute force diviser la littérature en deux
camps, écrivit Émile Deschamps dans la *Muse,* alors « de notre
côté, parmi les écrivains de toutes les nations, qu'on a tour à tour
traités de *romantiques* depuis vingt ans, nous présenterons M. de
Chateaubriand, Lord Byron, Mme de Staël, Schiller, Monti, M. de
Maistre, Gœthe, Thomas Moore, Walter Scott, M. l'abbé de Lamennais, etc., etc. ; il ne nous appartient pas de citer des noms
plus jeunes après ces grands noms. De l'autre côté, en choisissant
dans la même époque, on verra figurer messieurs *** ; je laisse les
noms en blanc ; que les *classiques* les remplissent eux-mêmes ; je

---

1. Cf. Léon Séché : *Le Cénacle de la Muse française,* p. 82.
2. Émile Deschamps : *La Guerre en temps de paix.* (*La Muse française,*
t. II, p. 294).
3. Paul Valéry.

ne peux pas mieux dire. Ensuite, l'Europe, ou un enfant, décidera [1]... ».

Hugo, de son côté, répondit dans un article : *Sur Lord Byron, à propos de sa mort :*

> On ne recommence pas les madrigaux de Dorat après les guillotines de Robespierre, et ce n'est pas au siècle de Bonaparte qu'on peut continuer Voltaire. La littérature réelle de notre âge, celle dont les auteurs sont proscrits à la façon d'Aristide... celle qui, malgré une persécution vaste et calculée, voit tous les talents éclore dans sa sphère orageuse, comme ces fleurs qui ne croissent qu'en des lieux battus des vents... cette littérature n'a point l'allure molle et effrontée de la muse qui chanta le cardinal Dubois, flatta la Pompadour et outragea notre Jeanne d'Arc... Elle n'enfante pas dans les orgies des chants pour les massacres... Son imagination se féconde par la croyance. Elle suit les progrès du temps, mais d'un pas grave et mesuré. Son caractère est sérieux, sa voix est mélodieuse et sonore. Elle est, en un mot, ce que doit être la commune pensée d'une grande nation après de grandes calamités, triste, fière et religieuse [2]...

En une phrase : « Nous ne pouvons faire que le passé soit le présent. » Cela était fort bien dit, mais « notre grand Alexandre » gardait les yeux fixés sur le Palais Mazarin et craignait le secrétaire perpétuel. « Nous osons à peine respirer sous ce régime de terreur littéraire [3] », soupirait le Jeune Moraliste (Émile Deschamps). Guiraud et Rességuier étaient prêts, par solidarité toulousaine, à couvrir la retraite de Soumet. Le départ de ce groupe n'eût pas tué la *Muse* si le reste de l'équipe avait été en plein accord. Tel n'était plus le cas. Un article sur les *Nouvelles Méditations* de Lamartine, non pas hostile, mais réticent, avait eu pour objet de punir cet aîné de son refus de collaborer à la *Muse*. Il avait réagi dans une lettre à Hugo, fort acerbe : « Chacun fait

---

1. EMILE DESCHAMPS : *La Guerre en temps de paix* (*La Muse française,* t. II, p. 301). Cet article est signé : « LE JEUNE MORALISTE ».
2. VICTOR HUGO : *Sur Lord Byron, à propos de sa mort* (*Littérature et Philosophie mêlées,* pp. 128-129).
3. LE JEUNE MORALISTE (Emile Deschamps) : *La Guerre en temps de paix* (*La Muse française,* t. II, p. 302).

dans ce monde, de son mieux, son petit métier. Les oiseaux chantent et les serpents sifflent ; il ne faut pas leur en vouloir de mal... »
Leçon désagréable à recevoir. Vigny, qui admirait passionnément Lamartine, écrivit à Hugo : « C'est une chose infâme que la littérature ; je commence par là et, ce qui me le fait dire, c'est d'entendre autour de moi tout ce qui se dit de M. de Lamartine. Il est toujours mal jugé et tantôt on le prend trop haut, tantôt trop bas. On dit que vous l'avez excommunié. Je ne puis le croire [1]... »
Et Soumet à Guiraud : « M. de Lamartine est un géant et vous êtes des polissons littéraires de l'avoir méconnu [2]. »

Seconde scission. En outre, Chateaubriand, qui, ministre des Affaires étrangères, avait soutenu la *Muse,* dont les poètes, en retour, chantaient sa guerre d'Espagne, venait de tomber avec éclat, destitué le 6 juin 1824. Le 15 juin, la *Muse* se saborda. « Un motif de haute convenance, dit Marie Nodier, fit rentrer le bâtiment dans le port, après une salve brillante tirée en l'honneur du grand écrivain, à sa sortie du ministère [3]... » Hugo, dans le dernier numéro, tira pour Chateaubriand cette salve d'honneur :

> Chacun de tes revers pour ta gloire est compté.
> Quand le sort t'a frappé, tu dois lui rendre grâce,
>   Toi qu'on voit à chaque disgrâce
> Tomber plus haut encor que tu n'étais monté [4] !

Le 20 juillet, Alexandre Soumet fut élu à l'Académie française. Était-ce le romantisme qui entrait sous la Coupole ? C'était plutôt Soumet qui sortait du romantisme.

Classique ? Romantique ? En publiant chez le libraire Ladvocat, au mois de février 1824, ses *Nouvelles Odes,* Victor Hugo, dans sa préface, se refusait encore à prendre parti :

> Il y a maintenant deux partis dans la littérature comme dans l'État ; et la guerre poétique ne paraît pas devoir être moins acharnée que la guerre sociale n'est furieuse. Les deux camps semblent plus impatients de combattre que de traiter.

1. Lettre du 3 octobre 1823, citée par Léon Séché dans *Le Cénacle de la Muse française,* pp. 101-102.
2. Lettre du 5 juillet 1820. *Opus cit.,* p. 41.
3. Cf. Léon Séché : *Le Cénacle de la Muse française,* p. 106.
4. Victor Hugo : *A Monsieur de Chateaubriand (Odes et Ballades,* p. 139).

Ils s'obstinent à ne vouloir point parler la même langue ; ils n'ont d'autre langage que le mot d'ordre à l'intérieur et le cri de guerre à l'extérieur : ce n'est pas le moyen de s'entendre... Des conciliateurs se sont présentés, avec de sages paroles, entre les deux fronts d'attaque. Ils seront peut-être les premiers immolés, mais qu'importe ? C'est dans leurs rangs que l'auteur de ce livre veut être placé... Et d'abord, pour donner quelque dignité à cette discussion impartiale, dans laquelle il cherche la lumière bien plus qu'il ne l'apporte, il répudie tous ces termes de convention que les partis se rejettent réciproquement comme des ballons vides, signes sans signification, expressions sans expression, mots vagues que chacun définit au besoin de ses haines ou de ses préjugés, et qui ne servent de raisons qu'à ceux qui n'en ont pas. Pour lui, il ignore profondément ce que c'est que le *genre classique* et le *genre romantique*... En littérature, comme en toute chose, il n'y a que le bon et le mauvais, le beau et le difforme, le vrai et le faux... Or le beau, dans Shakespeare, est tout aussi classique (si *classique* signifie : *digne d'être étudié*) que le beau dans Racine [1]...

Il s'élevait contre l'idée que la révolution littéraire serait l'expression de la révolution politique de 1789. Elle en était, affirmait le jeune Hugo, le résultat, ce qui est fort différent. La marche sombre et imposante des événements avait certes réveillé ce qu'il y a d'immortel et de sublime en l'homme de génie. Mais la littérature présente, telle que l'ont créée les Staël, les Chateaubriand, les Lamennais, n'appartient en rien à la Révolution ; elle est l'« expression anticipée de la société monarchiste et religieuse qui sortira sans doute du milieu de tant d'anciens débris ». La forme des *Nouvelles Odes* n'était pas plus révolutionnaire (soutenait l'auteur) que sa pensée politique : « Toute innovation contraire à la nature de notre prosodie et au génie de notre langue doit être signalée comme un attentat aux premiers principes du goût... »

Un tempérament fort engendre sa forme sans en être conscient. Déjà le poète s'émancipait plus que ne le savait le préfacier. Il osait, en quelques pièces, renoncer aux périphrases, arracher du

---

1. Victor Hugo : *Préface à l'Edition de 1824* (*Odes et Ballades*, pp. 11-13).

cou du chien stupéfait son collier d'épithètes, appeler les choses par leur nom. Trop de *muses* et d'*anges* encore ; trop de « *Juste Ciel ! — Que vois-je ? — Ciel ! où vont ces guerriers ?* » mais aussi, et comme malgré lui, des souvenirs d'enfance, des paysages vrais, de beaux vers :

> Je suis le roi banni, superbe et solitaire...

N'entendez-vous pas déjà Baudelaire ?

> À mes yeux tu te révèles.
> Tu m'inondes d'étincelles !
> Et tes frémissantes ailes
> Ont un bruit doux comme un chant [1] !

N'entendez-vous pas Valéry ? Et déjà aussi il a le pressentiment du rôle, dans le monde, de certains hommes prédestinés :

> Non, le poète sur la terre
> Console, exilé volontaire,
> Les tristes humains dans leurs fers [2]...

Rien de plus difficile à employer, sans chevilles ni impropriétés, que le vers court où le sens doit épouser étroitement le rythme. À vingt-deux ans, Hugo le faisait avec une souveraine aisance. Mais il était romantique sans le savoir et le critique du *Journal des Débats,* « ce vieux renard d'Hoffman », Lorrain rude et bourru, auteur dans sa jeunesse de grivoiseries classiques, le dénonça. Il reprochait au poète d'associer des idées abstraites et des images physiques. « Les Anciens, affirmait-il imprudemment, n'auraient pas donné à un dieu le mystère pour vêtement. » Il avait affaire à un homme qui connaissait bien mieux que lui les Anciens et reçut une belle dégelée.

> *Lettre de Hugo à Hoffman, publiée (en vertu du droit de réponse) dans le* Journal des Débats : « Je ne vous dirai pas que cette expression est littéralement empruntée à la Bible. La Bible n'est-elle pas un peu *romantique ?* Mais je vous demanderai en quoi cette locution vous semble vicieuse ?

---

1. VICTOR HUGO : *A Trilby, le lutin d'Argail* (*Odes et Ballades*, p. 311).
2. VICTOR HUGO : *Le Poète dans les Révolutions* (*Odes et Ballades*, p. 38).

C'est, me direz-vous, parce qu'une idée abstraite, *le mystère,* y est immédiatement associée à une image physique, *le vête-ment.* Eh bien ! monsieur, ce genre d'alliance de mots, qui vous paraît si exclusivement *romantique,* se retrouve à chaque instant chez « les Anciens et les grands écrivains modernes ».

« ...Toutefois, resserré par l'espace, je ne veux plus citer que quelques exemples décisifs. Vous affirmez que les classi-ques, soigneux de ne jamais lier les abstractions aux réalités, n'auraient pas donné à un dieu *le mystère* pour *vêtement ;* mais, monsieur, ils ont donné la JUSTICE et la VÉRITÉ pour *fondement* à son *trône* (J.-B. Rousseau, ode XI, liv. I), et par conséquent ils ont appuyé une réalité, *le trône,* sur deux abstractions, la *justice* et la *vérité.* Autres exemples : Horace a dit, ode XXIX, livre III : « VIRTUTE *me involvo mea* (je m'*enveloppe* de ma VERTU). » Jean-Baptiste a dit (liv. IV, ode X) : « Pour souverain mérite, on ne demande aux hommes — Qu'un vice complaisant de GRÂCE *revêtu...*» Or, monsieur, quand Horace fait de la VERTU une *enve-loppe,* et Rousseau, des GRÂCES, un *vêtement,* n'emploie-t-on pas précisément la même figure, en appliquant la même expression au MYSTÈRE, qui est une abstraction comme les mots *grâce* et *vertu ?*...

« J'ai eu l'honneur de vous prouver que les locutions dans lesquelles vous découvrez *tout le romantisme* ont été, au moins aussi fréquemment, employées par les classiques, an-ciens et modernes, que par les écrivains contemporains ; or comme, dans ces locutions, résidait spécialement votre dis-tinction entre les deux genres, cette distinction tombe d'elle-même ; et il suit de là, toujours d'après votre système, qu'il n'existe aucune différence réelle entre les deux genres, puis-que la seule que vous reconnaissez, celle du style, s'est com-plètement évanouie. Permettez-moi de vous remercier de ce résultat [1]... »

Il faut admirer la fermeté de la prose autant que l'érudition du prosateur et l'autorité de l'homme. La maîtrise ne se décrète pas ; elle s'impose.

---

1. *Journal des Débats,* numéro du 26 juillet 1824.

III

BLOIS, REIMS, CHAMONIX

> Les belles œuvres sont filles de leur forme,
> qui naît avant elles.
>
> PAUL VALÉRY.

L ES finances du ménage s'amélioraient. Pour le droit de publier, pendant deux ans, les *Nouvelles Odes,* le libraire Ladvocat payait deux mille francs. Le général versait chaque mois une petite rente et Victor, qui touchait maintenant deux pensions royales, engageait son père à suivre, « pour le payer, ses aises avant tout ». La jeune famille avait pu emménager, en 1824, dans un petit appartement, au-dessus d'un menuisier, 90, rue de Vaugirard. Loyer annuel : six cent vingt-cinq francs. Là naquit, le 28 août, Léopoldine Hugo. « Notre Didine est charmante. Elle ressemble à sa mère, elle ressemble à son grand-père [1]... » La générale comtesse fut marraine. Démarche politique.

La rue de Vaugirard devint, pour beaucoup de jeunes écrivains, un point de ralliement. Le ménage Hugo était, à leurs yeux, exemplaire. Mme Victor Hugo répandait, sur cet intérieur calme, tout consacré au travail, le rayonnement de sa beauté. Les *Odes* apparaissaient au Cénacle comme l'écho doux et solennel de cette vie « chaste et solitaire ». *Hugo à Vigny :* « Je reste chez moi, où je suis heureux, où je berce ma fille, où j'ai cet ange qui est ma femme [2]... » Il voulait être « premier en mariage [3] » et en paternité comme en poésie. Les amis restaient fidèles. Alfred, en garnison à

---

1. VICTOR HUGO : *Correspondance,* t. I, p. 397.
2. *Opus cit.,* t. I, p. 396.
3. JEAN-BERTRAND BARRÈRE : *Hugo, l'homme et l'œuvre,* p. 20.

Oloron, s'était d'abord indigné du sabordage de la *Muse :* « Je ne comprends rien à tout ce qu'on m'écrit, cher ami, mais, du fond de mes montagnes, il me semble que nous faisons une sottise. Quoi ? La *Muse* cesserait quand elle est devenue une puissance ?... Sauvez-la, à quelque prix que ce soit... C'est une vraie lâcheté que de l'abandonner [1]... » Il s'indignait que Soumet convoitât « un fauteuil délabré ». Mais Oloron était loin et, au moment où l'officier-poète écrivait cette lettre, la *Muse* était morte et Soumet immortel. Cela n'affecta pas l'amitié Hugo-Vigny : « Laissons à d'autres ces petites défections et leurs terreurs enfantines. Aimez-moi et écrivez-moi ; cela fait du bien. — ALFRED [2]. »

Lamartine venait parfois dîner rue de Vaugirard, aîné un peu distant, noble et cavalier. Il était candidat à l'Académie française et en souffrait. *Lamartine à Hugo, 16 novembre 1824 :* « J'irai mercredi, mon cher Hugo, dîner avec vous. Mais, croyez-moi, n'ayez pas M. Soumet. Vous ne pouvez vous faire d'idée de la manière odieuse dont les électeurs en titre nous traitent ; je suis indigné et irrité. Je sais bien que M. Soumet n'est pas complice, mais lui et d'autres sont instruments. Vivons seuls et si jamais, cette affaire terminée, vous me revoyez sur les rangs pour l'Académie, dites que j'ai perdu le cœur et la tête [3]... » Lamartine adorait le jeune ménage : *23 décembre 1824 :* « Vous n'avez pas fait une sottise dans votre vie ; la mienne, jusqu'à vingt-sept ans, a été un tissu serré de fautes et de dévergondage... Vous avez un cœur de l'âge d'or et une femme du paradis terrestre ; avec cela, on vit dans notre âge de fer [4]... » L'été, quand Lamartine résidait à Saint-Point, les deux poètes correspondaient. À Hugo, qui défendait la grammaire, Lamartine répondait : « La grammaire écrase la poésie. La grammaire n'est pas faite pour nous [5]... » La différence était que Hugo savait la grammaire. Mais ils demeuraient bons amis et Lamartine invitait, en vers, Hugo à Saint-Point :

---

1. Cf. LOUIS BARTHOU : *Lettres d'Alfred de Vigny à Victor Hugo* (*Revue des Deux Mondes,* numéro du 1er février 1925, pp. 523-525).
2. *Opus cit.,* p. 527.
3. Maison de Victor Hugo. Catalogue *Enfance et Jeunesse de Victor Hugo,* n° 380, p. 144. (Lettre en grande partie inédite.)
4. Lettre publiée par Cécile Daubray dans *Victor Hugo et ses Correspondants,* pp. 114-116.
5. *Victor Hugo raconté par un témoin de sa vie,* t. II, p. 104.

> Oiseau chantant parmi les hommes,
> Ah ! reviens à l'ombre des bois ;
> Il n'est qu'au désert où nous sommes
> Des échos dignes de ta voix [1]...

La maladie d'Eugène, en retenant le général à Paris, avait amené, entre Victor et son père, un rapprochement, non seulement familial, mais spirituel. Le père triomphant et sévère avait jadis suscité un antagonisme ; le père à la retraite, s'appuyant sur le fils déjà célèbre, inspirait l'indulgence, la piété et aussi la fierté pour les exploits passés, dont Adèle et Victor aimaient à écouter le récit :

> Toi, mon père, ployant ta tente voyageuse,
> Conte-nous les écueils de ta route orageuse,
> Le soir, d'un cercle étroit en silence entouré.
> Si d'opulents trésors ne sont plus ton partage,
> Va, tes fils sont contents de ton noble héritage :
> Le plus beau patrimoine est un nom révéré [2]...

Par son père, mieux connu, mieux aimé, il se rapprochait aussi de l'Empereur. Vivant, Napoléon avait été « le tyran » haï de sa mère. Après la tragédie de Sainte-Hélène, il était devenu un héros persécuté et, au fond de son cœur, Hugo sentait que, pour un poète français, il était plus beau de chanter « tous ceux de Friedland, tous ceux de Rivoli » que de semer d'odes sur commande les éphémérides de la famille royale.

> Ô Français ! des combats la palme vous décore ;
> Courbés sous un tyran, vous étiez grands encore.
> Ce chef prodigieux par vous s'est élevé ;
> Son immortalité sur vos gloires se fonde
> Et rien n'effacera, des annales du monde,
> Son nom, par vos glaives gravé [3]...

Chateaubriand étant ministre, Victor avait espéré faire arriver son père « au sommet des dignités militaires », mais Chateaubriand puissant s'était montré peu accessible. *Victor au Général Hugo,*

---

1. *Victor Hugo raconté par un témoin de sa vie*, t. II, p. 105.
2. VICTOR HUGO : *A mon Père* (*Odes et Ballades*, p. 107).
3. *Opus cit.*, p. 106.

27 juin 1824 : « Si mon illustre ami revient aux affaires, nos chances triplent. Nos rapports se sont beaucoup resserrés depuis sa disgrâce ; ils s'étaient fort relâchés pendant sa faveur [1]... » *29 juillet 1824 :* « L'état de notre pauvre cher Eugène est toujours le même. Cette stagnation est désespérante [2]... » Avec l'ex-comtesse de Salcano, tout allait de mieux en mieux : « Remercie bien ton excellente femme de son attention délicate pour ma fête. Je ne saurais te dire combien j'en ai été touché, ainsi que mon Adèle. Remercie-la encore de l'envoi du beurre qu'elle nous promet ; cela nous sera fort utile cet hiver [2]... »

Le général, enchanté du néo-bonapartisme de son fils, insistait pour que le jeune ménage vînt faire un séjour à Blois. Les deux grossesses pénibles d'Adèle ne l'avaient jusqu'alors pas permis. Enfin, en avril 1825, le voyage fut entrepris. Victor Hugo, qui, malgré la mort de Louis XVIII, demeurait bien en cour, avait obtenu du directeur des Postes le coupé de la malle et l'avait occupé avec sa femme et sa petite fille. Le général les attendait à la descente de voiture, souriant et rubicond, heureux de montrer sa belle maison « blanche et carrée... bâtie en pierres et d'ardoises couverte », plus heureux encore lorsque son fils, peu après l'arrivée, reçut une lettre du vicomte de la Rochefoucauld, « chargé des Arts dans leurs rapports avec la Maison du Roi », l'informant que Charles X, « avec une grâce charmante », venait de faire chevaliers de la Légion d'honneur MM. Hugo et de Lamartine. À la vérité, ils avaient, l'un et l'autre, sollicité ce ruban. Sa Majesté s'était courtoisement affligée d'un oubli dont les lettres avaient le droit d'être surprises. Elle invitait le jeune poète à son sacre. On imagine le bonheur du père en voyant décoré, d'un ordre qui lui était si cher, un fils de vingt-trois ans.

Pour Victor, qui savait jouir des grands sentiments et qui longtemps s'était cru orphelin, c'était une joie singulière que d'habiter sous le toit paternel. Après avoir jadis défié le général, il goûtait un grand repos d'esprit à se retrouver enfant devant lui, mais enfant respecté, et à visiter avec son père ce beau pays. Il jugea Blois « la plus délicieuse ville qu'on puisse voir... Tout cela est jeté, pour le plaisir des yeux, sur les deux rives de cette belle Loire ; d'un

---

1. VICTOR HUGO : *Correspondance,* t. I, p. 386.
2. *Opus cit.,* t. I, p. 388.

côté, un amphithéâtre de jardins et de ruines ; de l'autre, une plaine inondée de verdure. À chaque pas, un souvenir [1]... » Il aima les châteaux, meublés d'histoire et de légende :

> *Victor Hugo à Adolphe de Saint-Valry, 7 mai 1825 :* « J'ai visité Chambord. Vous ne pouvez vous figurer comme c'est singulièrement beau. Toutes les magies, toutes les poésies, toutes les folies même sont représentées dans l'admirable bizarrerie de ce palais de fées et de chevaliers. J'ai gravé mon nom sur le faîte de la plus haute tourelle ; j'ai emporté un peu de pierre et de mousse de ce sommet, et un morceau du châssis de la croisée sur laquelle François Ier a inscrit les deux vers :
>
> > Souvent femme varie,
> > Bien fol est qui s'y fie !
>
> « Ces deux reliques me sont précieuses [2]... »

Enfin il aima la Miltière, une propriété que le général avait achetée en Sologne, à quelques lieues de Blois.

> *Victor Hugo à Paul Foucher, 10 mai 1825 :* « Je suis, pour le moment, dans une salle de verdure attenante à la Miltière ; le lierre qui en garnit les parois jette sur mon papier des ombres découpées dont je t'envoie le dessin, puisque tu désires que ma lettre contienne quelque chose de pittoresque. Ne va pas rire de ces lignes bizarres, jetées comme au hasard sur l'autre côté de la feuille. Aie un peu d'imagination. Suppose tout ce dessin tracé par le soleil et l'ombre et tu verras quelque chose de charmant. Voilà comment procèdent ces fous qu'on appelle des poètes [3]... »

Texte important, parce qu'il montre l'heureuse liberté avec laquelle Hugo commençait à dessiner, et parfois à écrire. Les clairs étangs sous les chênes, un vieux corps de bâtiment, les saules au creux desquels flamboient des feux follets firent pour lui, de la Miltière, « un des lieux d'élection du mystère ».

---

1. VICTOR HUGO : *Correspondance,* t. I, p. 400. Cette lettre est adressée à Alfred de Vigny.
2. VICTOR HUGO : *Correspondance,* t. I, p. 402.
3. *Opus cit.,* t. I, p. 403.

Le séjour lui parut trop court. Chacun souhaite les honneurs qui lui furent refusés et maudit ceux qui s'offrent. Quand le moment approcha d'aller à Reims, pour le sacre, le jeune poète lauréat s'attrista de quitter Blois, son père et surtout, pour la première fois depuis leur mariage, son Adèle. Mais le sort en était jeté. Victor avait promis de faire le voyage, de Paris à Reims, avec Nodier et prié ses beaux-parents de s'occuper de son costume de cour : culotte, bas de soie, souliers à boucles, épée d'acier. Il partit le 19 mai, trouvant une certaine douceur à voir Adèle en larmes. Pour lui, ces quelques jours à passer sans elle ressemblaient à une éternité : « Que tous ces honneurs sont tristes ! Bien des gens m'envient ce voyage et ils ne savent pas combien je suis malheureux de ce bonheur qui me fait des jaloux [1]... » Mais il avait vingt-trois ans, il aimait la gloire et il était assez fier de montrer, à ses compagnons de diligence, son ruban rouge : « Dis à mon père que l'on m'a demandé en route *si j'allais rejoindre mon corps,* etc. Tout cela à cause du ruban ! » Phrase où se révèle un secret amour de la gloire militaire. Il priait Adèle d'ouvrir les lettres qui lui seraient adressées et de lui en donner l'analyse. Ô confiance candide des ménages sans secrets !

Rue de Vaugirard, il habita naturellement la chambre nuptiale, ce qui lui fit sentir durement son veuvage. Paris, sans Adèle, lui devenait étranger : « C'est toi qui es ma patrie [2]... » Déjeuner chez les beaux-parents, où M. Foucher fit pour son gendre de la sauce de homard. Visite au tailleur, qui lui montra son habit, fort laid et très à la mode ; visite à l'immortel Soumet, qui, toujours tendre et bon, lui offrit, pour la cérémonie, sa culotte ; puis, comme Nodier et lui-même étaient fort désargentés, visite au libraire Ladvocat, qui déjà convoitait la future *Ode sur le Sacre de Charles X,* et qui avança des fonds pour le voyage. Dîner chez Julie Duvidal de Montferrier, artiste et jolie femme, que Victor avait jadis détestée et qui était maintenant une amie du ménage, admirée par le jeune mari : « Nous avons bu à ta santé, mon Adèle, que je t'aime !... J'ai mille fois baisé ta lettre. Qu'elle est belle ! Qu'elle est éloquente de douleur et de tendresse [3] !... »

Le voyage vers Reims commença bien. Charles Nodier et Vic-

---

1. VICTOR HUGO : *Correspondance,* t. I, p. 406.
2. *Opus cit.,* t. I, p. 408.
3. *Opus cit.,* t. I, p. 413.

tor Hugo avaient loué, avec deux amis, une sorte de grand fiacre à cent francs par jour, car trouver des places dans la diligence était chimère. La route sablée, ratissée comme une allée de parc, était encombrée de voitures et les auberges pleines. Partout où l'on s'arrêtait, Hugo courait aux monuments, Nodier aux bouquinistes. À Reims, il fallut coucher à quatre dans une chambre, mais Nodier, compagnon charmant, érudit, parlait à merveille des cathédrales gothiques. Hugo aima cet art, « vraiment fils de la nature. Infini comme elle dans le grand et le petit. Microscopique et gigantesque [1]... ». Chateaubriand l'avait initié ; Nodier, admirable antiquaire, lui apprit à peupler un monument des ombres qui l'ont sanctifié et à l'animer par le souvenir des histoires dont il fut le témoin : « Les contes pullulent, dans cette Champagne... Reims est le pays des chimères [2]... » Nodier conta les contes et réveilla les chimères. La foule, dans les rues de Reims, se pressait pour voir passer Charles X ; Hugo disait à Nodier : « Allons plutôt voir Sa Majesté la cathédrale. » Charles riait : « Vous avez au corps le démon Ogive. — Et vous le diable Elzévir », répondait Victor [3].

Charles et Victor, en habit à la française, l'épée au côté, assistèrent au sacre dans une fourmilière d'hommes gras et de femmes chargées de pierreries. « Toute la lumière de mai brillait dans l'église. L'archevêque était couvert de dorures et l'autel de rayons [4]... » Pendant la cérémonie, un député du Doubs, Émonin, fit don à Nodier d'un livre qu'il avait en main : « Je viens d'acheter ça six sous », dit le député. C'était un volume dépareillé de Shakespeare, en anglais. Le soir, Nodier traduisit « à la volée » *Le Roi Jean.* Pour Hugo, ce fut une révélation : « Je trouvai cela grand », dit-il. Lamennais, dès 1823, lui avait conseillé une cure de Shakespeare, mais Hugo n'avait pas voulu le lire dans la détestable traduction de Letourneur. Puis Victor, à la volée lui aussi, interpréta pour Nodier le *Romancero,* trouvé en route chez un bouquiniste, en espagnol. Cette nuit de Reims où, dans une chambre d'hôtel, Victor Hugo découvrit William Shakespeare, fut un autre sacre, celui d'un poète souverain.

---

1.   VICTOR HUGO : *France et Belgique* (*En Voyage,* t. II, p. 44).
2.   VICTOR HUGO : *A Reims* (*Reliquat de* « *William Shakespeare* » p. 251).
3.   *Opus cit.,* p. 252.
4.   *Opus cit.,* p. 253.

Chateaubriand était à Reims ; Hugo alla lui présenter ses devoirs et le trouva furieux : « J'aurais compris, dit-il, le sacre tout autrement. L'église nue, le roi à cheval, deux livres ouverts, la Charte et l'Évangile, la religion rattachée à la liberté [1]. » Le vicomte de Chateaubriand avait le sens de la mise en scène plus que le respect du rituel. L'enfant sublime alla mettre le grand homme en voiture et s'y trouva seul ; les ministres tombés sont peu entourés. Victor lui-même avait hâte de rentrer à Blois. Les lettres d'Adèle l'inquiétaient. Elle se plaignait de la froideur que, depuis le départ de Victor, lui témoignait la générale comtesse : « J'ai appris avec peine des choses qui me prouvent que Mme Hugo nous supporte difficilement et qu'elle s'en plaint... Il faut que tu écrives que des affaires que tu ne prévoyais pas te forcent de rentrer à Paris [2]... » Elle suppliait Victor de venir la chercher le plus tôt possible : « Nous partirions deux jours après ; je retiendrais nos places ; nous leur donnerions un prétexte quelconque [2]... » Or Victor avait espéré passer six semaines chez son père. La lettre suivante fut plus pressante encore : la situation n'était plus supportable. Victor, désolé, conseilla le calme : « Tranquillise-toi. Nous arrangerons tout cela. Ton Victor, ton mari, ton protecteur va revenir et que te manquera-t-il alors [3] ?... » Mais elle ne put y tenir et partit seule, avec Didine et la bonne, pour Paris, où sa mère vint au-devant d'elle.

L'Ode sur le Sacre, qu'il fallait écrire d'urgence, avait été le prétexte donné par elle pour justifier ce départ précipité. En fait, Victor avait composé son poème « dans l'ombre même de la cathédrale ». Morceau de circonstance, pompeux comme il devait l'être :

> D'un trône et d'un autel les splendeurs s'y répondent ;
> > Des festons de flambeaux confondent
> > Leurs rayons purs dans le saint lieu ;
> Le lys royal s'enlace aux arches tutélaires ;
> Le soleil, à travers les vitraux circulaires,
> > Mêle aux fleurs des roses de feu [4]...

L'Ode, correcte et noble, plut en haut lieu ; Sosthène de la

---

1. *Victor Hugo raconté par un témoin de sa vie,* t. II, p. 99.
2. VICTOR HUGO : *Correspondance,* p. 419, n. 2.
3. VICTOR HUGO : *Correspondance,* t. I, p. 420.
4. VICTOR HUGO : *Le Sacre de Charles X (Odes et Ballades,* p. 148).

Rochefoucauld envoya deux mille francs à Victor Hugo, pour ses frais de voyage ; Charles X admit le poète à lui présenter ses vers et le récompensa « de la manière la plus délicate », en nommant son père lieutenant général. Sa Majesté ordonna que l'*Ode* fût réimprimée, « avec tout le luxe typographique, par les presses de l'Imprimerie Royale », et elle offrit au ménage Hugo un service de table, sèvres à filets dorés. C'était joindre l'utile au fastueux.

Lamartine avait invité Hugo et Nodier à venir le voir à Saint-Point. « Nous irons, dit Nodier ; nous emmènerons nos femmes et cela ne coûtera rien. — Comment cela ? — Nous pousserons jusqu'aux Alpes ; nous raconterons notre voyage et un éditeur le paiera. » En effet, l'éditeur Urbain Canel commanda aux touristes un *Voyage poétique et pittoresque au mont Blanc et à la vallée de Chamonix*. Nodier fournirait le texte et recevrait deux mille deux cent cinquante francs ; Hugo, deux mille deux cent cinquante francs « pour quatre méchantes odes, écrivait-il à son père ; c'est bien payé [1]... ».

Didine elle-même fut du voyage. Hugo, en vêtement de coutil gris, courant sur les talus, avait l'air d'un écolier en vacances. Nodier était un causeur exquis ; son accent endormi et traînard contrastait heureusement avec la vivacité de son esprit, ce qui est la recette de l'humour. La bonne Mme Nodier jouait, elle aussi, un rôle amusant en déniant, avec un bon sens de Française concrète, toute vraisemblance aux contes bleus de son mari. L'étape de Saint-Point ne fut pas la plus agréable. La maison de « Monsieur Alphonse », qui ne ressemblait pas à celle de ses poèmes, déçut les Hugo. Point de *cimes crénelées* ni de *lierres touffus ;* la *teinte des ans* était un badigeon jaunâtre. « Les ruines sont bonnes à décrire, non à habiter », leur dit prosaïquement Lamartine. Sa femme, qui était Anglaise [2], se mettait en grande toilette pour dîner, ce qui gêna fort les voyageuses. « Elle était décolletée et enrubannée, écrit Adèle Hugo ; nos pauvres robes de soie montantes se trouvèrent dépaysées dans cet apparat [3]... » Hugo et Lamartine s'estimaient l'un l'autre, mais ne s'accrochaient point.

1. VICTOR HUGO : *Correspondance*, t. I, p. 429.
2. Mary-Ann-Eliza Birch (1790-1863) avait épousé Lamartine en 1820. En annonçant le mariage à ses amis, le poète des *Méditations* avait peint en ces termes la fiancée de trente ans : « Une occasion bonne et raisonnable... une véritable perfection morale ; il n'y manque qu'un peu plus de beauté ».
3. *Victor Hugo raconté par un témoin de sa vie*, t. II, p. 114.

Les Alpes et surtout le mont Blanc, qui s'élevait « royalement avec sa tiare de glace et son manteau de neiges », émurent Victor Hugo. Dans ces masses énormes, tour à tour éclatantes et sombres, vertes et blanches, il trouvait un spectacle à sa taille. À son antithèse intérieure (mère-père, christianisme-voltairianisme, beauté et cruauté du monde, joie-cauchemars, ange-faune), il avait besoin que répondît une antithèse extérieure. Il aimait le contraste d'une éclaircie sur la neige ensoleillée et d'un noir précipice. « En ce moment, le nuage se déchira au-dessus de nous et cette crevasse nous découvrit, au lieu du ciel, un chalet, un pré vert et quelques chèvres imperceptibles, qui paissaient plus haut que les nuées. Je n'ai jamais rien éprouvé d'aussi singulier. À nos pieds, on eût dit un fleuve de l'Enfer ; sur nos têtes, une île du Paradis [1]... » Son instinct mythologique transformait montagnes, rochers, torrents en monstres, esprits et démons : « J'avouerai cette infirmité de mon esprit ; il aurait manqué pour moi quelque chose à l'horrible beauté de ce site sauvage si quelque tradition populaire ne lui eût empreint un caractère merveilleux. Je me suis arrêté avec complaisance sur ces détails, parce que j'aime les superstitions ; elles sont filles de la religion et mères de la poésie [2]... »

Le soir, à l'auberge, on riait des dangers courus. Jamais Hugo n'oubliera « ce doux voyage en Suisse... un des souvenirs lumineux de ma vie ».

---

1. *Victor Hugo raconté par un témoin de sa vie,* t. II, p. 138.
2. *Opus cit.,* t. II, p. 130.

IV

LA MAÎTRISE

> L'extraordinaire métier de Hugo ne gêne pas
> son génie.
>
> JULES RENARD.

DE 1826 à 1829, Hugo travailla beaucoup, apprit beaucoup, inventa beaucoup. Ce serait une erreur que de tenir compte, pour mesurer les progrès géants qu'il fit alors dans son art, des dates de publication : *Odes et Ballades* (fin 1826), *Cromwell* (1827), *Les Orientales* (1829). Il réservait parfois un texte pendant deux ou trois ans. *Les Orientales* contiennent des poèmes écrits en 1826 ; l'adorable Chanson du Fou de *Cromwell* est déjà en épigraphe dans les *Odes et Ballades*. Mieux vaut indiquer la ligne générale de sa recherche.

C'est le temps où la poésie devient pour lui un beau jeu, où il se sait maître. Les *Odes* officielles lui ont procuré ce qu'elles pouvaient donner ; il a maintenant un public ; le libraire Ladvocat vient de lui remettre quatre mille francs, pour un volume de *Poésies diverses*. Ses voyages, la conversation de Nodier, l'étude des poètes du XVIe siècle lui ont inspiré, d'une part, le goût des ballades allemandes ou écossaises : d'où *La Fiancée du Timbalier*, *Les Deux Archers* ; d'autre part, celui de la virtuosité pure. Il compose des fantaisies où, comme il dira, des « guitares ». Le sens, politique ou religieux, de ce qu'il écrit lui importe alors assez peu. Déjà il est loin de l'idée, soutenue par lui en 1824, que toute poésie doit être monarchiste et chrétienne. Celle-là n'est que ravissante.

Au soleil couchant,
Toi qui vas cherchant
  Fortune,
Prends garde de choir ;
La terre, le soir,
  Est brune.

L'océan trompeur
Couvre de vapeur
  La dune.
Vois, à l'horizon,
Aucune maison !
  Aucune !

Maint voleur te suit ;
La chose est, la nuit,
  Commune.
Les dames des bois
Nous gardent parfois
  Rancune.

Elles vont errer ;
Crains d'en rencontrer
  Quelqu'une.
Les lutins de l'air
Vont danser au clair
  De lune [1]...

Les mots ne sont plus là que pour leur musique. Tantôt il se divertit *(La Chasse du Burgrave)* à faire alterner, pendant huit pages, avec un vers de huit pieds, un monosyllabe qui fait écho :

Voilà ce que dit le burgrave,
  Grave,
Au tombeau de saint Godefroi,
  Froid [2]...

---

1. Victor Hugo : *Chanson du Fou (Cromwell,* acte IV, sc. 1, p. 289).
2. Victor Hugo : *La Chasse du Burgrave (Odes et Ballades,* p. 336).

tantôt à écrire toute une longue ballade en vers de trois pieds *(Le Pas d'Armes du roi Jean)*. Suffit-il même de dire : virtuosité ? Plutôt faudrait-il dire : acrobaties, tours de force accomplis avec une aisance et une légèreté surhumaines.

À un jeune poète, Victor Pavie, Hugo donnait alors ce conseil : « d'être encore plus sévère sur la richesse de la rime, cette seule grâce de notre vers, et surtout de s'efforcer presque toujours de renfermer sa pensée dans le moule (d'une) strophe régulière [1]... ». C'était, ajoutait-il, le résultat d'études, bonnes ou mauvaises, sur le génie de notre poésie lyrique. Il se rencontre ici avec d'autres grands poètes français qui enseigneront, un siècle plus tard, que la seule présence d'un mot chargé de suggestions est déjà un élément de beauté, que notre langue peu accentuée exige des rythmes précis et des rimes régulières et, enfin, que la poésie est musique avant toutes choses.

Venant après les *Odes* processionnelles, cette évolution surprit. Quand parurent les *Odes et Ballades* (1826), Lamartine lui écrivit de Florence : « Un conseil sévère que je veux, en ami, vous répéter : ne cherchez pas l'originalité !... Examinez si j'ai tort ou raison : c'est un jeu de l'esprit et non pas ce qu'il vous faut [2]... » *Le Globe,* journal intelligent et grave, avait été jusqu'alors peu favorable à Victor Hugo. Feuille libérale, de culture internationale, *Le Globe* avait été agacé, parfois irrité, par *La Muse française* et son catholicisme de salon. Pourtant le directeur, Paul-François Dubois, professeur et journaliste autoritaire, voire coléreux, amené chez « l'ange Victor », comme disait Sophie Gay, s'avouait charmé du jeune ménage : « Rue de Vaugirard, dans l'entresol d'un atelier de menuiserie, j'ai vu, dans un tout petit salon, un jeune poète et une jeune mère, balançant dans ses bras un enfant de quelques mois et lui enseignant à joindre ses petites mains pour la prière, en face de quelques gravures des madones et des enfants Jésus de Raphaël. Bien que toujours un peu arrangée, la scène, naïve et sincère, m'a touché et ravi [3]... » Hugo, de son côté, assurait Dubois, directeur du *Globe,* « des sentiments de véritable amitié que vous

---

1. VICTOR HUGO : *Correspondance,* t. I, p. 439.
2. Cf. GUSTAVE SIMON : *Lamartine et Victor Hugo,* article publié dans la *Revue de Paris,* numéro du 15 avril 1904, p. 683.
3. Cf. LOUIS GUIMBAUD : Les « *Orientales* » *de Victor Hugo,* p. 10.

m'avez inspirés dans le peu d'heures que j'ai passées près de vous [1]... ».

Quand les *Odes et Ballades* furent publiées, Dubois, qui gardait une pensée affectueuse à la Sainte Famille de la rue de Vaugirard, passa le volume à l'un de ses anciens élèves du collège Bourbon, Charles-Augustin Sainte-Beuve, dont il avait fait au *Globe* un critique et lui dit : « C'est de ce jeune barbare, Victor Hugo, qui a du talent... Je le connais et je le rencontre quelquefois. » Sainte-Beuve écrivit une longue étude, élogieuse, mais où, sagement, il mettait l'auteur en garde contre ses excès : « En poésie comme ailleurs, rien de si périlleux que la force ; si on la laisse faire, elle abuse de tout ; par elle, ce qui n'était qu'original et neuf est bien près de devenir bizarre ; un contraste brillant dégénère en antithèse précieuse ; l'auteur vise à la grâce et à la simplicité et il va jusqu'à la mignardise et à la simplesse ; il ne cherche que l'héroïque et il rencontre le gigantesque ; s'il tente jamais le gigantesque, il n'évitera pas le puéril [2]... »

Le critique était encore plus jeune que le poète, deux ans de moins, mais il avait une vaste culture, le sentiment des nuances et l'une des intelligences les plus pénétrantes de son temps. La finesse du goût et la sûreté du jugement étaient ses dons naturels. Un reste de foi chrétienne luttait en lui avec un esprit réaliste et sceptique, formé par des études scientifiques. Lyrique et positiviste, il ne rêvait qu'un bonheur : l'amour, et souffrait de ne pas l'inspirer. La vie intérieure l'intéressait plus que le pittoresque de la phrase. Il admira le « style de feu, étincelant d'images, bondissant d'harmonies », mais ce qu'il loua surtout, dans les *Odes et Ballades,* ce furent les rares poèmes que Victor Hugo, dépassant la virtuosité, avait, pour celle qu'il aimait, tiré du profond de son âme : « Qu'on imagine à plaisir tout ce qu'il y a de plus pur dans l'amour, de plus chaste dans l'hymen, de plus sacré dans l'union des âmes sous l'œil de Dieu ; qu'on rêve, en un mot, la volupté ravie au ciel sur l'aile de la prière et l'on n'aura rien imaginé que ne réalise et n'efface encore M. Hugo dans les pièces délicieuses intitulées : *Encore à toi* et *Son nom*. Les citer seulement, c'est presque en ternir déjà la pudique délicatesse [3]... » Elles étaient, en effet, bien intimes et tendres :

1. Lettre communiquée par M. Gabriel Faure.
2. SAINTE-BEUVE : *Premiers Lundis,* t. I, p. 179.
3. *Opus cit.,* t. I, p. 173.

Je t'aime comme un être au-dessus de ma vie,
Comme une antique aïeule aux prévoyants discours,
Comme une sœur craintive, à mes maux asservie,
Comme un dernier enfant qu'on a dans ses vieux jours.
Hélas ! je t'aime tant qu'à ton nom seul je pleure [1]...

On conçoit la joie des jeunes époux lisant, le 2 janvier 1827, sur les vers les plus chers à leur cœur, dans un journal d'habitude sévère, ces éloges. Peu importaient les réserves ; le ton était amical et même respectueux ; Gœthe, qui le lut, ne s'y trompa pas. Le 4 janvier, il dit à Eckermann : « Victor Hugo est un vrai talent, sur lequel la littérature allemande a exercé de l'influence. Sa jeunesse poétique a été malheureusement amoindrie par le pédantisme du parti classique, mais maintenant le voilà qui a *Le Globe* pour lui ; il a donc partie gagnée [2]... » Le génie reconnaît le génie.

L'article du *Globe* était signé : S. B. Victor écrivit à Dubois une première fois pour demander qui était S. B., une seconde pour remercier le directeur.

Victor Hugo à Paul-François Dubois, 4 janvier 1827 : « J'attache trop de prix aux travaux de monsieur Dubois pour le déranger même de ma reconnaissance. Il trouvera bon, cependant, que je ne renonce pas au plaisir d'aller le remercier. Il serait bien aimable de m'envoyer l'adresse de monsieur de Sainte-Beuve, à qui je veux aussi exprimer ce que m'a fait éprouver son excellent article. Il y a dans ce qu'il dit, même dans ce qui pourrait contrarier mes idées ou éveiller la susceptibilité de mon amour-propre, un ton digne, bienveillant et loyal, qui me charme et qui suffirait pour me rendre ses observations précieuses, lors même qu'elles ne seraient pas exhaussées par sa remarquable valeur.

« En attendant que je puisse aller dire cela, de vive voix, à monsieur de Sainte-Beuve, monsieur Dubois serait bien aimable de lui transmettre mes vifs remerciements ; et qu'il souffre que je lui rappelle à lui-même qu'il est du petit nombre des hommes vers lesquels je me sens entraîné, de premier abord, par une sympathie dont je suis fier [3]... »

---

1. VICTOR HUGO : *Encore à toi* (*Odes et Ballades,* p. 262).
2. *Conversations de Gœthe pendant les dernières années de sa vie (1822-1832) recueillies par Eckermann,* t. I, p. 262.
3. Lettre communiquée par M. Gabriel Faure.

Dubois ayant répondu : « Il habite à côté de chez vous, **rue de Vaugirard, au n° 94** », Hugo alla tirer la sonnette du voisin. Sainte-Beuve était absent, mais, le lendemain, vint chez les Hugo. Ils virent un jeune homme timide, frêle et mal fait, un peu bafouilleur, au nez long. Ses cheveux roux, sa tête ronde, trop grosse pour son corps, n'étaient pas beaux. Toutefois, il avait tort de se croire laid. Sa figure n'avait rien de désagréable et même elle plaisait assez. Il faut dire que l'esprit l'éclairait et que, dès que Sainte-Beuve se sentait à l'aise, sa conversation devenait inimitable. Il n'achevait pas ses phrases ; il avait l'air « de les jeter et d'en être dégoûté avant de les avoir terminées », mais ses idées étaient justes et profondes.

À la vérité, ce fut surtout Hugo qui parla. Sainte-Beuve écouta, « subjugué par le rayonnement du génie », et regarda à la dérobée Mme Hugo, qui assistait à l'entrevue, très belle,

En sarrau du matin, éclatante sans art,
M'embarrassant d'abord de son fixe regard.
Et moi qui, d'Elle à lui, détournais ma paupière,
Moi, pudique et troublé, le front dans la lumière,
J'étais tout au poète et son vaste discours,
À peine commencé, se déroulant toujours...

Debout, la jeune épouse écoutait, enchaînée ;
Et je me demandais quel merveilleux accord
Liait ces flots grondants à ce palmier du bord.
Puis elle se lassa bientôt d'être attentive ;
Sa pensée oublieuse échappa sur la rive ;
Ses mains, en apparence, au ménage avaient soin,
Mais quelque char ailé promenait l'âme au loin
Et je la saluai, trois fois, à ma sortie...
Elle n'entendait rien s'il ne l'eût avertie [1].

Sainte-Beuve revint. Tout ce que disait Hugo sur la rime, sur la couleur, sur la fantaisie, sur le rythme, sur son art poétique, révélait au jeune critique, ébloui, des terres nouvelles. Il travaillait alors à un tableau de la poésie au xvie siècle. Les choses qu'il entendit là lui ouvrirent des échappées lumineuses sur le style et

---

1. SAINTE-BEUVE : *Récit à Adèle* (*Livre d'Amour*, édition originale non signée, imprimée en 1843, sans nom d'éditeur, VIII, p. 23).

sur la facture du vers. Après la seconde visite, il déposa chez Hugo
des vers qu'il écrivait lui-même en secret. À côté des feux d'artifice
hugoliens, cette poésie semblait terne. Elle avait pourtant des mérites, par le naturel du style, par la grâce des impressions intimes,
et Hugo sut louer le meilleur : « Venez vite, monsieur, que je vous
remercie des beaux vers dont vous me faites le confident [1]... » À
partir de ce jour, dit Sainte-Beuve, « j'étais conquis à la branche
romantique dont il était le chef ». Venu là en critique, il en sortit
disciple. « Hugo avait tout lu et tout retenu... Il y avait quelque
ostentation dans l'étalage de cette science [2]... » Mais il savait si
bien prodiguer les éloges que toute une équipe l'acceptait pour
patron. « La littérature, imprimait *Le Globe,* est à la veille d'un
18 Brumaire, mais Dieu sait où est Bonaparte... » Dieu le savait.

Victor Hugo, depuis un an, travaillait à un drame : *Cromwell.*
Il avait toujours eu le goût du théâtre et, dès l'enfance, avait écrit
des pièces. Il avait lu tout ce qu'il avait pu trouver sur la vie
d'Olivier Cromwell, près de cent volumes, puis, en août 1826,
s'était mis au travail. Taylor, l'ami de Vigny, anobli par Charles X
et devenu commissaire royal à la Comédie-Française, lui ayant
demandé pourquoi il ne faisait rien pour le théâtre, Hugo parla
de son *Cromwell.* Taylor le fit déjeuner avec Talma, auquel le
poète expliqua ce qu'il voulait faire : le drame substitué à la tragédie, Shakespeare à Racine, le style ayant toutes les allures, de
l'héroïque et du bouffon, la suppression de la tirade et du vers à
effet. « Ah ! oui, avait dit Talma, pas de beaux vers ! »

Mais Talma était mort la même année ; le drame était devenu
trop long ; la représentation semblait impossible ou lointaine. Victor Hugo décida de lire *Cromwell* à ses amis. Les lectures étaient
alors à la mode. On y pâmait, comme au temps des Précieuses. À
la fin d'une ode. raconte Mme Ancelot, on s'approchait du poète
avec une émotion visible, « on lui prenait la main et on levait les
yeux au ciel ». Après un silence, on entendait : « Cathédrale ! —
Ogive ! — Pyramide ! » et un profond recueillement suivait [3]. Après
une lecture partielle de *Cromwell* chez Mme Tastu, Hugo invita
« Monsieur Sainte-Beuve » à venir chez les Foucher, rue du Cher-

1.   VICTOR HUGO : *Correspondance,* t. I, p. 441.
2.   CHARLES BRUNEAU : *Histoire de la Langue française,* t. XII, pp. 199-
204.
3.   Cf. VIRGINIE ANCELOT : *Les Salons de Paris,* pp. 125-126.

che-Midi, écouter le drame entier, le 12 mars 1827 : « Tout le monde sera charmé de le voir, et moi surtout. Il est du nombre des auditeurs que je choisirai toujours, parce que j'aime à les écouter [1]... »

La lecture fut un succès, comme toutes les lectures, mais celui-là était mérité. La verve comique de certaines scènes, la nouveauté du vocabulaire, la gaieté shakespearienne des quatre Fous faisaient de *Cromwell,* une œuvre grande et originale qui eût mérité d'être représentée. « *Cromwell,* dit Vigny à l'auteur, couvre de rides toutes les tragédies modernes de nos jours. Quand il escaladera le théâtre, il y fera une révolution et la question sera résolue. » Le lendemain, 13 mars, Sainte-Beuve écrivit à Hugo une lettre qui est d'un intérêt capital. Il avait admiré les beautés de cette « tragi-comédie » ; il avait pourtant des critiques à faire :

Toutes ces critiques rentrent dans une seule que je m'étais déjà permis d'adresser à votre talent : l'excès, l'abus de la force et, passez-moi le mot, la *charge.* La partie sérieuse de votre drame est admirable ; vous avez beau vous abandonner et vous déployer, vous n'enlevez jamais votre sujet au-delà du sublime. Les scènes de la réception des ambassadeurs, les deux qui la suivent au deuxième acte, le monologue de Cromwell après l'entrevue avec Sir Robert Willis ; au troisième acte, les scènes du Conseil privé, de Milton aux pieds de Cromwell, — tout cela est beau et très beau ; on se récrie d'enthousiasme presque à chaque vers. C'est donc à la partie comique que j'adresserais surtout des reproches. L'idée de l'avoir mêlée, entrelacée avec l'action principale, qui est toute terrible, était une source de beautés où vous avez largement puisé. Plus le contraste produisait d'effet, plus il fallait le dispenser avec sobriété, et je crois que vous avez dépassé la mesure, surtout dans les *a parte* très longs et trop fréquents qu'il fallait, ce me semble, un peu plus sous-entendre : la parodie devrait être moins développée ; elle se devine à demi-mot... C'est à l'abus, c'est aux *détails,* aux détails seulement, que j'en veux, et je vous assure qu'il y a des moments, hier, où je leur en ai voulu beaucoup ; n'allez pas croire qu'ils *m'ennuyaient,* rien n'ennuie chez vous ; mais ils m'agaçaient,

1. Victor Hugo : *Correspondance,* t. I, p. 440.

m'impatientaient ; j'étais tenté de leur dire, comme Cromwell à ses Fous quand il est de mauvaise humeur : « Paix !
Trêve ! À bas ! » Pardon, mon cher monsieur, de ces formes
si libres que je me permets avec vous ; mais moins j'y mets
de prétention, plus je serai excusé...

Je suis bien impertinent de vous assaillir ainsi de mes critiques, vous qui m'avez accablé de vos beautés ; c'est de ma
part une triste revanche. Encore un mot pourtant sur votre
style. Il est bien beau, surtout dans la partie sérieuse du drame. Dans le reste, il n'est pas toujours exempt d'images un peu
saillantes, trop multipliées et quelquefois étranges... Vous
vous étiez proposé un double but à atteindre : Corneille,
d'une part, et Molière, de l'autre. Corneille est atteint, mais
non pas Molière ; ce serait plutôt Regnard, surtout Beau-
marchais ; il y a dans votre pièce beaucoup du *Mariage de
Figaro* [1]...

L'opposition entre les deux tempéraments apparaissait en pleine
lumière. Hugo, vigoureux, ne pouvait, ni ne devait renoncer aux
cimes ; Sainte-Beuve, délicat et fragile, ne respirait que sur « les
coteaux modérés ». Il avait compris le romantisme comme il comprenait toutes choses, mais « un vaudeville de parodie » accompagnait en son esprit la grande pièce. Il demeurait témoin lucide et
sévère de ses propres délires. « Je suis classique, avouera-t-il un
jour, en ce sens qu'il y a un degré de déraison, de folie, de ridicule
ou de mauvais goût qui suffit pour me gâter à tout jamais un ouvrage et à me le faire tomber des mains. » Hugo, poète-né, sentait
le prix des idées suggérées par la rime, comme Michel-Ange celui
des formes suggérées par le bloc de marbre ; Sainte-Beuve, prosateur, croyait à la nécessité d'un lien logique entre les idées. Aussi
ses vers n'atteignaient-ils jamais à cette folie réglée qui est la
poésie. Hugo, plus complet, savait se plier, quand il le voulait, aux
exigences de la prose. La préface de *Cromwell* le prouva bien.

Elle fut écrite après le drame et accueillie, surtout par la jeunesse, avec un enthousiasme inouï. Pour Hugo, elle constituait
enfin un choix et un engagement. Harcelé par des classiques hargneux et sots, il prenait la tête des révoltés. Il ne disait plus, com-

---

1. Sainte-Beuve : *Correspondance générale*, t. I, pp. 78-81.

me en 1824 : « Romantisme, classicisme, qu'importent ces mots ? » ;
il créait *son* romantisme et lui donnait une doctrine. Il fallait rendre au langage une jeunesse, retrouver « la manière franche et
large des Anciens », éliminer Delille en revenant à Mathurin Ré-
gnier. Le drame doit être une lutte entre deux principes opposés,
parce que ce contraste est le fond de toute réalité. Beau et laid,
comique et tragique, grotesque et sublime doivent s'affronter et
s'unir pour produire des sensations fortes. Ombre et Lumière.
Enfer et Paradis. Le dualisme manichéen obsède Hugo. Son erreur, celle des peuples enfants, sera d'incarner sublime et grotesque
en des personnages différents. Il ne voit plus qu'en noir et blanc.
D'où ses monstres. Une certaine naïveté, analogue à celle de *Han
d'Islande,* affecte encore *Cromwell,* mais l'ampleur et la force des
vers y sont admirables.

Or l'époque avait un appétit de force. Comment penser que
de jeunes hommes, élevés au son des tambours de l'Empire, allaient
se contenter d'odes bien pensantes et de tragédies néo-classiques ?
Un jeune colonel disait à Stendhal : « Il me semble, depuis la
campagne de Russie, qu'*Iphigénie en Aulide* n'est plus une si belle
tragédie. » Le public ne se composait plus de « la bonne société »,
mais d'une classe nouvelle que n'effrayait pas la violence et qui
éprouvait « une soif croissante d'émotions fortes [1] ». On avait pu
croire, en 1816, que Louis XVIII, c'était la liberté ; en 1827, on
ne pouvait penser que Charles X, ce fût l'esprit du siècle. Victor
Hugo commençait à comprendre que sous l'influence de sa mère,
des Foucher, il était entré, en politique, dans une impasse et, en
religion, dans une théologie qui n'était pas celle de son imagination. Sainte-Beuve et ses nouveaux amis du *Globe* lui prêchaient
un libéralisme antidynastique ; le général Hugo, en lui révélant
l'autre face de l'histoire, avait fait de lui un bonapartiste. Comment
n'eût-il pas senti, lui qui admirait les géants, la poésie d'une vie
comme celle de Napoléon ?

En 1827, un bal fut donné à l'ambassade d'Autriche ; plusieurs
maréchaux de l'Empire y avaient été invités. L'un d'eux dit son
nom à l'huissier : « Duc de Tarente » ; l'huissier annonça : « Le
maréchal Macdonald. » Un autre : « Duc de Dalmatie » ; l'huis-

---

1. STENDHAL : *Qu'est-ce que le romantisme ?* (*Racine et Shakespeare,*
t. II, p. 32).

sier annonça : « Le maréchal Soult. » ... « Duc de Trévise. » —
« Le maréchal Mortier. » ... « Duc de Reggio. » — « Le maréchal
Oudinot. » L'Europe voulait effacer de la carte les victoires françaises ; les maréchaux demandèrent leurs voitures et le scandale,
à Paris, fut grand. Le fils du général comte Hugo choisit, avec raison, de se sentir blessé et écrivit aussitôt une *Ode à la Colonne de
la Place Vendôme :*

> Prenez garde ! — La France, où grandit un autre âge,
> N'est pas si morte encor qu'elle souffre un outrage !
> Les partis, pour un temps, voileront leur tableau.
> Contre une injure, ici, tout s'unit, tout se lève,
> Tout s'arme, et la Vendée aiguisera son glaive
>   Sur la pierre de Waterloo...
>
> Que l'Autriche en rampant de nœuds vous environne,
> Les deux géants de France ont foulé sa couronne !
> L'histoire, qui des temps ouvre le Panthéon,
> Montre, empreints aux deux fronts du vautour d'Allemagne,
>   La sandale de Charlemagne,
>   L'éperon de Napoléon...
>
> C'est moi qui me tairais ! Moi qu'enivrait naguère
> Mon nom saxon, mêlé parmi des cris de guerre !
> Moi qui suivais le vol d'un drapeau triomphant !
> Qui, joignant aux clairons ma voix entrecoupée,
> Eus pour premier hochet le nœud d'or d'une épée !
> Moi, qui fus un soldat quand j'étais un enfant !
>
> Non, frères ! Non, Français de cet âge d'attente !
> Nous avons tous grandi sur le seuil de la tente.
> Condamnés à la paix, aiglons bannis des cieux ;
> Sachons du moins, veillant aux gloires paternelles,
> Garder de tout affront, jalouses sentinelles,
>   Les armures de nos aïeux [1] !

À la vérité, il n'avait jamais été soldat, sinon sur les contrôles
du Royal-Corse, et par jeu, mais le rôle lui plaisait. La jeunesse

---

1. VICTOR HUGO : *A la Colonne de la Place Vendôme* (*Odes et Ballades,*
pp. 170-172).

frémit ; les demi-solde applaudirent ; bonapartistes et libéraux triomphèrent. « Notre langue est maintenant la sienne ; sa religion est devenue la nôtre. Il s'indigne des affronts de l'Autriche, il s'aigrit aux menaces de l'étranger et, se plaçant devant la colonne, il entonne l'hymne sacré qui rappelle aux hommes de notre âge ce mouvement, ce refrain et ces chœurs que nos guerriers répétaient à Jemmapes [1]... » La préface de *Cromwell* avait fait de lui le chef doctrinal de l'école romantique ; l'*Ode à la Colonne* lui ralliait les « globistes » ; dans le royaume des lettres, la régence de Nodier s'achevait et, du triumvirat Lamartine-Vigny-Hugo, celui-ci se détachait, premier consul. Le fils du général Hugo prenait le commandement de la Jeune France.

---

1. Extrait d'un article anonyme, publié dans *La Pandore* du 10 février 1827.

V

LES ORIENTALES DE VAUGIRARD

> Victor Hugo, c'est une forme qui s'en alla
> un jour à la recherche de son contenu et le
> trouva enfin.
>
> CLAUDE ROY.

S I HUGO parut jamais un homme heureux, ce fut en 1827 et
1828. Un fils, Charles, lui était né en 1826. L'entresol de la
rue de Vaugirard devenait trop petit ; il loua une maison entière, 11, rue Notre-Dame-des-Champs, « vraie chartreuse de poète,
perdue au fond d'une allée ombreuse [1] », derrière laquelle un jardin romantique s'ornait d'une pièce d'eau et d'un pont rustique.
Au fond, une sortie permettait de gagner le Luxembourg, cependant que la porte cochère mettait Hugo à portée des barrières de
Montparnasse, du Maine et de Vaugirard. Là, il trouvait la pleine
campagne ; des moulins à vent dominaient des champs de luzerne
et de sainfoin. Le long de la Grande-Rue de Vaugirard s'alignaient
des guinguettes à tonnelles, rendez-vous des demi-solde, des bousingots et des grisettes.

Sainte-Beuve, qui ne pouvait plus se passer des Hugo, était
venu habiter à côté de chez eux, au n° 19, un appartement qu'il
partageait avec sa mère. Lamartine y vint et loua « ce recueillement, cette mère, ce jardin, ces colombes... Cela me rappelait les
presbytères et les aimables curés de campagne que j'avais tant
aimés dans mon enfance ». Hugo voyait chaque jour Sainte-Beuve
et s'intéressait à ses études sur les poètes de la Pléiade. Ronsard,
Belleau, Du Bellay lui inspiraient le goût de formes anciennes,

---

1. LOUIS GUIMBAUD : Les « Orientales » de Victor Hugo, p. 11.

donc nouvelles, et celui de la libre ballade, plus favorable à sa virtuosité que l'ode processionnelle.

Chacun voit la nature à travers un tempérament. Hugo aimait à la folie ce Vaugirard populaire, ces chansons, ces clameurs, ces baisers sans vergogne ; le délicat Sainte-Beuve soupirait : « Oh ! que la plaine est triste autour du boulevard ! » Aussi n'était-ce pas souvent avec lui que, chaque soir, Victor Hugo, lorsque ses yeux étaient fatigués par le travail, partait à pied vers le hameau de Plaisance et le soleil couchant. Une petite cour l'entourait ; il y avait son frère Abel, son beau-frère Paul Foucher, plus toute une bande d'artistes et de poètes.

Ils s'étaient recrutés en chaîne. Hugo gardait, entre autres génies, celui de s'attacher les jeunes hommes. À tout admirateur, il répondait par retour du courrier : « Je ne sais pas si je suis un poète, mais je sais que *vous* en êtes un. » Un adolescent d'Angers, Victor Pavie, écrivait-il quelques lignes enthousiastes sur les *Odes et Ballades* ? Il recevait lettres sur lettres : « Un article que les premiers noms de notre littérature pourraient souscrire... Le principal mérite de mon livre n'est-il pas de donner matière aux admirables articles de *Feuilleton et Affiches d'Angers* [1] ?... » Peut-on jamais aller trop loin dans la louange ? La plus hyperbolique est encore au-dessous des pensées de l'auteur. Pavie vint à Paris et fut reçu de telle manière qu'il sanglota de bonheur. Vingt ans plus tard, il en était encore tout frémissant : « On deviendrait fou à moins », disait-il [2].

Pavie mit Victor Hugo en rapport avec le sculpteur David d'Angers, déjà célèbre, et qui défendait un art vivant et moderne. Déjà s'étaient attachés à la cour du poète des peintres et lithographes : Achille et Eugène Devéria, deux beaux garçons d'allure fière qui faisaient atelier commun avec Louis Boulanger et qui, par miracle, habitaient, eux aussi, rue Notre-Dame-des-Champs. Boulanger, de quatre ans plus jeune que Hugo, devint l'ombre de celui-ci. Ses tableaux illustrèrent des poèmes de Hugo : *Mazeppa, La Ronde du Sabbat ;* il fit les portraits de Victor et d'Adèle. Bientôt Boulanger devint l'intime de Sainte-Beuve, et Hugo ne les appela plus que « mon peintre et mon poète ». Eugène Delacroix, Paul Huet

---

1. Victor Hugo : *Correspondance,* p. 436. Voir aussi pp. 437-445.
2. Cf. *Souvenirs* de Victor Pavie, *passim.*

furent aussi des promenades vespérales. Ainsi se faisait, par Hugo, l'union des écrivains et des artistes de la génération.

Les soirs d'été, on sortait en bande ; on allait manger des galettes au Moulin de Beurre ; puis on dînait dans une guinguette, sur une table de bois, en chantant et discutant. Abel Hugo, un soir, ayant entendu sous les arbres « les vagues violons de la mère Saguet », entra dans un jardin, dîna sous une tonnelle et fut content de la cuisine. Pour vingt sous, on avait deux œufs sur le plat, un poulet sauté, du fromage et du vin blanc à discrétion. Le dimanche, Adèle venait, admirée, honorée par tous ces jeunes hommes. Théodore Pavie la jugeait « accueillante et distraite [1] ». Elle rêvait pendant les conversations, de sorte que, si elle s'y mêlait soudain, elle intervenait à contretemps. Mais cela était rare ; elle avait grand-peur d'être foudroyée par un regard de son mari et ne parlait guère. Sa mère, Mme Foucher, était morte le 6 octobre 1827 et sa petite sœur, Julie, qui n'avait que deux ans de plus que Didine, avait été mise au couvent pour y faire ses études.

Victor Pavie, au cours de sa première visite, fut frappé par le fait que Hugo l'entretint de peinture, non de poésie. C'est que la poésie, pour lui, en ce temps-là, se rapprochait de la peinture. Quand il amenait sa bande au pied du Moulin de Beurre :

> ...précisément à l'heure
> Où quand, par le brouillard, la chatte rôde et pleure,
> Monsieur Hugo va voir mourir Phébus le blond [2]

et regardait tomber le soir sur les jardins de Grenelle, il notait les formes et les couleurs. Le lendemain, observant au loin les « archipels de nuages ensanglantés », il récitait aux disciples, assis autour de lui sur le gazon, quelque *Soleil couchant :*

> J'aime les soirs sereins et beaux, j'aime les soirs,
> Soit qu'ils dorent le front des antiques manoirs
> Ensevelis dans les feuillages ;
>
> Soit que la brume au loin s'allonge en bancs de feu ;
> Soit que mille rayons brisent dans un ciel bleu
> A des archipels de nuages [3]...

---

1. Cité par André Billy dans *Sainte-Beuve*, t. I, p. 90.
2. Alfred de Musset : *Mardoche*, 1.
3. Victor Hugo : *Soleils couchants* (*Les Feuilles d'Automne*, pp. 100-101).

Souvent, aussi, il leur disait des *Orientales*. D'où lui était venue l'idée de peindre un Orient de convention ? C'était la mode. La Grèce luttait pour sa liberté ; Byron venait de mourir pour elle. Les libéraux du monde entier la défendaient, et les artistes amis de Hugo étaient libéraux. Delphine Gay, Lamartine, Casimir Delavigne, tous écrivains des poèmes philhellènes. Mais ces poèmes étaient plats. Hugo, lui, avait le sens du drame et tentait de faire, d'une *Orientale*, une scène vivante. Il aimait le cliquetis des mots et s'amusait à leur faire danser un *zapateado* endiablé : *Trébizonde* et *blonde, sultane* et *tartane, guitare* et *tartare, mahométane* et *capitane,* la rime retombant toujours miraculeusement sur ses pieds, en même temps que la strophe sur l'accord parfait. Comme toile de fond, il utilisait ses couchers de soleil de Grenelle. Il en tirait ses ors et ses feux. Son Orient était rue Notre-Dame-des-Champs.

> Oh ! qui fera surgir soudain, qui fera naître
> Là-bas — tandis que, seul, je rêve à la fenêtre
> Et que l'ombre s'amasse au fond du corridor, —
> Quelque ville mauresque, éclatante, inouïe,
> Qui, comme la fusée en gerbe épanouie,
> Déchire ce brouillard avec ses flèches d'or [1] ?...

Pour le pittoresque, il avait la Bible, lue et relue aux Feuillantines ; les conseils d'un orientaliste, Ernest Fouinet, bureaucrate féru de poésie arabe, rencontré jadis chez Nodier ; les poèmes de Byron et surtout l'Espagne, celle du *Romancero* et celle de ses souvenirs. Il aimait à se représenter son œuvre comme une de ces belles vieilles villes espagnoles où l'on trouve côte à côte la grande cathédrale gothique et, « à l'autre bout de la ville, cachée dans les sycomores et les palmiers, la mosquée orientale, aux dômes de cuivre et d'étain... avec ses versets du Koran sur chaque porte, ses sanctuaires éblouissants, la mosaïque de son pavé et la mosaïque de ses murailles [2]... » C'était Grenade plus que Stamboul. Qu'importait ? Oriental ou non, c'était ravissant. Il ressuscitait en se jouant la délicieuse strophe de la Pléiade :

---

1. VICTOR HUGO : *Rêverie* (*Les Orientales,* p. 743).
2. VICTOR HUGO : Préface des *Orientales,* pp. 617-618.

Sara, belle d'indolence,
    Se balance
Dans un hamac, au-dessus
Du bassin d'une fontaine
    Toute pleine
D'eau puisée à l'Ilyssus ;

Et la frêle escarpolette
    Se reflète
Dans le transparent miroir,
Avec la baigneuse blanche
    Qui se penche,
Qui se penche pour se voir [1]...

« *Les Orientales* sont une suite de couplets gratuits et incroyables, nuancés d'ironie et de clins d'yeux où (tout d'un coup) le poète oublie qu'il joue et s'abandonne à désirer, où la sensualité superficielle des mots exotiques laisse surgir la sensualité vraie de la jeunesse, où Sara la baigneuse quitte le cadre fleuri de sa gravure de *Keepsake* pour venir tenter l'auteur, le lecteur, qui regardent soudain trop voluptueusement :

Sortir du bain l'ingénue
    Toute nue,
Croisant ses mains sur ses bras [2]...

Et peut-être le plus beau de ces chants était-il celui qui arrachait le poète à l'Orient et à l'Occident, au temps et à l'espace : *Extase* :

J'étais seul près des flots, par une nuit d'étoiles,
Pas un nuage aux cieux, sur les mers pas de voiles,
Mes yeux plongeaient plus loin que le monde réel.
Et les bois, et les monts, et toute la nature,
Semblaient interroger dans un confus murmure
    Les flots des mers, les feux du ciel.

---

1. Victor Hugo : *Sara la baigneuse* (*Les Orientales*, p. 690).
2. Claude Roy : *Notes sur la lecture des poètes nommés Victor Hugo*, article publié dans *Europe*, numéro spécial de février-mars 1952, p. 82.

Et les étoiles d'or, légions infinies,
À voix haute, à voix basse, avec mille harmonies,
Disaient, en inclinant leurs couronnes de feu ;
Et les flots bleus, que rien ne gouverne et n'arrête,
Disaient, en recourbant l'écume de leur crête :
    « C'est le Seigneur, le Seigneur Dieu [1] » !

Ici naît le Hugo des *Contemplations,* habile, comme Beethoven, à faire monter une idée comme un sentiment vers l'affirmation répétée de l'accord parfait.

Avec *Les Orientales,* Hugo « fit l'unité du romantisme ». Les jeunes hommes étaient enivrés : « Victor fait toujours des choses admirables, avec une rapidité inconcevable... et nous jette, de temps en temps, une *Orientale* comme un pavé sur des fourmis. » Victor Pavie admirait et demandait grâce : « Victor nous a lu des *Orientales* inouïes et doublement inouïes... Et pas un vers faible ! Il en est assommant [2]... » Les peintres et sculpteurs exaltaient le poète qui leur apportait des sujets, des couleurs, et qui défendait avec véhémence la liberté de l'artiste. Au centre, les gens du *Globe* avaient été ralliés par Sainte-Beuve, auquel Hugo, qui estimait à sa valeur ce précieux allié, prodiguait les éloges :

Viens, joins ta main de frère à ma main fraternelle.
Poète, prends ta lyre ; aigle, ouvre ta jeune aile ;
    Étoile, étoile, lève-toi [3] !

Les libéraux classiques, comme Dubois, s'inclinaient, eux aussi, devant cette vigueur jeune qui, après tant de froide versification, réveillait l'esprit. Ces hommes d'opposition étaient reconnaissants à Hugo, poète lauréat, pensionné de la Couronne, d'oser se dire philhellène, ce qui n'était pas bien vu au Château, et de parler même, avec une étrange sympathie, de Napoléon : *Toujours lui ! Lui partout !* Comme la jeunesse des écoles, « il tremblait à ce nom gigantesque » :

Tu domines notre âge ; ange ou démon, qu'importe ?
Ton aigle dans son vol, haletants, nous emporte.

---

1. VICTOR HUGO : *Extase (Les Orientales,* p. 744).
2. Cf. LOUIS GUIMBAUD : *Les « Orientales » de Victor Hugo,* pp. 23-24.
3. *Opus cit.,* p. 31.

> L'œil même qui te fuit te retrouve partout.
> Toujours dans nos tableaux tu jettes ta grande ombre ;
> Toujours Napoléon, éblouissant et sombre,
>   Sur le seuil du siècle est debout [1]...

Les seuls qui auraient pu se fâcher étaient les royalistes bon teint, les anciens de *La Muse française,* mais Hugo leur avait donné jadis tant de gages qu'ils patientaient. Pourtant le « bon Nodier » eut une réaction qui n'était *pas* si bonne. Il avait, depuis l'Arsenal, pris goût à la régence du mouvement, et l'avènement de Hugo, promu prince de la jeunesse, lui enlevait le pouvoir. Sous le titre de *Byron et Moore,* il publia un article hostile aux *Orientales.* Les poètes français modernes n'avaient rien produit, disait Nodier, qui approchât des adorables compositions des deux génies anglais : « Il y a des hommes qui croient que les grands talents se forment par le commerce de leurs semblables et que le génie inné, avec toutes ses richesses, se développe au milieu des communications d'une conversation polie, sans autre stimulant que le besoin d'être célèbre et l'émulation de la gloire [2]... » C'était une satire de la cour hugolienne de Vaugirard. Hugo, si ombrageux, fut attristé par cette défection du compagnon de ses premiers bonheurs. *Victor Hugo à Charles Nodier :* « Et vous aussi, Charles ! Je voudrais pour beaucoup n'avoir pas lu *La Quotidienne* d'hier. Car c'est une des plus violentes secousses de la vie que celle qui déracine du cœur une vieille et profonde amitié [3]... » Nodier fit sa soumission : « Toute ma vie littéraire est en vous. Si jamais on se souvient de moi, c'est parce que vous l'aurez voulu... » De cette amitié, les morceaux furent alors recollés, mais la confiance entière et douce, qui est l'amitié, manqua désormais.

Le bon Émile Deschamps, que jamais n'effleura la jalousie, était un familier tendre de la rue Notre-Dame-des-Champs. « Je vous aime et vous admire de plus en plus », écrivait-il après chaque visite. *Émile Deschamps à Victor Hugo :* « Cher Victor, j'ai laissé hier chez vous beaucoup de regrets à moi et un parapluie, aussi à moi. Renvoyez-moi mon parapluie et gardez mes regrets. Le parapluie était dans votre salle à manger, près de la porte du

---

1. Victor Hugo : *Lui* (*Les Orientales,* p. 752).
2. Article publié dans *La Quotidienne,* numéro du 2 novembre 1829.
3. Victor Hugo : *Correspondance,* t. I, p. 459.

salon ; les regrets sont partout où vous n'étiez pas. Mme Victor a été, je crois, plus aimable et plus gracieuse encore qu'elle-même. Elle nous a montré tout votre palais, avec ses jardins. Vous êtes admirablement logé et votre muséum est merveilleux. On n'a pas plus et de plus beaux tableaux que cela [1]... »

> *Émile Deschamps à Victor Hugo, 13 octobre 1828 :* « Samedi prochain, 18 octobre, il est impossible que vous ne veniez pas dîner rue de la Ville-l'Évêque, n° 10 *(bis),* avec Lamartine et Alfred. C'est une affaire arrangée. Il faut absolument que je vous consulte sur tout mon poème de *Rodrigue* qu'on va lire. Pardon, n'est-ce pas ? Il faut que je vous regarde comme le *nègre plus ultra* des amis... Lamartine ne connaissait pas cette admirable préface de *Cromwell ;* je la lui ai prêtée ; c'est-à-dire qu'il en est fou et qu'il ne peut plus lire d'autre prose... Donnez-moi des nouvelles de Mme Victor. Nous avons besoin de savoir comment elle se trouve, pour savoir comment nous nous portons... Un mot de réponse, composé de trois voyelles, je vous en prie [2]... »

> > ...Et puis amenez Didine
> > Sans laquelle très mal on dîne,
> > Sylphide, ange femelle, ondine [3]...

Avec Deschamps, les Hugo riaient franchement. Son admiration éperdue pour le couple faisait accepter ses affreux calembours : « C'est comme un notaire sur une jambe de bois [4]... » Comment ne pas tout pardonner à un homme qui écrivait, le 31 décembre 1828 : « En grâce, pour souhaits de bonne année, n'ayez pas plus de génie en 1829 qu'en 1828, ni plus de bonheur auprès de Mme Victor [5]... »

Alfred de Vigny demeurait, en apparence, assez fidèle. Il s'était marié, à Pau, en février 1825, avec une Anglaise des Indes, Miss Lydia Bunbury, qu'il croyait fort riche. Vigny aimait les Anglaises, collectivement. Ces « figures blondes d'Ossian » le touchaient : « Si

---

1. Lettre inédite. Collection Simone André-Maurois.
2. Lettre inédite. Collection Simone André-Maurois.
3. Inédit. Collection Simone André-Maurois.
4. Lettre inédite datée du 9 juin 1828. Collection Simone André-Maurois.
5. Lettre inédite. Collection Simone André-Maurois.

vous saviez comme cette nation est poétique ! [1] » Il avait annoncé son mariage à Victor : « Nos femmes s'aimeront comme nous et, à quatre, nous ne ferons qu'un... J'ai promis à ma femme l'amitié de votre chère Adèle... Nous voulons vivre comme vous et près de vous tant que nous le pourrons [2]... » Lydia s'était montrée plus distante. Si la nation était poétique, *cette* Anglaise constituait une exception. Elle était froide, altière, souvent malade parce que sujette à des « accidents de maternité » ; entre deux fausses couches, elle entraînait Vigny chez la duchesse de la Trémoille, chez la princesse de Ligne, chez la duchesse de Maillé, bien plutôt que rue Notre-Dame-des-Champs.

Pourtant les deux poètes demeuraient alliés et se donnaient l'un à l'autre les rations d'éloges nécessaires à la vie d'une amitié. Victor offrait ses livres nouveaux : « J'ai besoin de vous donner *Les Orientales* et le *Condamné ;* j'ai besoin que vous ne soyez pas fâché contre moi ; j'ai besoin que vous ne disiez pas : « Victor me néglige », parce que je vous admire et je vous aime comme on n'aime ni admire [3]... » Alfred louait « tous ces parfums de l'Orient réunis dans une cassolette d'or » et embrassait Victor sur ses deux joues, « l'une pour l'Orient, l'autre pour l'Occident de votre tête, qui est un monde... Je vous ai, je vous tiens depuis longtemps, cher ami, et je ne vous quitte pas ; vous me suivez tout le jour, jusqu'à la nuit, et je vous reprends le matin. Je vais de vous à vous, du haut en bas, du bas en haut, des *Orientales* au *Condamné ;* de l'Hôtel de Ville à la Tour de Babel. C'est partout vous, toujours vous, toujours la couleur éclatante, toujours l'émotion profonde, toujours l'expression vraie, pleinement satisfaisante, la poésie toujours [4]... »

Eau bénite de cénacle. Dans le secret de son *Journal,* Vigny condamnait son ancien ami. *23 mai 1829 :* « Je viens de voir Victor Hugo ; il avait avec lui Sainte-Beuve... petit homme assez laid, figure commune, dos plus que rond, qui parle en faisant des gri-

1. Cité par GEORGES ASCOLI à la Sorbonne, dans son cours sur *Le Théâtre romantique.*
2. Lettre publiée par LOUIS BARTHOU dans la *Revue des Deux Mondes,* numéro du 1er février 1925, p. 530.
3. Cité par GEORGES ASCOLI à la Sorbonne, dans son cours sur *Le Théâtre romantique.*
4. ALFRED DE VIGNY : *Correspondance,* première série (1816-1835), p. 169 (édition Conard). Lettre datée du 9 février 1829.

maces obséquieuses et révérencieuses comme une vieille femme...
Victor Hugo est... dominé politiquement par ce jeune homme
spirituel qui vient de l'amener, par son influence journalière et
persuasive, à changer absolument et tout à coup d'opinion... Il
vient de me déclarer que, toutes réflexions faites, il quittait le
côté droit... Le Victor que j'aimais n'est plus. Il était un peu fana-
tique de dévotion et de royalisme ; chaste comme une jeune fille,
un peu sauvage aussi ; tout cela lui allait bien ; nous l'aimions
ainsi. À présent, il aime les propos grivois et il se fait libéral ; cela
ne lui va pas. — Mais quoi ! Il a commencé par sa maturité ; le
voilà qui entre dans sa jeunesse et qui vit après avoir écrit, quand
on devrait écrire après avoir vécu [1]... »

Le Dernier Jour d'un Condamné, que louait Vigny, était un
court volume de prose, terriblement émouvant, que Hugo avait
publié, sans le signer, un mois après *Les Orientales,* comme un
écrit trouvé dans une prison et rédigé là, pendant les dernières
heures d'un supplicié, avant la guillotine. Depuis longtemps, il
éprouvait une morbide attirance pour ce problème de la peine de
mort. En Italie et en Espagne, il avait vu ses premiers cadavres ;
en place de Grève, il avait détourné les yeux de l'horrible machine.
Il s'était, pour écrire ce livre, très sérieusement documenté, était
allé à Bicêtre, avait assisté au ferrement des forçats et à leur départ
pour le bagne. Une forte imagination enseigne la pitié. Hugo voulait sincèrement contribuer à l'abolition de la peine de mort, qu'il
jugeait plus cruelle qu'utile. Peut-être espérait-il aussi, en plaçant
le *Dernier Jour* à côté des *Orientales,* apaiser par ce premier essai
de littérature sociale ceux qui lui reprochaient son insolente virtuosité. « Il calcule bien », disait Vigny avec sa dédaigneuse hauteur. Mais c'était injuste ; Hugo sentait plus qu'il ne calculait.

Sur un point, pourtant, Vigny voyait juste. Comme beaucoup
de ceux dont la jeunesse fut austère, Hugo, à vingt-sept ans, commençait à vivre ; il éprouvait un appétit de bonheur encore inas-
souvi et jouissait voluptueusement de son succès. « On chercherait
en vain dans l'Europe entière, écrivait Jules Janin, un prince, un
roi, un capitaine plus digne d'envie ou plus heureux que le poète
des *Orientales* [1]... », et aussi : « Je ne sais personne ici-bas qui ait
jamais ri du rire de M. Victor Hugo, mis en belle humeur par le

1. ALFRED DE VIGNY : *Journal d'un Poète,* pp. 892-893 de l'édition de
la Pléiade.

succès des *Orientales* [1]... » Qu'il ait vécu alors un drame intérieur, cela est probable. On ne change point de camp sans être déchiré et, sur un autre plan, le jeune mari éprouvait, parmi ses peintres et leurs modèles, des tentations. La morale de la plaine de Vaugirard n'était pas celle de la rue du Cherche-Midi.

Adèle, presque toujours enceinte ou nourrice, très lasse, était loin de partager les ardeurs sensuelles de ce « vendangeur ivre ». Peut-être pensait-il, malgré lui, à d'autres femmes. Il avait marivaudé un instant avec Julie Duvidal de Montferrier, mais le frère de celle-ci, capitaine de chevau-légers, était intervenu avec vigueur. Sur quoi Abel Hugo s'était déclaré et avait épousé, le 20 décembre 1827, l'ex-maîtresse de dessin. Les frères Hugo aimaient en famille. Victor, aisément consolé, avait composé l'épithalame :

> Tu devais être à nous, et c'était ton destin,
> Et rien ne pouvait t'y soustraire [2]...

Peu de temps après ce mariage, le 28 janvier 1828, le général Hugo avait été frappé d'une attaque d'apoplexie « avec la rapidité d'une balle », dans la maison d'Abel, et il était mort sur le coup. *Victor Hugo à Victor Pavie, 29 février 1828 :* « J'ai perdu l'homme qui m'aimait le plus au monde, un être noble et bon qui mettait en moi un peu d'orgueil et beaucoup d'amour [3]... » Puis, la même année, le 21 octobre, était né rue Notre-Dame-des-Champs un second fils [4], et la maison familiale semblait de nouveau heureuse.

Bonheur, plénitude, gaieté, tous ceux qui ont décrit Victor Hugo à l'approche de la trentaine emploient les mêmes mots. Parfois il souffrait des doutes, politiques et religieux, qui succédaient à la foi de l'adolescence. « *Nous portons dans nos cœurs le cadavre pourri — De la religion qui vivait dans nos pères* », mais les certitudes alors l'emportaient en lui sur les doutes. Certitude de sa vigueur physique. Aucune trace ne restait de l'enfance fragile. « Des dents de loup-cervier, des dents qui cassaient des

1. JULES JANIN : *Cours de Littérature dramatique*, pp. 357 et suiv.
2. Cf. RAYMOND ESCHOLIER : *Un Amant de Génie*, p. 99.
3. VICTOR HUGO : *Correspondance*, t. I, p. 446.
4. Baptisé *Victor*, à Saint-Sulpice, le 5 novembre 1828, ce fils cadet décida, en 1849, de s'appeler *François-Victor :* 1° parce qu'il collaborait alors à *L'Evénement* et qu'il fallait différencier sa signature de celle de Victor Hugo senior ; 2° parce que la correspondance du fils était décachetée par le père.

noyaux de pêche. » Une force de grand fauve. Dans ses vers de 1829, on sent affleurer la sensualité sanguine du général. En conversation, le chaste poète des *Odes* a des poussées de libertinage. Dans *Les Orientales,* à côté de la muse de *Premier Soupir,* brillait « une Péri éblouissante, chaque jour en train d'embellir ». Le désir est une force pour les forts.

Certitude de sa réussite temporelle. Il est locataire d'une belle maison, d'un grand jardin. Son travail pourvoit à tout. Pour l'édition originale des *Orientales,* chez Bossange, il a touché trois mille six cents francs. De Gosselin, autre éditeur, sept mille deux cents francs pour une édition in-12 des *Orientales, Bug-Jargal, Le Dernier Jour d'un Condamné* et un roman encore à écrire : *Notre-Dame de Paris.* Ayant passé son adolescence dans la gêne, il attache grand prix à une aisance qui, seule, pense-t-il, assure l'indépendance de l'écrivain. À Fontaney, il dira : « Je veux gagner et dépenser quinze mille francs par an. » Ambition toute balzacienne, mais Balzac est chargé de dettes ; Hugo en a horreur ; il fait ses comptes chaque soir, au centime, et en exige de son Adèle, qu'il juge trop dépensière.

Certitude enfin de sa gloire. Dès 1829, il est, aux yeux des jeunes, le maître. « Victor Hugo représentait, dit Baudelaire, celui vers qui chacun se tourne pour demander le mot d'ordre. Jamais royauté ne fut plus légitime, plus naturelle, plus acclamée par la reconnaissance, plus confirmée par l'impuissance de la rébellion [1]... » Il a des ennemis. Le succès les suscite toujours et il faut une grande âme pour supporter la gloire des autres. Il a même des adversaires sincères et désintéressés. Stendhal et Mérimée le trouvent ennuyeux ; ces libertins ne croient pas à un poète père de famille ; Musset le parodie, d'ailleurs sans méchanceté. Que lui importe ? Il se sait le chef de l'école nouvelle et le champion des libertés littéraires. C'est chez lui, rue Notre-Dame-des-Champs, que se réunit sa génération. Il a une boîte aux ébauches, pleine de projets.

> Hugo portait déjà dans l'âme
> Notre-Dame
> Et commençait à s'occuper
> D'y grimper.

---

1. CHARLES BAUDELAIRE : *L'Art romantique.* — XIX : *Réflexions sur quelques-uns de mes contemporains,* p. 519 de l'édition de la Pléiade.

Un cahier : *Drames que j'ai à faire,* contenait des plans qui allaient devenir, ou étaient devenus déjà : *Marion de Lorme, Les Jumeaux, Lucrèce Borgia* et d'autres jamais exécutés : *Louis XI, La Mort du duc d'Enghien, Néron.* Au bas d'une page toute chargée de titres, cette note : « Quand cela sera fait, je verrai. » Une telle force engendre une prodigieuse confiance en soi. La préface des *Orientales,* en 1829, est agressive : « L'art n'a que faire des lisières, des menottes, des bâillons ; il vous dit : Va ! et vous lâche dans ce grand jardin de poésie où il n'y a pas de fruit défendu... » L'auteur sait que quelques-uns « l'ont taxé de présomption, d'outrecuidance, d'orgueil, et, que sais-je ? ont fait de lui une espèce de jeune Louis XIV entrant dans les plus graves questions botté, éperonné, et une cravache à la main. Il ose affirmer que ceux qui le voient ainsi le voient mal [1]... ».

Oui, sans doute. Il est plus impérial que royal. Comme le jeune Bonaparte, il domine, non par droit de naissance, non par droit divin, mais par droit de conquête et par droit de génie, et il crie tout joyeux, avec un air sublime : « L'avenir, l'avenir, l'avenir est à moi ! » C'est lui-même qui bientôt répondra : « Non, l'avenir n'est à personne, sire » ; c'est lui-même qui nous peindra l'aigle planant aux voûtes éternelles « quand un grand coup de vent lui cassa les deux ailes » ; c'est lui-même qui bientôt tombera dans le gouffre sans fond de la souffrance morale, mais qui, par la souffrance, connaîtra ce repli sombre dont il avait besoin pour devenir le plus grand poète français.

Car le romantisme, quoi qu'en eût dit la préface de *Cromwell,* ce n'était ni le mélange du tragique et du grotesque, ni le rajeunissement du vocabulaire, ni la liberté des coupes, c'était quelque chose de bien plus profond. C'était l'esprit du siècle ; c'était une angoisse, un mécontentement, un conflit entre l'homme et le monde, qu'avaient ignoré les classiques. « Ce sentiment que la vie ne suffit pas, qu'elle est étrangement, incroyablement vide si l'on se tient entre ses frontières ; ce jeu étrange d'une âme jamais en repos qui tantôt s'exalte, tantôt gémit [2]... » ; ce cœur tout plein du dégoût de soi, sauf quand il jouit voluptueusement « de son propre malheur accepté comme un défi », voilà ce qu'avaient apporté

---

1. VICTOR HUGO : Préface des « *Orientales* », pp. 615-622.
2. ARMAND HOOG.

Gœthe et Byron après Rousseau ; voilà ce que cherchait, vers 1830, toute une jeunesse française livrée à la mélancolie parce que soudain privée de gloire ; voilà ce que le Hugo trop heureux de la plaine de Vaugirard, le Hugo des *Orientales,* ne pouvait encore lui apporter.

Et pourtant lui seul possédait l'instrument. Aucun poète, pas même Lamartine, pas même Vigny, n'était alors capable de mettre au service de son temps une telle maîtrise du langage et du rythme. Il ne manquait à Hugo, pour mûrir son génie, que cette anxiété, cette incertitude, cette mélancolie qui le rapprocheraient de son époque. Il était loin alors de penser que l'approfondissement par la douleur lui viendrait de la jeune femme silencieuse qu'il avait associée à sa vie et de cet ami aux cheveux roux, au visage ingrat, qui lui disait, sur son œuvre, des choses si fines et si utiles. Alors qu'il jouissait, en pleine sécurité, de ses triomphes, il était au bord d'une catastrophe. Mais il fallait le montrer en ses brèves années de pur bonheur, mari souverain, père idyllique, maître suivi d'un beau cortège de disciples, regardant à ses pieds dormir la ville géante, dans cette brume charmante à ses tours accrochée, et répandant à flots

Sur des œuvres de grâce et d'amour couronnées,
Le frais enchantement de ses jeunes années.

QUATRIÈME PARTIE

LE PRÉCOCE AUTOMNE

Qui ne plaindrait-on pas sur la terre si l'on
savait tout de tout le monde ?
SAINTE-BEUVE.

I

LE FIDÈLE ACHATE

Vigny, dans le secret de son *Journal,* analysait sans bienveillance les rapports Hugo-Sainte-Beuve. Celui-ci, disait Vigny,
« s'est mis en séide à la suite de Victor Hugo et a été entraîné à la poésie par lui ; mais Victor Hugo qui, depuis qu'il est
au monde, a passé sa vie à aller d'un homme à un autre pour les
écumer, tire de lui une foule de connaissances qu'il n'avait pas ;
tout en prenant le ton d'un maître, il est son élève [1]... ». Jugement
de ressentiment. Hugo n'« écumait » pas Sainte-Beuve. Certes, il
apprenait beaucoup de lui, mais ce serait un homme bien sot, qui
ne s'ajouterait pas ce qu'il trouve, et d'ailleurs l'influence était
réciproque. Chacun des deux hommes possédait ce qui manquait
à l'autre. Hugo, parfait musicien du langage, ne prêtait pas assez
d'attention à la vie intérieure ; Sainte-Beuve, poète par la sensibilité, péchait, en poésie, par la gaucherie et par la mollesse de la
forme.

« C'est que son âme elle-même est gauche, trouble, impuissante
et comme nouée ; exquise et vile tout ensemble. À côté de ses amis
du cénacle, il a les allures inquiètes, contraintes, d'un retardataire.
Pour l'intelligence, pour le génie, il se sent leur égal, mais il admire
éperdument et presque sans jalousie, tant il est dominé, fasciné

---

1. ALFRED DE VIGNY : *Journal d'un Poète,* p. 892 de l'édition de la
Pléiade.

par elle, leur virilité éclatante, séduisante, foncièrement saine...
Chérubin moins rose que blême, ridé comme un vieillard, et qui
se ronge les ongles ; lycéen qui a lu Laclos, qui voudrait, qui n'ose,
qui ne sait le vivre ; enfant de chœur ingénu, qui pleure derrière
l'autel ; l'ange et la bête, jamais l'homme [1]... »

Il faut avoir pitié de ce jeune homme lugubre, studieux et fin,
qu'une infirmité intime (il était hypospade) rendait plus timide
encore, et qui, destiné par la grâce de son esprit à l'amour le plus
délicat, en était réduit aux femmes vénales et à la Vénus des
carrefours. « Vous ne savez pas ce que c'est, dira-t-il un jour avec
une noire mélancolie, de sentir qu'on ne sera jamais aimé, que
c'est impossible parce que c'est inavouable... » Ce qu'il trouvait
chez les Hugo lui semblait merveilleux. Tout ce qu'il n'avait pas :
un foyer, des amis, des enfants à aimer. *Sainte-Beuve à Victor
Hugo, 11 octobre 1829* : « Le peu de talent que j'ai m'est venu par
votre exemple et vos conseils déguisés en éloges ; j'ai fait parce
que je vous ai vu faire et que vous m'avez cru capable de faire ;
mais mon fond propre, à moi, était si mince que mon talent vous
est revenu, tout à fait, et après une course un peu longue, comme
le ruisseau au fleuve ou à la mer ; je ne m'inspire plus qu'auprès
de vous, de vous et de ce qui vous entoure. Enfin ma vie domestique n'est encore qu'en vous, et je ne suis heureux et chez moi que
sur votre canapé ou à votre coin du feu [2]... » Ce ne sont pas là les
propos d'un homme qui a été « écumé ».

Il s'était peint lui-même, en toute sa désolation, dans un livre
non signé : *Vie, Pensées et Poésies de Joseph Delorme*. Joseph
Delorme voulait devenir un grand poète et l'inspiration le fuyait :
« Quels tressaillements douloureux il ressentait à chaque triomphe
nouveau de ses jeunes contemporains ! » Joseph Delorme n'avait
pas de maître, point d'amis, nulle religion : « Son âme n'offrait
plus qu'un inconcevable chaos où de monstrueuses imaginations,
de fraîches réminiscences, des fantaisies criminelles, de grandes
pensées avortées, de sages prévoyances suivies d'actions folles, des
élans pieux après des blasphèmes s'agitaient confusément sur un
fond de désespoir [3]... » Il se disait pur, « malade et dévoré de
n'avoir point aimé. »

1. HENRI BREMOND : *Le Roman et l'Histoire d'une Conversion*, p. 95.
2. SAINTE-BEUVE : *Correspondance générale*, t. I, p. 146.
3. *Vie, Pensées et Poésies de Joseph Delorme*, p. 27 de l'édition originale.

À la fin de 1828, Sainte-Beuve avait communiqué à Hugo ces
« méchantes pages » et lui avait demandé s'il ne serait pas trop
inconvenant et ridicule de livrer au public ces « nudités d'âmes ».
Hugo avait répondu par un billet chaleureux, où il exprimait
« l'émotion dont vous m'avez pénétré avec des vers graves et beaux,
votre mâle, simple et mélancolique prose, et votre *Joseph Delorme*
qui est vous. Cette histoire courte et austère, cette analyse d'une
jeune vie, cette savante dissection qui met une âme à nu, tout
cela m'a presque fait pleurer [1]... ». Jour de bonheur pour le pauvre
Sainte-Beuve. Il s'était, un instant, cru grand poète. En janvier
1829 parurent *Les Orientales ;* en mars 1829, *Joseph Delorme. Les
Orientales* firent plus de bruit, mais leur diligent auteur étudia
soigneusement la leçon de Joseph Delorme et en retint la possibilité d'une poésie intime et personnelle.

Les succès de son ami inspiraient alors à Sainte-Beuve plus
d'humilité que de jalousie. Il se faisait, dans ses écrits, le champion
du romantisme hugolien et suppléait, par la chaleur du ton, à la
faiblesse des convictions. Car il n'avait jamais été authentiquement
romantique. Joseph Delorme était un aspect de lui, né de *Werther ;* plus au fond on eût trouvé, en Sainte-Beuve, un sceptique
qui riait de Joseph Delorme. Seulement il aimait à comprendre,
et qu'on pût avoir autant d'imagination, de couleur, de force d'expression que Victor Hugo le confondait. Quand il eut achevé, pour
faire suite à son *Tableau de la poésie française au XVIe siècle,* un
choix des œuvres de Ronsard, il offrit à Victor Hugo l'admirable
exemplaire in-folio sur lequel avaient été pris les extraits, avec cette
dédicace : « Au plus grand inventeur lyrique que la poésie française ait eu depuis Ronsard, le très humble commentateur de Ronsard : SAINTE-BEUVE [2]. » Victor et Adèle mirent ce beau Ronsard
relié en vélin blanc « aux armes », sur une table du salon qu'ornait
le Lis d'Or des Jeux Floraux et, peu à peu, les amis : Lamartine,
Vigny, Guttinguer, Dumas père l'enrichirent d'autographes. Sainte-
Beuve lui-même y avait, de sa petite écriture aérienne, inscrit un
sonnet qui n'était ni sans grâce, ni sans délicatesse :

> Votre génie est grand, votre penser
> Monte, comme Élisée, au char vivant d'Élie ;

---

1. VICTOR HUGO : *Correspondance,* t. I, p. 449.
2. Collection Spoelberch de Lovenjoul, D. 517.

Nous sommes devant vous comme un roseau qui plie.
Votre souffle en passant pourrait nous renverser.

Mais vous prenez bien garde, ami, de nous blesser ;
Noble et tendre, jamais votre amitié n'oublie
Qu'un rien froisse souvent les cœurs et les délie ;
Votre main sait chercher la nôtre et la presser.

Comme un guerrier de fer, un vaillant homme d'armes,
S'il rencontre, gisant, un nourrisson en larmes,
Il le met dans son casque et le porte en chemin,

Et, de son gantelet, le touche avec caresses :
La nourrice serait moins habile aux tendresses,
La mère n'aurait pas une si douce main [1].

Il semble que cette âme sensible, « peuplier au grêle et blanc feuillage », qui tremblait à tous vents, ait été alors comblée par une amitié virile, attentive et indulgente. Pour la première fois de sa vie, grâce à l'intimité avec les Hugo, il faisait partie d'un groupe et se croyait enfin sauvé de la solitaire et stérile méditation sur soi-même.

---

1. Le sonnet autographe est écrit de la main de Sainte-Beuve, sur la age 132 des *Œuvres de Pierre de Ronsard, gentilhomme vendômois, prince es poètes français, revues et augmentées* (à Paris, chez Nicolas Buon, au ont Saint-Hilaire, à l'enseigne de « Saint Claude », 1609). — Collection oelberch de Lovenjoul, D. 517.

II

PLACE AU THÉÂTRE

> Ce n'était pas un gilet rouge que je portais à
> *Hernani,* mais un pourpoint rose. C'est très
> important.
>
> THÉOPHILE GAUTIER.

L'ANNÉE 1829 fut, pour Victor Hugo, toujours grand travailleur,
l'une des plus laborieuses. Il avait commencé *Notre-Dame
de Paris,* écrivait de nombreux poèmes et surtout voulait conquérir le théâtre. *Cromwell* n'avait pas été joué, mais le cénacle
romantique pensait, avec raison, que le public exigeait désormais
autre chose que des tragédies pseudo-classiques. Que Corneille, et
même Racine, eussent été grands, seuls des fanatiques le niaient.
Mais leur génie avait donné trop de prestige à des conventions :
les trois unités, les sujets antiques ou orientaux, les songes ou reconnaissances, le langage noble, toutes règles qui, au XVIIIᵉ siècle,
en des mains moins puissantes, avaient engendré platitude et monotonie. « Il fallait, dit Vigny, dans des vestibules qui ne menaient
à rien, des personnages n'allant nulle part, parlant de peu de
chose, avec des idées indécises et des paraboles vagues, un peu
agités par des sentiments mitigés, des passions paisibles, et arrivant
ainsi à une mort gracieuse ou à un soupir faux. Ô vaine fantas-
magorie ! Ombres d'hommes dans une ombre de nature ! Vides
royaumes [1] !... »

Contre l'ennui de ce théâtre en bois, le public avait réagi en
se prenant de goût pour le mélodrame. Pixérécourt, Shakespeare
des boulevards, avait donné la formule : un héros, une héroïne

---

1. ALFRED DE VIGNY : *Lettre à Lord *** sur la soirée du 24 octobre
1829 et sur un système dramatique,* p. 336 de l'édition de la Pléiade (t. I).

un traître, un bouffon, et, bien avant la préface de *Cromwell,* avait
allié grotesque et tragique. Le grand Talma lui-même disait à
Lamartine : « Ne faites plus de tragédies, faites le drame », et à
Dumas : « Hâtez-vous et tâchez d'arriver de mon temps. »

En 1822, un directeur de théâtre, Jean-Toussaint Merle, homme d'entreprise, ayant fait venir une troupe de comédiens anglais
pour jouer du Shakespeare, s'était heurté à l'opposition farouche
des libéraux. Louis XVIII passait pour pro-anglais ; cela suffisait
pour que *Macbeth* fût sifflé. Les affiches de Merle avaient annoncé
maladroitement : OTHELLO, *par le très illustre Shakespeare, joué
par les très humbles serviteurs de Sa Majesté Britannique.* Le parterre cria : « Plus d'étrangers ! À bas Shakespeare ! C'est un lieutenant de Wellington ! » Merle capitula et il fallut attendre 1828
pour revoir une troupe anglaise à Paris. Le climat était alors trans-
formé, la troupe excellente : Kean, Kemble et l'adorable Harriet
Smithson. Le succès fut tel que plus d'un auteur souhaita mettre
Shakespeare en vers français. Émile Deschamps et Vigny adaptè-
rent ensemble *Roméo et Juliette,* et Vigny, d'après *Othello,* commença un *More de Venise,* aidé sans doute, pour la traduction, par
sa femme anglaise.

Hugo, lui, avait, dès 1822, tiré du roman de Walter Scott
Kenilworth, une pièce : *Amy Robsart.* Il l'avait gardée dans ses
tiroirs, puis remaniée, mais n'y croyait guère lui-même. Quand il
la fit enfin jouer à l'Odéon, en 1828, il ne tenta l'aventure que
sous le nom de son beau-frère, Paul Foucher, qui avait alors dix-
sept ans à peine et qui ne montrait pour cette entreprise aucun
enthousiasme. *Paul Foucher à Victor Hugo, janvier 1828 :* « Dans
quelques jours, on donne cette malencontreuse *Amy Robsart,* qui
n'aura d'autre fruit pour moi que de me faire passer pour l'homme
de paille ou le prête-nom de l'affaire. Il y a des gens qui ont du
malheur [1]... » La pièce fut aussi mal reçue que possible par le
public et Hugo la désavoua prudemment. *Victor Hugo à Victor
Pavie, 29 février 1828 :* « Vous savez la petite infortune advenue
à Paul. C'est un bien petit malheur... J'ai dû le couvrir de mon
mieux dans cette occurrence. D'ailleurs, c'est moi qui lui avais
porté malheur. La plébécule cabalante qui a sifflé *Amy Robsart*
croyait siffler *Cromwell* par contre-coup. C'est une malheureuse

---

1. Lettre publiée dans la *Revue hebdomadaire,* numéro du 14 mars 1903.

petite intrigue classique qui ne vaut pas, du reste, la peine qu'on en parle [1]... » Peut-être eût-il mieux valu n'en point parler du tout.

Il était décidé à jouer sa partie, sous son propre nom, sur un autre sujet : *Marion de Lorme* (premier titre : *Un Duel sous Richelieu*). Cela se passait au temps de Louis XIII, histoire assez banale de la courtisane purifiée par son amour pour un jeune homme chaste et sévère : Didier, beau ténébreux, créature fatale pour lui-même comme pour les autres, et proscrit, ce qui lui assurait la sympathie du poète, profondément marqué par le drame Lahorie. Victor Hugo avait lu, sur l'époque, de nombreux pamphlets, mémoires, histoires ; le *Cinq-Mars* de Vigny lui offrait l'image d'un Richelieu romantique, « homme rouge qui passe » ; il avait saisi, très justement, le ton des Précieuses ; beaucoup des vers étaient beaux. Bref, le drame avait de grands mérites et cet aspect « arrêté », achevé, bouclé de tout ce que faisait alors Hugo.

Le baron Taylor (anobli en 1825) avait demandé une lecture. Elle eut lieu, le 10 juillet 1829, dans la « chambre au Lis d'Or », devant tous les amis : Vigny, Dumas, Musset, Balzac, Mérimée, Sainte-Beuve, les deux Deschamps, Villemain et les peintres ordinaires de la maison. « Victor Hugo lisait lui-même et lisait bien... Il faut avoir vu cette pâle et admirable figure, et surtout ses yeux fixes, un peu égarés, qui dans les moments passionnés brillaient comme des éclairs... La pièce était intéressante et il y avait où admirer, mais, dans ce temps-là, la simple admiration était trop peu de chose. Il fallait s'exalter, bondir, frémir ; il fallait s'écrier avec Philaminte : « *On n'en peut plus, on pâme, on se meurt de* « *plaisir !* » Ce n'étaient qu'interjections faiblement exprimées, extases plus ou moins sonores. Voilà pour l'ensemble : les détails n'étaient pas moins gais. Le petit Sainte-Beuve tournait autour du grand Victor... L'illustre Alexandre Dumas, qui n'avait pas encore fait schisme, agitait ses énormes bras avec une exaltation illimitée. Je me rappelle même qu'après la lecture il saisit le poète et, le soulevant avec une force herculéenne : « Nous vous porterons à la gloire ! » s'écria-t-il... Quant à Émile Deschamps, il applaudissait avant d'avoir entendu : toujours coquet, il regardait en tapinois les dames de l'assemblée. On servit des rafraîchissements : je vois encore l'immense Dumas se bourrer de gâteaux et répéter, la bou-

1. VICTOR HUGO : *Correspondance*, t. I, p. 446.

che pleine : « Admirable ! Admirable ! » Cette comédie, qui succédait si gaiement à ce drame lugubre, ne finit elle-même qu'à
deux heures du matin [1]... »

Le 14 juillet, le Théâtre-Français reçut la pièce par acclamations. Trois jours plus tard, Vigny lut son *More de Venise* devant
les mêmes hommes de lettres, plus un grand nombre de gens du
monde. « On n'annonçait, dit Turquety, que comtes et barons. »
Chez les Hugo, l'atmosphère était romantique et familiale ; chez
les Vigny, romantique et héraldique. *Vigny à Sainte-Beuve, 14
juillet 1829 :* « Vendredi 17, à sept heures et demie précises du
soir, *Le More de Venise* vivra et mourra par-devant vous, mon
ami. Si vous voulez faire asseoir l'ombre de Joseph Delorme à ce
banquet funèbre, sa place est réservée, comme celle de Banquo [2]... »
L'accueil fut non moins chaleureux que celui fait à *Marion de
Lorme.*

La censure, alors puissante, autorisa le *More* et interdit *Marion.* Le vicomte de Martignac approuva la censure ; il jugeait la
monarchie menacée par le portrait que le poète faisait de Louis
XIII. Victor Hugo, se croyant en règle avec l'histoire, en appela
du ministre au roi Charles X et fut aussitôt reçu à Saint-Cloud.
De cette entrevue, où le prince se montra bienveillant, le poète
franc et respectueux, le récit fut donné par la *Revue de Paris* sous
la signature de son directeur, Louis Véron ; en fait, le texte était
de Sainte-Beuve et inspiré par Victor Hugo. Celui-ci racontait
avoir dit au souverain que les temps avaient bien changé depuis
Le Mariage de Figaro. En monarchie absolue, l'opposition, réduite
au silence, tentait de se faire jour au théâtre ; en régime constitu-
tionnel, avec la Charte, la presse devenait la soupape de sûreté.
Le roi avait promis de lire lui-même l'« acte redoutable », le quatrième. Il lut et maintint l'interdiction. Mais, Hugo ayant toujours
été un écrivain ami du trône, on s'efforça de l'apaiser par des fa-
veurs et une nouvelle pension de deux mille francs lui fut offerte.
Il refusa, par une lettre fort digne :

> *Victor Hugo au comte de la Bourdonnaye, ministre de
> l'Intérieur, 14 août 1829 :* « ...Veuillez donc, monseigneur,

---

1. FRÉDÉRIC SAULNIER : *Edouard Turquety,* p. 73.
2. ALFRED DE VIGNY : *Correspondance,* 1ʳᵉ série, p. 182 de l'édition
Conard.

dire au roi que je le supplie de permettre que je reste dan
la position où ses nouvelles bontés sont venues me chercher
Quoi qu'il advienne, il est inutile que je vous en renouvell
l'assurance, rien d'hostile ne peut venir de moi. Le roi ne
doit attendre de Victor Hugo que des preuves de fidélité, de
loyauté et de dévouement [1]... »

Et aussitôt, avec une puissance de travail qui tenait du prodige
il se mit à écrire un autre drame : *Hernani.* Le nom du héros étai
(à l'H près) celui d'un bourg espagnol traversé par lui en 1811
le sujet rappelait *Marion de Lorme.* En épigraphe : *Tres para una*
Trois hommes pour une femme : l'un jeune, ardent, proscrit comme il convenait, c'est Hernani (réplique de Didier) ; le second
vieillard impitoyable, Don Ruy Gomez de Silva ; le troisième, empereur et roi, Charles Quint. Les sources sont mal connues, sans
doute le *Romancero,* Corneille, des tragédies espagnoles ; il est
certain que le poète puisa dans ses propres *Lettres à la Fiancée*
beaucoup de thèmes amoureux. *Hernani* est le drame qu'il avait
lui-même vécu avec Adèle. La lutte de deux amants jeunes contre
la fatalité évoquait des souvenirs personnels. L'intimité de l'oncle
Asseline, Charles Quint bourgeois et despote, avec la jolie nièce
objet de ses familiarités, avait maintes fois provoqué des explosions
de jalousie hugolienne. L'offre de mourir après une seule nuit
d'amour, Victor adolescent l'avait faite. Le décor choisi permettait
à Hugo d'exprimer son espagnolisme. On a souvent rapproché
Hernani du *Cid.* Rien de plus juste. Conventions différentes, même
climat héroïque. Mais, chez Hugo, plus d'emphase et « un abus
des métaphores zoomorphiques [2] » : lion, aigle, tigre, colombe.

La pièce fut écrite avec une incroyable rapidité. Commencée
le 29 août, terminée le 25 septembre, lue aux amis le 30, au Théâtre-Français le 5 octobre et reçue par acclamations. La censure
accorda le visa, non sans résistances, et le bruit se répandit que,
pour compenser l'affront *Marion de Lorme, Hernani* passerait, par
priorité, avant *Le More de Venise.* Fureur de Vigny. Déjà, dans le
cénacle, on parlait de brouille quand une lettre de Hugo, toute
castillane, fut publiée par *Le Globe :* « Je comprendrais fort bien
que toujours, et quelle que fût la date de sa réception, *Othello*

---

1. Victor Hugo : *Correspondance,* t. I, pp. 456-457.
2. Jean-Bertrand Barrère : *Hugo, l'homme et l'œuvre,* p. 59.

passât avant *Hernani :* mais *Hernani* avant *Othello,* jamais [1]... »

Que s'était-il passé ? Que les Comédiens-Français, blessés par la hauteur avec laquelle Vigny les traitait aux répétitions, avaient eux-mêmes offert un tour de faveur à Hugo. Mais il se savait guetté, envié. Il écrivait à Sainte-Beuve : « Un orage terrible s'amoncelle sur moi, et la haine de tout ce bas journalisme est telle qu'on ne me tient plus compte de rien [2]... » En effet, dans la « caverne des journaux », Janin, Latouche aiguisaient des armes qui devaient servir aussi bien contre *Othello* que contre *Hernani.* Vigny ne reconnaissait pas cette solidarité. Pourtant un Viennet unissait dans la même réprobation « ces deux jeunes fous dont les doctrines saugrenues nous préparent une littérature absurde ». Et l'irascible classique citait, comme exemple de cet « esprit d'aventure et de démolition qui ne laissera rien debout », trois vers du *More de Venise :*

> Demain soir, ou mardi matin sur le midi,
> Ou bien mardi, dans la soirée, ou mercredi
> Matin, fixe avec moi le moment, je te prie [3]...

Othello fut joué le premier, mais la grande bataille allait se livrer sur *Hernani.*

---

1. Cf. Léon Séché : *Le Cénacle de Joseph Delorme,* t. I, p. 276.
2. Victor Hugo : *Correspondance,* t. I, p. 458.
3. Cf. Pierre Jourda : *Les Souvenirs de Viennet,* article publié dans la *Revue des Deux Mondes,* numéro du 1er juillet 1929, pp. 130-131.

III

ET NE NOS INDUCAS...

Mon âme se pressait aux ronces du désir...
SAINTE-BEUVE.

PENDANT toute l'année 1829, Hugo travailla du matin au soir
et parfois du soir au matin, soit qu'il écrivît, soit qu'il dût
courir au théâtre et chez des éditeurs, soit qu'il explorât le
vieux Paris autour de Notre-Dame ou composât en marchant dans
les jardins du Luxembourg. Sainte-Beuve avait pris la douce habitude de venir rue Notre-Dame-des-Champs chaque après-midi, et
souvent deux fois par jour. Il trouvait maintenant Mme Hugo
seule, près du pont rustique, dans le jardin. Les enfants jouaient
sur la pelouse. Adèle n'avait eu, au début, dans l'amitié des deux
écrivains, qu'un rôle effacé. La naissance et l'allaitement de François-Victor l'avaient plongée dans la rêverie physiologique qui,
chez tant de femmes, accompagne ces états. Longtemps Sainte-
Beuve avait été « dans un grand vague d'opinion sur elle » due à
« un raffinement de respect ». Seul avec elle, il découvrit que, hors
de la présence de son illustre époux, elle glissait aux confidences.
Sainte-Beuve, qui aimait à vivre sur le bord du nid d'autrui, avait,
pour le rôle de confesseur, un goût inné. « Il était né pour porter
la soutane », dit Pavie, et je me rappelle qu'un jour il nous disait :
« En d'autres temps, j'aurais été dans les ordres, et j'eusse aimé à
devenir cardinal [1]... » Mais cet abbé dévoyé hésitait entre la Trappe
et Thélème. Nul, d'ailleurs, n'a mieux analysé cet aspect de son
comportement que lui-même :

---

1. THÉODORE PAVIE : *Victor Pavie, sa jeunesse, ses relations littéraires,*
p. 198.

J'avais le goût des habitudes intimes, des convenances privées, du détail des maisons : un intérieur nouveau où je pénétrais était toujours une découverte agréable à mon cœur ; j'en recevais, dès le seuil, une certaine commotion ; en un clin d'œil, avec attraits, j'en saisissais le cadre, j'en construisais les moindres rapports. Mais, au lieu de gouverner en droiture mon talent naturel et d'en relever à temps le but, je me suis mis à l'égarer vers des fins toutes contraires, à l'aiguiser en art futile ou funeste, et j'ai passé une bonne partie de mes jours et de mes nuits à côtoyer des parcs, comme un voleur, et à convoiter les gynécées [1]...

Ce qu'il éprouvait alors, il le disait à Mme Hugo, en vers et avec candeur :

Oh ! que la vie est longue aux longs jours de l'été
Et que le temps y pèse à mon cœur attristé !
Lorsque midi surtout a versé sa lumière,
Que ce n'est que chaleur, et soleil, et poussière ;
Quand il n'est plus matin et que j'attends le soir,
Vers trois heures, souvent, j'aime à vous aller voir ;
Et là, vous trouvant seule, ô mère et chaste épouse !
Et vos enfants au loin épars sur la pelouse,
Et votre époux absent et sorti pour rêver,
J'entre pourtant ; et vous, belle, et sans vous lever,
Me dites de m'asseoir ; nous causons ; je commence
À vous ouvrir mon cœur, ma nuit, mon vide immense,
Ma jeunesse déjà dévorée à moitié,
Et vous me répondez par des mots d'amitié...
Nous parlons de vous-même et du bonheur humain,
Comme une ombre, d'en haut, couvrant votre chemin,
De vos enfants bénis que la joie environne,
De l'époux votre orgueil, votre illustre couronne ;
Et quand vous avez bien, de vos félicités,
Épuisé le récit, alors vous ajoutez,
Triste, et tournant au ciel votre noire prunelle :
« Hélas ! non, il n'est point ici-bas de mortelle
« Qui se puisse avouer plus heureuse que moi ;

---

1. SAINTE-BEUVE : *Volupté*, t. I, pp. 59-60.

« Mais, à certains moments et sans savoir pourquoi,
« Il me prend des accès de soupirs et de larmes ;
« Et plus, autour de moi, la vie épand ses charmes,
« Et plus le monde est beau, plus le feuillage vert,
« Plus le ciel bleu, l'air pur, le pré de fleurs couvert,
« Plus mon époux aimant comme au premier bel âge,
« Plus mes enfants joyeux et courant sous l'ombrage,
« Plus la brise légère et n'osant soupirer,
« Plus aussi je me sens ce besoin de pleurer [1]... »

Pourquoi pleurait-elle ? Parce que toutes les femmes pleurent ; parce qu'il est doux d'être plainte ; parce que le mariage avec un homme de génie, quelquefois, lui pesait ; parce que cet illustre époux était un amant puissant et insatiable ; parce qu'elle avait déjà eu quatre enfants ; parce qu'elle craignait d'en avoir d'autres ; parce qu'elle se sentait confusément opprimée. Sainte-Beuve se gardait de toute parole imprudente, chantait la gloire de Victor, mais se disait uni à la belle interlocutrice « par la fraternité de la douleur » et se laissait doucement « ramener par elle au Seigneur ».

Il écrira plus tard à Hortense Allart : « J'ai fait un peu de mythologie chrétienne en mon temps ; elle s'est évaporée. C'était pour moi, comme le cygne de Léda, un moyen d'arriver aux belles et de filer un plus tendre amour [2]... »

En 1829, il était loin d'un tel cynisme. Encore attaché par quelques fibres à la foi de son enfance, il aimait à se faire « reconvertir » par cette femme dont la beauté le troublait. Ils parlaient de Dieu, de l'immortalité ; Sainte-Beuve citait saint Augustin et Joseph Delorme : « *Je voudrais bien Seigneur ; je veux ; pourquoi ne puis-je ?* » Adèle Hugo était fière d'être prise au sérieux par un homme que le cénacle jugeait si intelligent. Elle avait ses mérites, dessinait avec talent, n'écrivait pas mal, et la vie commune avec un maître égoïste l'avait parfois injustement humiliée. Sainte-Beuve apaisait ce petit orgueil blessé. De temps à autre, la mère de famille esquissait un mouvement de coquetterie, à peine conscient. Quand l'hiver ne permit plus de s'asseoir au jardin, elle reçut son ami dans sa chambre. « Dans son indifférence des choses », elle s'oubliait en son négligé du matin. Quelquefois aussi, le

---

1. SAINTE-BEUVE : *Les Consolations*, pp. 5-8.
2. Cité par ANDRÉ BILLY dans *Sainte-Beuve*, t. I, p. 79.

soir, Hugo étant retenu ailleurs, les deux abandonnés restaient seuls, très tard, près de la cendre éteinte : « Oh ! ces moments étaient bien les plus beaux de ma vie d'alors et les meilleurs... Ce souvenir, du moins, ne me donne pas trop à rougir [1]... »

Lorsqu'il voyageait, Sainte-Beuve écrivait à Victor et goûtait un bonheur, bien connu des amoureux, à le charger de messages pour *Madame :* « Tout ceci est pour vous, mon cher Victor, et pour Mme Victor, qui n'est pas séparée de vous dans mon esprit ; dites-lui combien je la regrette, et que je lui écrirai de Besançon [2]... »

> *Sainte-Beuve à Adèle Hugo, 16 octobre 1829 :* « En vé-rité, madame, quelle folle idée ai-je donc eue de quitter ainsi sans but votre foyer hospitalier, la parole féconde et encou-rageante de Victor, et mes deux visites par jour, dont une était pour vous ? Je suis toujours inquiet parce que je suis vide, que je n'ai pas de but, de constance, d'œuvre ; ma vie est à tout vent et je cherche, comme un enfant, hors de moi, ce qui ne peut sortir que de moi-même. Il n'y a plus qu'un point fixe et solide auquel, dans mes fous ennuis et mes diva-gations continuelles, je me rattache toujours : c'est vous, c'est Victor, c'est votre ménage et votre maison [3]... »

Elle se chargea de lui répondre, car Victor avait mal aux yeux, et son mari l'aida à rédiger une lettre. Il ne pensait nullement à être jaloux. Sainte-Beuve était *son* ami et le moins séduisant des hommes. Sainte-Beuve lui-même et Adèle se croyaient parfaite-ment chastes, mais le diable ne pouvait être bien loin le jour où Adèle s'arrangea pour que son ami, arrivant à trois heures, la trouvât occupée à se coiffer :

> Debout, tu dénouas tes cheveux rejetés ;
> J'allais sortir alors, mais tu me dis : « Restez ! »
> Et sous tes doigts pleuvant, la chevelure immense
> Exhalait jusqu'à moi des senteurs de semence.
> Armée ainsi du peigne, on eût dit à la voir
> Une jeune Immortelle avec un casque noir.

---

1. SAINTE-BEUVE : *Volupté,* t. I, p. 190.
2. SAINTE-BEUVE : *Correspondance générale,* t. I, p. 146.
3. *Opus cit.,* p. 149.

Telle tu m'apparus, d'un air de Desdémone,
Ô ma belle guerrière, et toute ta personne
Fut divine à mes yeux [1]...

Ce sont là jeux dangereux, même, et surtout pour une femme honnête. « L'émotion gagne, le trouble est contagieux ; chaque geste, chaque parole d'elle semble une faveur. On dirait que ses cheveux, négligemment amassés sur sa tête, vont se dénouer ces jours-là au moindre soupir et vous noyer le visage ; une volupté odorante s'exhale de sa personne comme d'une tige en fleur [2]... »

Le 1er janvier 1830, Sainte-Beuve vint rue Notre-Dame-des-Champs, apporter des jouets aux enfants et lire à ses amis la préface des *Consolations*. Elle était adressée à Victor Hugo et consacrée à l'amitié, qui doit être l'union des âmes en Dieu, car toute autre amitié est légère, trompeuse et bientôt épuisée. À travers le mari, plus d'une phrase sur les sentiments pieux et purs visait la femme. Deux des poèmes, très intimes de ton et assez beaux, étaient dédiés à Mme Victor Hugo. Hugo, confiant, n'y voyait point de mal et Sainte-Beuve était de bonne foi : « *Les Consolations* n'ont été pour moi qu'une saison morale, six mois célestes et fugitifs de ma vie [3]... » Oui, depuis six mois, il avait vécu un beau roman qu'il croyait innocent et il s'attendrissait sur lui-même : « Que n'ai-je eu de bonne heure un ange dans ma vie ? » Ah ! s'il avait, comme son ami, tenu près de soi une blanche beauté, on ne l'aurait pas vu « *sans but et sans pensée, — Tout droit, chaque matin, sortir tête baissée* » et rôder le long des murs, « *traînant honteusement son génie avorté* » ; on ne l'aurait pas vu, le soir, aller avec Musset dans les mauvais lieux et chercher en vain à oublier dans une débauche, d'ailleurs souvent manquée, car Sainte-Beuve n'était pas grand abatteur de bois, son amertume et sa mélancolie.

Le Jour de l'an 1830 marqua, hélas ! la fin de ces moments célestes et fugitifs. En janvier, le ménage Hugo vécut tumultueusement. La Comédie-Française répétait *Hernani* et les répétitions n'étaient qu'un long combat entre l'auteur et les interprètes. Certes,

1. SAINTE-BEUVE : *Livre d'Amour*, VIII, pp. 31-32.
2. SAINTE-BEUVE : *Volupté*, t. I, p. 108.
3. SAINTE-BEUVE : *Notes et Remarques*, publiées par Ch. Pierrot dans la *Table générale et analytique des « Causeries du Lundi »*, p. 44 de l'édition Garnier.

ceux-ci savaient la pièce attendue comme un événement littéraire ; certes, ce bel et jeune auteur leur apparaissait infiniment séduisant, « rayonnant de génie, phosphorescent de gloire ». Mais ils étaient effrayés par la familiarité du ton, par la violence des passions, par les morts en scène. La puissante Mlle Mars, tout en se montrant, aux répétitions, consciencieuse, infligeait chaque jour au poète quelque humiliation. Hugo, froid, calme, poli, sévère, observait cette irritante déesse. Sa colère montait, bien que contenue. Un jour, il jugea la mesure comble et pria Mlle Mars de rendre le rôle de Doña Sol. « Madame, lui dit-il, vous êtes une femme d'un grand talent, mais il y a une chose dont vous ne semblez pas vous douter et que, dans ce cas, je dois vous apprendre : c'est que, moi aussi, madame, je suis un homme de grand talent ; tenez-vous-le pour dit et traitez-moi en conséquence. » Il y avait quelque chose de militaire et de magistral dans la dignité de ce jeune homme. Mlle Mars s'inclina.

Victor Hugo, absorbé par ses répétitions, ne vivait plus guère chez lui. À ses amis, il écrivait : « Vous me savez obéré, écrasé, surchargé, étouffé. La Comédie-Française, *Hernani*, les répétitions, les rivalités de coulisses, d'acteurs, d'actrices, les menées de journaux et de police ; et puis, d'autre part, mes affaires privées toujours fort embrouillées : l'héritage de mon père non liquidé... nos sables de Sologne à vendre depuis vingt mois ; les maisons de Blois que notre belle-mère nous dispute... par conséquent rien ou peu de chose à recueillir dans les débris d'une grande fortune, sinon des procès et des chagrins. Voilà ma vie : le moyen d'être tout à ses amis quand on n'est pas même à soi [1]... »

Lui, qui s'était piqué de se montrer mari et père modèle, n'appartenait plus à sa famille. Il fallait à tout prix qu'*Hernani* réussît, car procès et démarches avaient absorbé les réserves du ménage. Adèle, dont la bourse était vide, se donnait tout entière, au côté de son mari, à cette campagne salvatrice. L'échec d'*Amy Robsart* leur avait enseigné le pouvoir des cabales et Hugo était bien résolu à faire occuper la Comédie-Française, le soir de la première, par ses propres troupes. Il n'en manquait point. L'ambition de tout jeune rapin était d'aller défendre, contre les perruques du classicisme, le plus grand poète de France. « N'était-il pas tout simple

---

1. **Victor Hugo** : *Correspondance*, t. I, p. 462.

d'opposer la jeunesse à la décrépitude, les crinières aux crânes chauves, l'enthousiasme à la routine, l'avenir au passé ? » Gérard de Nerval, chargé de recruter des légions, avait les poches pleines de petits carrés de papier rouge, timbrés d'une griffe mystérieuse : *Hierro.* C'était le cri des Almogavares : *Hierro despierta te !* (Fer, réveille-toi !)

Maintenant Sainte-Beuve, quand il arrivait à trois heures pour sa visite quotidienne, trouvait Mme Hugo entourée de garçons chevelus, penchés avec elle sur un plan de la salle. Les femmes ont le goût des héros et celle-ci s'intéressait à un combat duquel dépendait la gloire de l'époux et la fortune du ménage. Adèle n'avait que vingt-cinq ans ; secouée par ces jeunes enthousiastes, elle semblait soudain sortir de son habituelle rêverie. Naturellement, la jeune garde accueillait bien « le fidèle Achate », le lieutenant du maître. « Ah ! vous voilà, Sainte-Beuve, disait Adèle, bonjour ; asseyez-vous. Nous sommes dans le coup de feu, vous voyez [1]... » Il était exaspéré de ne plus la voir seule, jaloux de ces beaux jeunes gens et vaguement irrité contre Hugo, qui comptait sur lui, avec confiance, pour louer dans les journaux un drame dont, au fond de son cœur, Sainte-Beuve détestait la grandiloquence. Il sentait à la fois qu'il eût été incapable de la fougue torrentielle d'*Hernani,* ce qui l'humiliait, et qu'il n'aurait pas aimé à en être capable, ce qui le dressait contre toute l'entreprise. D'où sa mélancolie et son abattement à voir son nid d'adoption « si bruyant et si plein d'ordures. Quoi ? Plus de solitude avec des êtres si aimés ? Oh ! c'est triste, bien triste [2]... ! »

Une irritation, qui ne peut plus s'évaporer en confidences, augmente de pression jusqu'à l'éclat. Quelques jours avant la première, il écrivit à Hugo une lettre incroyablement dure, pour s'excuser de ne pas faire d'article sur *Hernani :*

> En vérité, à voir ce qui arrive depuis quelque temps, votre vie à jamais en proie à tous, votre loisir perdu, les redoublements de la haine, les vieilles et nobles amitiés qui s'en vont, les sots ou les fous qui les remplacent, à voir vos rides et vos nuages au front, qui ne viennent pas seulement

---

1.   Cf. Gustave Simon : *Le Roman de Sainte-Beuve,* p. 44.
2.   Lettre d'Ulric Guttinguer à Sainte-Beuve, citée par Henri Bremond dans *Le Roman et l'Histoire d'une Conversion,* pp. 103-104.

du travail des grandes pensées, je ne puis que m'affliger, regretter le passé, vous saluer du geste et m'aller cacher je ne sais où ; Bonaparte consul m'était bien plus sympathique que Napoléon empereur.

Il m'est impossible maintenant de penser cinq minutes à *Hernani* sans que toutes ces tristes idées ne s'élèvent en foule dans mon esprit ; sans penser à cette voie de luttes et de concessions éternelles où vous vous engagez, à votre chasteté lyrique compromise, à la tactique obligée qui va présider à toutes vos démarches, aux sales gens que vous devrez voir, auxquels il vous faudra serrer la main. Je ne vous dis pas tout ceci pour vous détourner, car les esprits comme les vôtres sont inébranlables, doivent l'être, car ils ont leur vocation marquée. Je ne vous le dis que pour moi, pour vous expliquer mon silence, non interprété, et mon inutilité...

Déchirez, oubliez tout ceci. Que cette lettre ne soit pas un souci de plus dans vos soucis sans nombre. Mais j'avais besoin de vous l'écrire, puisqu'on ne peut plus vous parler seul à seul et que votre foyer est comme dévasté. Votre inviolable et triste

SAINTE-BEUVE.

« Et Madame ? Et celle dont le *nom* ne devrait retentir sur votre lyre que quand on écouterait vos chants à genoux ; celle-là même, exposée aux yeux profanes tout le jour, distribuant des billets à plus de quatre-vingts jeunes gens à peine connus d'hier ; cette familiarité chaste et charmante, véritable prix de l'amitié, à jamais déflorée par la cohue ; le mot de *dévouement* prostitué, l'*utile* apprécié avant tout, les combinaisons matérielles l'emportant [1] ! ! !

Le post-scriptum est écrit en travers, dans la marge, d'une écriture furibonde. Cette folle explosion au sujet de *Madame* ressemblait à une scène d'amant jaloux et l'on est surpris que Victor Hugo l'ait supportée. Il ne pouvait plus guère avoir de doutes sur la nature des sentiments de Sainte-Beuve. Mais il était en pleine bataille et toute querelle avec son propre groupe l'eût affaibli. Les deux hommes continuèrent de travailler côte à côte. Sainte-Beuve,

---

1. SAINTE-BEUVE : *Correspondance générale,* t. I, pp. 179-180.

au nom de « son ami accablé d'occupations », envoyait des billets
de parterre aux admirateurs. Le jour de la première (25 février
1830), il vint avec Hugo, huit heures avant la représentation, surveiller l'entrée, dans la salle encore obscure, des fidèles. Le jeune
Théophile Gautier, qui commandait tout un peloton de billets
rouges, portait son fameux pourpoint rose, un pantalon vert d'eau
très pâle et un habit à revers de velours noir. Il s'agissait, par l'ex-
centricité du costume, d'horripiler les Philistins. Les loges se montraient avec horreur les singulières chevelures de l'école moderne,
cependant que les rapins, regardant les crânes chauves que l'école
classique étalait au balcon, criaient : « À la guillotine, les genoux ! » Ces écrivains, ces peintres, ces sculpteurs qui formaient
l'escadron de fer, n'étaient pas un « ramassis de truands sordides ».
Entassés dans tous les coins où aurait pu se cacher un siffleur, ils
voulaient être les défenseurs de l'art libre. Leurs ardeurs étaient
signes de vigueur. C'était une belle époque, enthousiaste et fou-
gueuse, où royalistes et libéraux, romantiques et classiques s'af-
frontaient au théâtre en attendant de se battre sur les barricades.

Enfin les trois coups. Dès le premier vers, la querelle fut engagée. « *L'escalier — Dérobé* », le : « *Quelle heure est-il ? — Minuit
bientôt* », tout choquait les uns, enivrait les autres. Sans la terreur
qu'inspiraient les bandes de Hugo, les murmures des mécontents
fussent devenus des protestations bruyantes. Deux armées s'obser-
vaient. « *Oui, de ta suite, ô roi ! de ta suite j'en suis* » devenait
« pour l'immense tribu des *glabres* le prétexte des plus insupporta-
bles scies ». Mais les chevaliers hernaniens ne permettaient pas un
mouvement, un geste, un son qui ne fussent d'admiration et d'enthousiasme. Sur la place du Théâtre-Français, pendant un entracte,
l'éditeur Mame avait offert cinq mille francs à Hugo [1] pour le droit
de publier la pièce. « Vous ne savez pas ce que vous achetez ! Le
succès peut décroître. — Mais il peut augmenter. Au second acte,
je pensais vous offrir deux mille francs ; au troisième, quatre mille ;
je vous en offre cinq mille... Après le cinquième, j'aurais peur de
vous en offrir dix mille [2]. » Hugo hésitait. Mame lui tendit les cinq

---

1. Le « témoin » du *Victor Hugo raconté* (dont le livre fut écrit plus de
trente années après la bataille d'*Hernani*) dit six mille francs ; mais le traité
cinq mille.
2. *Victor Hugo raconté par un témoin de sa vie*, t. II, p. 316.

billets de mille francs. À ce moment, il n'y avait plus que cinquante francs rue Notre-Dame-des-Champs. Hugo prit les billets de banque.

Quand déferla l'ovation finale, « toute la salle se tourna vers un ravissant visage de femme, encore pâle de la préoccupation du matin et de l'émotion du soir ; le triomphe de l'auteur se réfléchit dans la plus chère moitié de lui-même [1] ».

À la sortie, les rédacteurs du *Globe* se réunirent à l'imprimerie du journal. Sainte-Beuve était présent, avec Charles Magnin qui devait faire l'article. « On discutait, on admirait, on faisait des réserves ; il y avait, dans la joie même du triomphe, bien du mélange et quelque étonnement. Jusqu'à quel point *Le Globe* s'engagerait-il ? Prendrait-il fait et cause pour le succès d'une œuvre dans laquelle il ne reconnaissait, après tout, qu'une moitié de ses théories ? On hésitait ; je n'étais pas sans anxiété quand, d'un bout à l'autre de la salle, un des spirituels rédacteurs (qui a été depuis ministre des Finances, et qui n'était autre que M. Duchâtel) cria : « Allons, Magnin ! Lâchez l'*admirable* [2] ! » *Le Globe* publia donc un bulletin de victoire. En revanche, *Le National* fut hostile et se plaignit des amis de l'auteur, « qui n'avaient su garder ni mesure, ni décence ». Il fallut recommander, aux fidèles de service, de ne plus applaudir sur les joues de leurs voisins. Les représentations suivantes furent organisées par Hugo avec le même soin. L'opposition se manifestait toujours aux mêmes vers. Émile Deschamps conseillait de supprimer : *Vieillard stupide, il l'aime !*

Journal de Joanny (créateur du rôle de Ruy Gomez) : « Une cabale acharnée. Les dames du haut parage s'en mêlent... Grande foule et toujours le même bruit ; cela n'est amusant que pour la caisse... — *5 mars 1830* : La salle est remplie et les sifflets redoublent d'acharnement ; il y a dans ceci quelque chose qui implique contradiction. Si la pièce est si mauvaise, pourquoi y vient-on ? Si l'on y vient avec tant d'empressement, pourquoi la siffle-t-on [3]... » *Journal de l'académicien Viennet :* « Tissu d'invraisemblances, de niaiseries et d'absurdités... Voilà ce qu'une faction littéraire prétend

1. Cité par ERNEST DUPUY dans *La Jeunesse des Romantiques*, p. 86.
2. SAINTE-BEUVE : *Nouveaux Lundis*, t. V, p. 456.
3. Bibliothèque de l'Arsenal, fonds Rondel. — Passage reproduit en fac-similé dans le numéro spécial d'*Arts et Métiers graphiques* consacré à Victor Hugo, numéro du 1er juin 1935.

substituer à *Athalie* et à *Mérope*... sous le patronage mystérieux d'un baron Taylor, qui a été jadis introduit dans cette pétaudière par le ministre Corbière, avec mission de détruire la scène française [1]... »

Les recettes dépassaient toutes prévisions. *Hernani* renfloua le jeune ménage. Les billets de mille francs, jusqu'alors si rares en cette maison, s'entassèrent dans le tiroir d'Adèle. Victor, triomphant, s'accoutumait à l'adoration. « Il a des accès de fureur pour un mauvais article », dit Turquety. « Il se considère comme investi d'une dignité officielle. Croiriez-vous que, pour quelques mots défavorables dans un article de *La Quotidienne,* il a menacé de faire périr le critique sous le bâton ? Sainte-Beuve brandissait une clef, en prononçant des invectives... »

> *Sainte-Beuve à Adolphe de Saint-Valry, 8 mars 1830 :*
> « Mon cher Saint-Valry, — Nous voici, ce soir, à la septième d'*Hernani* et la chose commence à devenir claire ; elle ne l'a pas toujours été. Les trois premières représentations, soutenues par les amis et le public romantique, se sont très bien passées ; la quatrième a été orageuse, quoique la victoire soit restée aux braves ; la cinquième, mi-bien, mi-mal ; les cabaleurs assez contenus ; le public indifférent, assez ricaneur, mais se laissant prendre à la fin. Les recettes sont excellentes et, avec un peu d'aide encore de la part des amis, le cap de Bonne-Espérance est décidément doublé ; voilà le bulletin. Victor, au milieu de tout cela, calme, l'œil sur l'avenir, cherchant jour dans son temps pour faire une autre pièce, véritable César ou Napoléon, *nil actum reputans,* etc. La pièce est imprimée demain ; il a fait un très bon marché avec le libraire : quinze mille francs ; trois éditions, de deux mille exemplaires chacune, et pour un temps déterminé. Nous sommes tous sur les dents, car il n'y a guère de troupes fraîches pour chaque nouvelle bataille et il faut toujours donner, comme dans cette campagne de 1814 [2]... »

C'était d'un loyal lieutenant, et pourtant Sainte-Beuve avait la rage au cœur. Il venait d'apprendre que les Hugo allaient démé-

---

1. Cf. VIENNET : *Les Romantiques jugés par un Classique.* — *Revue des Deux Mondes,* numéro du 1er juillet 1929, pp. 134 et 141.
2. SAINTE-BEUVE : *Correspondance générale,* t. I, pp. 181-182.

nager en mai pour aller vivre dans l'unique maison de la nouvelle rue Jean-Goujon. Le propriétaire de la rue Notre-Dame-des-Champs, effrayé par les rapins hirsutes et débraillés d'*Hernani,* avait donné congé ; mais le comte de Mortemart leur louait le second étage de l'hôtel qu'il venait de faire bâtir. Leur fortune toute neuve leur permettait les Champs-Élysées. Adèle attendait son cinquième enfant et Hugo n'était pas fâché de l'éloigner de Sainte-Beuve. Finies, les douces visites quotidiennes. Et, d'ailleurs, demeureraient-elles possibles ? Le mélange de haine et d'admiration que Joseph Delorme éprouvait à l'égard de Hugo devenait irrespirable. Il savait maintenant qu'il aimait Adèle, non d'amitié, mais d'amour. Certains pensent qu'il s'ouvrit alors de ses scrupules à Victor Hugo et que celui-ci avertit sa femme ; d'autres, que la scène ne prit place que plus tard. Qu'elle ait eu lieu paraît certain ; Sainte-Beuve l'a utilisée dans *Volupté.* Que Hugo, dès le mois de mai 1830, ait de graves raisons d'amertume apparaît dans les vers qu'il composait en ce temps. Pourtant à Sainte-Beuve, qui séjournait à Rouen chez son ami Guttinguer, il écrivait aussi tendrement que jamais : « Si vous saviez, vous, combien vous nous avez manqué dans ces derniers temps ! combien il y a eu de vide et de tristesse pour nous, même en famille comme nous vivons, même au milieu de nos enfants, à emménager ainsi sans vous dans cette déserte ville de François Ier ! comme, à chaque instant, vos conseils, votre concours, vos soins nous manquaient, et, le soir, votre conversation, et toujours votre amitié ! C'est fini. L'habitude est prise dans le cœur. Vous n'aurez plus désormais, j'espère, la mauvaise volonté de nous quitter, de nous déserter ainsi [1]... » Mais en ce même mois de mai, il composait des poèmes désenchantés, bien différents des triomphantes *Orientales.* Relisant ses *Lettres à la Fiancée,* il méditait tristement sur le temps où « *l'espérance en chantant le berçait de mensonges* » :

> Ô mes lettres d'amour, de vertu, de jeunesse,
> C'est donc vous ! Je m'enivre encore à votre ivresse ;
>   Je vous lis à genoux.
> Souffrez que, pour un jour, je reprenne votre âge.
> Laissez-moi me cacher, moi, l'heureux et le sage,
>   Pour pleurer avec vous...

---

1. Victor Hugo : *Correspondance,* t. I, p. 472.

> Oh ! quand ce doux passé, quand cet âge sans tache,
> Avec sa robe blanche où notre amour s'attache,
>   Revient dans nos chemins,
> On s'y suspend, et puis que de larmes amères
> Sur les lambeaux flétris de vos jeunes chimères
>   Qui vous restent aux mains [1] !...

Adèle pleurait beaucoup et son époux le remarquait avec douleur :

> Oh ! pourquoi te cacher ? Tu pleurais seule ici.
> Devant tes yeux rêveurs, qui donc passait ainsi ?
>   Quelle ombre flottait dans ton âme ?
> Était-ce long regret ou noir pressentiment ?
> Ou jeunes souvenirs, dans le passé dormant ?
>   Ou vague faiblesse de femme [2] ?

Sainte-Beuve, lui, était à Rouen, chez le romanesque Ulric Guttinguer, parmi les hortensias et les rhododendrons, et lui faisait avec une orgueilleuse indiscrétion, confidence de son amour pour Adèle. Le confesseur se confessait et Guttinguer, qui passait, dans le clan romantique, pour grand expert en amour, encourageait bien qu'il se dît l'ami de Hugo, ces coupables pensées. Ce séjour fut malsain pour Sainte-Beuve ; le don-juanisme est contagieux. Revenu à Paris, il revit les Hugo, mais avec gêne. *Sainte-Beuve à Victor Hugo, 31 mai 1830 :* « Je veux vous écrire, car hier nous étions si tristes, si froids, nous nous sommes si mal quittés que tout cela m'a fait bien du mal ; j'en ai souffert tout le soir en revenant et la nuit ; je me suis dit qu'il était impossible de vous voir souvent à ce prix, puisque je ne pouvais vous voir toujours : qu'avons-nous en effet à nous dire, à nous raconter ? Rien, puisque nous ne pouvons tout mettre en commun comme avant... Croyez bien que, si je ne vais pas là-bas, je ne vous en aimerai pas moins, vous et Madame, qu'auparavant [3]... »

> *Sainte-Beuve à Victor Hugo, 5 juillet 1830 :* « Oh ! ne me blâmez pas, mon cher grand ami ; gardez-moi, vous au moins, un souvenir, un, entier, aussi vif que jamais, impé-

---

1. VICTOR HUGO : *Les Feuilles d'Automne*, XIV, pp. 52-53.
2. VICTOR HUGO : *Les Feuilles d'Automne*, XVII, p. 58.
3. SAINTE-BEUVE : *Correspondance générale*, t. I, p. 194.

rissable, sur lequel je compte dans mon amertume. J'ai d'affreuses, de mauvaises pensées ; des haines, des jalousies, de la misanthropie ; je ne puis plus pleurer ; j'analyse tout avec perfidie et une secrète aigreur. Quand on est ainsi, il faut se cacher, tâcher de s'apaiser ; laisser déposer son fiel sans trop remuer la vase ; s'accuser devant soi-même, devant un ami comme vous, ainsi que je le fais en ce moment. Ne me répondez pas, mon ami ; ne m'invitez pas à vous aller voir ; je ne pourrais. Dites à Mme Hugo qu'elle me plaigne et prie pour moi [1]... »

Sincérité ou stratégie ? Mélange, sans doute, des deux. Il avait trop admiré et aimé Hugo, il le voyait trop généreux envers lui pour avoir oublié si vite cette affection. Mais il était vrai aussi que, par moments, il le haïssait et cherchait alors des raisons de le haïr d'autant plus qu'il l'avait plus aimé. Pour se consoler des puissances de Hugo, il les appelait, dans le secret de ses carnets, des puissances « à la fois puériles et titaniques ». Il lui reprochait de ne comprendre, parmi les ordres grecs, que « le cyclopéen » et le représentait en Polyphème, jetant au hasard ses monstrueux quartiers de rocs. Il notait que, dans *Le Dernier Jour d'un Condamné,* Hugo avait « prêché la miséricorde avec arrogance ». Bref, il le trouvait pesant, accablant, un Goth revenu d'Espagne. « Hugo était un jeune roi barbare. Au temps des *Consolations,* j'ai tenté de le civiliser, j'q ai peu réussi. » Il concluait : « Fi du Cyclope [2] ! » Puis, essayant d'établir un parallèle entre le rival et lui-même : « Hugo a de la grandeur et aussi de la grossièreté ; Sainte-Beuve a de la finesse et aussi de la témérité [3]. » Il aurait pu ajouter : Hugo a du génie, Sainte-Beuve a du talent.

---

1. SAINTE-BEUVE : *Correspondance générale,* t. I, p. 197-198.
2. SAINTE-BEUVE : *Mes Poisons,* pp. 37-39.
3. Inédit.

IV

LES ODES SE SUIVENT...

Après tout, c'est une monarchie tombée ; il
en tombera bien d'autres.

CHATEAUBRIAND.

L E 21 juillet 1830, Juste Olivier, jeune Suisse, fou de littérature
introduit par Vigny et Sainte-Beuve, entra au numéro 9 de
la rue Jean-Goujon et sonna au second étage. Une servante
lui dit : « Si vous voulez passer dans le cabinet de monsieur... »
Il y vit des médaillons de David d'Angers, des lithographies de
Boulanger : sorciers et fantômes, vampires et massacres. La fenêtre
du cabinet donnait sur des jardins, des arbres ; au loin, le dôme
des Invalides. Enfin parut Victor Hugo. Olivier expliqua qu'il était
le jeune homme envoyé par Sainte-Beuve. Hugo, d'abord, parut
ne rien savoir, puis dit : « Cela m'était sorti de la tête. » On parla
de Chillon, de Genève, de vieilles maisons. Une dame parut, grande
et belle personne, très enceinte, et deux enfants, dont une fille que
le poète appela : « mon petit chat », charmante, avec une figure
brûlée et expressive. C'était Léopoldine, dite Didine, dite Poupée.
Le visiteur trouva que Hugo ne ressemblait pas à ses portraits.
Cheveux noirs (en fait, il était devenu châtain), « un peu du genre
humide », avec un pli étrange. Front grand, blanc et pur, mais
non immense, les yeux bruns et vifs, l'expression gracieuse et naturelle. Redingote et cravate noires ; chemise et bas blancs [1].

Le soir, Olivier, chez Vigny, parla de sa visite. Il dit qu'il avait
trouvé Hugo plus mince que son portrait. « Oh ! si, dit Sainte-
Beuve, acide, il a de l'embonpoint. » Puis on parla d'*Hernani*, où

---

1. Cf. JUSTE OLIVIER : *Paris en 1830,* pp. 188-197.

les acteurs, livrés à eux-mêmes, changeaient tout. Dans le monologue de Charles Quint, au lieu de : « *Ces deux moitiés de Dieu :
le Pape et l'Empereur* », Michelot disait : « *Ces deux moitiés du
monde : le peuple et l'Empereur* », ce qui faisait un vers faux.
« Maintenant, constatait naïvement le public, l'ouvrage n'est plus
si absurde. » Et tous les confrères de rire. Sainte-Beuve raconta
comment Firmin esquivait le : « *Oui, de ta suite, ô roi ! de ta
suite, j'en suis !* » Il disait : « *...de ta suite* », se démenait, courait
sur le théâtre, puis revenait à l'avant-scène pour ajouter clandes-
tinement : « *J'en suis.* » Certains vers étaient encore sifflés, et Va-
cher, le chef de claque du Théâtre-Français, affirmait : « Avec six
hommes de plus sur la gauche, je sauverais encore celui-là ! »
Bref, une conversation de Paris, où l'on déchire les maîtres et les
amis, par jeux de fauves qui se font les griffes.

Le jeune Suisse sortit avec Sainte-Beuve et l'accompagna. Il
trouva un homme bavard et atrabilaire. « Une époque mortelle,
dit Sainte-Beuve. Il faudrait la retraite, de la fortune, des distractions pour oublier. On ne se tue pas parce que c'est une absurdité
de se tuer. Mais la vie !... Je crois que le mieux serait de se retirer
à la campagne, d'aller à la messe, de faire tranquillement ses pâ-
ques... — M. Hugo est-il convaincu ? — Oh ! Victor Hugo est un
homme qui n'est pas tourmenté de ces choses-là. Il a continuelle-
ment de si grandes, de si pures, de si délicates jouissances que lui
procure son talent ! Ce qu'il fait est si beau, si parfait ! Il est tellement abondant !... Il vit content dans sa famille. Il est gai, —
peut-être trop gai. C'est un homme heureux [1]... » Il faut remarquer
que cet homme « *heureux* » venait d'écrire, sur le bonheur, un
poème résigné, sombre et désenchanté [2]. Mais Sainte-Beuve ne
voyait plus guère les Hugo ; sa chaise, chez eux, demeurait vide,
et le critique du *Globe,* avant la fin du mois, repartit pour Rouen.

Le 25 juillet 1830, les folles ordonnances de Polignac contre
les libertés indignèrent Paris. « Encore un gouvernement, dit Chateaubriand, qui se jette du haut des tours de Notre-Dame. » Le
27, des barricades s'élevèrent. Gustave Planche, qui était venu voir
les Hugo, offrit à Didine de l'emmener prendre une glace au Palais-

---

1. JUSTE OLIVIER : *Paris en 1830,* p. 211.
2. VICTOR HUGO : *Où donc est le bonheur ?* (*Les Feuilles d'Automne,*
XVIII, pp. 61-62).

Royal ; il avait un cabriolet, mais ils rencontrèrent tant de rassemblements et de soldats que Planche eut peur pour l'enfant et la ramena chez elle. Le 28, il y avait 32 degrés à l'ombre. Les Champs-Élysées, morne plaine abandonnée en temps ordinaire aux maraîchers, se couvrirent de troupes. On était, dans ce quartier lointain, isolé de tout et sans nouvelles. Des balles sifflèrent dans le jardin. Adèle avait, la nuit précédente, mis au monde une seconde Adèle, grasse et joufflue. On entendait au loin la canonnade. Le 29, un drapeau tricolore monta sur les Tuileries. Que faire ? La République ? La Fayette, qui aurait pu la présider, craignait les responsabilités autant qu'il aimait la popularité. Il mit le drapeau républicain dans la main du duc d'Orléans. Il n'y avait plus de roi de France ; il y avait un roi des Français. Les nuances l'emportent souvent sur les principes.

Victor Hugo accepta tout de suite le nouveau régime. Depuis l'interdiction de *Marion de Lorme,* il était en froid avec le Château, mais ne croyait pas la France mûre pour une république. « Il nous faut la chose république et le mot monarchie », disait-il [1]. À la violence, il était hostile ; sa mère lui avait décrit les côtés sordides de toute émeute. « Ne nous adressons plus aux chirurgiens, mais aux médecins. » Bientôt il fut choqué par les profiteurs de la révolution, chercheurs et donneurs de places : « C'est pitié de voir tous ces gens qui mettent une cocarde tricolore à leur marmite. » Malgré tant d'odes sur la famille détrônée, il n'avait rien à craindre pour lui-même. Ne venait-il pas de faire une révolution littéraire avec cette même jeunesse qui acclamait Chateaubriand au pied des barricades ? « Les révolutions, comme les loups, ne se mangent pas entre elles. » Il s'inclinait devant le roi déchu. « *Oh ! laissez-moi pleurer sur cette race morte — Que rapporta l'exil et que l'exil remporte* [2]. » Il acceptait la monarchie de Juillet ; il lui restait à s'en faire accepter. Il prit le virage avec une habileté parfaite ; avec odes, mais sans palinodies.

Son ode à la Jeune France fut beaucoup meilleure, littérairement, que ses odes légitimistes de jadis, ce qui était un indice de sincérité :

    1. VICTOR HUGO : *Journal des Idées et des Opinions d'un Révolutionnaire de 1830 (Littérature et Philosophie mêlées,* t. I, p. 87).
    2. VICTOR HUGO : *Dicté après Juillet 1830 (Les Chants du Crépuscule,* p. 190).

Frères ! et vous aussi, vous avez vos journées !
Vos victoires, de chêne et de fleurs couronnées,
Vos civiques lauriers, vos morts ensevelis,
Vos triomphes, si beaux à l'aube de la vie,
Vos jeunes étendards, troués à faire envie
    À de vieux drapeaux d'Austerlitz !

Soyez fiers ! Vous avez fait autant que vos pères,
Les droits d'un peuple entier, conquis par tant de guerres,
Vous les avez tirés tout vivants du linceul.
Juillet vous a donné, pour sauver vos familles,
Trois de ces beaux soleils qui brûlent les bastilles :
    Vos pères n'en ont eu qu'un seul [1] !

Il souhaitait que ce poème parût dans *Le Globe,* journal libéral.
Sainte-Beuve, revenu de Normandie, négocia cette conversion. Hugo était allé le voir à l'imprimerie du journal, pour lui demander d'être le parrain de sa fille. Sainte-Beuve avait hésité, puis accepté sur l'assurance qu'Adèle le souhaitait. Ce fut lui qui pilota l'ode « à travers les passes encore étroites du libéralisme triomphant ». Il avait écrit, pour la publication dans *Le Globe,* un « chapeau » généreux : « Il a su concilier dans une mesure parfaite, disait-il de Victor Hugo, les élans de son patriotisme avec ces convenances dues au malheur ; il est resté citoyen de la nouvelle France, sans rougir des souvenirs de l'ancienne [2]... » C'était bien dit et adroitement manœuvré. Aussi Sainte-Beuve était-il assez content de soi. « Je revendiquais le poète au nom du régime qui s'inaugurait, au nom de la France nouvelle. Je le déroyalisais [3]... »

Hugo, lui, se sentait tout à fait à l'aise dans ce nouveau rôle, qu'il avait d'ailleurs commencé de jouer avec l'*Ode à la Colonne :* « Mauvais éloge d'un homme, écrivait-il, que de dire : son opinion politique n'a pas varié depuis quarante ans... C'est louer une eau d'être stagnante, un arbre d'être mort [4]... » Au journal du *Jeune Jacobite de 1819* succédait celui d'un *Révolutionnaire de 1830.*

---

1. VICTOR HUGO : *Dicté après Juillet 1830* (*Les Chants du Crépuscule,* p. 185).
2. *Historique des « Chants du Crépuscule »,* p. 325.
3. SAINTE-BEUVE : *Nouveaux Lundis,* t. XIII, p. 10.
4. VICTOR HUGO : *Journal des idées et des opinions d'un révolutionnaire de 1830* (*Littérature et philosophie mêlées,* t. I, p. 87).

« Il faut quelquefois violer les chartes pour leur faire des enfants. »
Tout allait bien pour lui. Il était garde national au 4ᵉ bataillon
de la 1ʳᵉ légion, et secrétaire du Conseil de discipline, ce qui ne
comportait pas de tour de garde. Sa pièce jouée, son adhésion
acceptée, il pouvait enfin se remettre à *Notre-Dame de Paris*.

Besogne urgente. L'éditeur Gosselin, qui avait été celui des
Orientales, possédait un traité lui promettant le livre pour 1829.
Or Gosselin avait été, une première fois, mal traité par Hugo pour
avoir suggéré un changement au *Dernier Jour d'un Condamné,*
puis fort mal reçu par Mme Hugo quand, au lendemain d'*Hernani*,
il était venu rue Notre-Dame-des-Champs pour acquérir le droit
de publication de la pièce. Adèle, très infante espagnole, jetant à
Gosselin « un regard d'épervier », lui avait raconté avec hauteur
l'histoire de Mame et des cinq mille francs. Gosselin, justement
exaspéré, avait exigé la livraison de *Notre-Dame de Paris,* sous
menace d'astreintes de mille francs par semaine de retard. Hugo
allait donc se mettre au travail quand avait éclaté la révolution
de Juillet. Nouveau sursis, jusqu'en février 1831. Mais, cette fois,
il n'y avait plus de délai à espérer. Victor Hugo « s'acheta une
bouteille d'encre et un gros tricot de laine grise qui l'enveloppait
du cou à l'orteil, mit ses habits sous clef pour n'avoir pas la tentation de sortir et entra dans son roman comme dans une prison [1]... ».

Comme il ne quittait plus sa table de travail, Adèle se trouva
de nouveau très seule. Tentation accablante pour Sainte-Beuve, qui
se confessait à la ronde. *À Victor Pavie, 17 septembre 1830 :* « Allez, mon ami, priez pour moi et aimez-moi un peu, car je souffre
d'horribles douleurs à l'âme ; toute ma poésie refoulée, tout mon
amour sans issue s'y aigrissent et me dévorent. Je suis redevenu
méchant [2]... ». Il y a quelque avantage à se dire méchant ; c'est
s'autoriser à l'être. Au *Globe,* on se querellait ferme ; Dubois voulait éliminer Pierre Leroux, dont les divagations saint-simoniennes
l'ennuyaient. Sainte-Beuve montrait pour Leroux les surprenantes
faiblesses des sceptiques pour les illuminés ; d'où un soufflet de
Dubois à Sainte-Beuve et un duel de celui-ci avec son ancien maître. Point de victimes, mais Mme Hugo laissa percer une inquiétude
excessive. Sainte-Beuve, qui l'avait revue au baptême de la petite

---

1. *Victor Hugo raconté par un témoin de sa vie,* t. II, p. 345.
2. Sainte-Beuve : *Correspondance générale,* t. I, p. 203.

Adèle, usait, pour lui indiquer l'état de son cœur, du même procédé que jadis le fiancé au temps du *Conservateur littéraire*. Ayant à écrire un article sur la correspondance de Diderot avec Mlle Volland, il en cita de beaux extraits destinés à la bien-aimée :

> Faisons en sorte, mon amie, que notre vie soit sans mensonge ; plus je vous estimerai, plus vous me serez chère ; plus je vous montrerai de vertus, plus vous m'aimerez... Au milieu de cela, j'envoie quelquefois ma pensée aux lieux où vous êtes et je me distrais. Avec vous, je sens, j'aime, j'écoute, je regarde, je caresse, j'ai une sorte d'existence que je préfère à toute autre. Il y a quatre ans que vous me parûtes belle ; aujourd'hui je vous trouve plus belle encore ; c'est la magie de la constance, la plus difficile et la plus rare de nos vertus... Oh ! mon amie, ne faisons point de mal ; aimons-nous pour nous rendre meilleurs ; soyons-nous, comme nous l'avons toujours été, censeurs fidèles l'un à l'autre [1]...

Adroite combinaison d'adoration et de respect. Puis, le 4 novembre 1830, dans un autre article, à propos d'une réimpression de *Joseph Delorme,* il fit une fois de plus, sous le nom de ce pauvre diable, de l'auto-pitié : « Il était gauche, timide, gueux et fier. Il s'acharnait à ses maux et se les racontait à lui-même, sans pudeur. » Sainte-Beuve annonçait la gloire future de ses amis : Hugo, Vigny. « Quant à ce pauvre Joseph, il ne verra rien de tout cela ; il n'était pas de force, d'ailleurs, à traverser ces diverses crises ; il s'était trop amolli dans ses propres larmes [2]... » Bref, le lecteur apprenait que Delorme, comme Chatterton, s'était tué. Ce suicide par procuration bouleversa Victor Hugo qui, abandonnant pour un jour *Notre-Dame de Paris,* écrivit à son ami une lettre tendre et bonne :

> *Victor Hugo à Sainte-Beuve, 4 novembre 1830 :* « Je viens de lire votre article sur vous-même et j'en ai pleuré. De grâce, mon ami, je vous en conjure, ne vous abandonnez pas ainsi. Songez aux amis que vous avez, à un surtout, à celui qui vous écrit ici. Vous savez ce que vous êtes pour lui, quelle confiance il a en vous pour le passé comme pour l'avenir. Vous savez que votre bonheur empoisonné empoisonne à ja-

---

1. Sainte-Beuve : *Premiers Lundis,* t. I, p. 378.
2. *Opus cit.,* t. I, pp. 409 et 412.

mais le sien, parce qu'il a besoin de vous savoir heureux. Ne vous découragez donc pas. Ne faites pas fi de ce qui vous fait grand, de votre génie, de votre vie, de votre vertu. Songez que vous nous appartenez et qu'il y a ici deux cœurs dont vous êtes toujours le plus constant et le plus cher entretien... Venez nous voir [1]... »

Sainte-Beuve alla remercier Hugo, qui lui parla fraternellement et le conjura de renoncer à un amour qui ruinait deux amitiés. Victor Hugo, comme George Sand, comme tous les romantiques, respectait « les droits de la passion ». Sans doute pensait-il de Sainte-Beuve, comme Don Ruy Gomez d'Hernani ; « *Voilà donc le paiement de l'hospitalité !* » Mais il aurait eu horreur de distribuer à un autre le rôle du héros magnanime et d'accepter celui du mari jaloux. Il offrit à Sainte-Beuve de laisser Adèle choisir entre les deux hommes et se crut, de bonne foi, sublime. Cela eût fait une belle scène pour un de ses drames, mais, malgré une réelle grandeur, Hugo, en l'occurrence, avait été maladroit. Comment Sainte-Beuve, si épris qu'il fût, eût-il accepté ? Adèle avait, de son mari, quatre enfants ; Sainte-Beuve gagnait à peine sa propre vie. Il eut l'impression que l'offre était plus cruelle que généreuse. Les attitudes nobles réduisent l'interlocuteur au silence ; elles ne le transforment pas. Dans le roman où il décrit cette scène, Sainte-Beuve fait dire par Amaury : « J'étais trop mal à l'aise après une pareille scène, trop ému par cette tendresse de l'homme fort pour y répondre au long ; j'aurais craint d'ailleurs, en levant les yeux, de surprendre une rougeur à sa sévère et chaste joue. Je lui serrai vite la main, en murmurant que je m'abandonnais à lui, et nous changeâmes de sujet [2]... »

Sainte-Beuve avait promis de faire effort pour oublier et de revenir, comme par le passé, mais il était parti humilié et, le 7 décembre, il écrivit une lettre déchirante :

Sainte-Beuve à Victor Hugo : « Mon ami, je n'y puis tenir. Si vous saviez comment mes jours et mes nuits se passent et à quelles passions contradictoires je suis en proie, vous auriez pitié de qui vous a offensé et vous me souhaiteriez

---

1.   Collection Spoelberch de Lovenjoul, D. 588, f° 26.
2.   SAINTE-BEUVE : *Volupté,* t. I, p. 321.

mort, sans me blâmer jamais et en gardant sur moi un éternel silence... Il y a en moi du désespoir, voyez-vous, de la rage ; des envies de vous tuer, de vous assassiner par moments, en vérité ; pardonnez-moi ces horribles mouvements. Mais pensez à ceci, vous que tant de pensées remplissent, pensez au vide que laisse une telle amitié ! — Quoi ? Pour jamais perdus ! — Je ne puis plus aller vous voir ; je ne remettrai plus les pieds sur votre seuil ; c'est impossible ; mais ce n'est pas indifférence, au moins... Si je ne vous vois plus désormais, c'est que des amitiés comme celle qui était entre nous ne se tempèrent pas ; elles vivent ou on les tue. Que ferais-je désormais à votre foyer quand j'ai mérité votre défiance, quand le soupçon se glisse entre nous, quand votre surveillance est inquiète et que Mme Hugo ne peut avoir effleuré mon regard sans avoir consulté le vôtre ? Il faut bien se retirer alors et c'est une religion de s'abstenir [1]... »

Hugo répondit le lendemain, avec douceur : « Soyons indulgents l'un pour l'autre, mon ami. J'ai ma plaie ; vous avez la vôtre ; l'ébranlement douloureux se passera. Le temps cicatrisera tout ; espérons qu'un jour nous ne trouverons dans tout ceci que des raisons de nous aimer mieux. Ma femme a lu votre lettre. Venez me voir souvent. Écrivez-moi toujours [2]... » Mais il disait : « Venez *me* voir », non : « Venez *nous* voir », et Sainte-Beuve ne vint pas [3]. Cependant Hugo avait raconté à sa femme la conversation tragique, l'offre faite à Sainte-Beuve et le défi non relevé. Il lui montra aussi les lettres échangées en décembre. Ce n'était pas d'un bon connaisseur d'âmes. Comment n'eût-elle pas été émue par les accents fiévreux de cette douleur ? Comment n'aurait-elle pas regretté son ami, son confident, qu'elle croyait aussi avoir été son converti ? Comment penser qu'elle n'excuserait pas bien plutôt Sainte-Beuve d'avoir repoussé une offre, évidemment absurde, que son mari d'avoir admis l'idée de la perdre ? Mais tout cela demeurait encore caché dans cette petite tête fière et embrumée.

Le 1er janvier, Sainte-Beuve envoya des jouets aux enfants et reçut de Hugo un billet : « Vous avez été bien bon pour mes petits

---

1. SAINTE-BEUVE : *Correspondance générale*, t. I, pp. 209-210.
2. Collection Spoelberch de Lovenjoul, D. 588, f° 28.
3. Cf. ANDRÉ BILLY : *Sainte-Beuve*, t. I, p. 126.

enfants, mon ami. Nous avons besoin de vous remercier, ma femme et moi. Venez donc dîner avec nous après-demain mardi. 1830 est passé ! Votre ami, VICTOR [1]. » Il n'y eut point de réponse.

Sainte-Beuve essayait alors de s'étourdir en caressant un système politico-religieux : le saint-simonisme. « J'avais, écrit-il, le cœur malade, le cœur souffrant, en proie à la passion, et, pour me distraire, je jouais à tous les jeux de l'esprit [2]... » Hugo s'était remis à *Notre-Dame de Paris*. Adèle, abandonnée, rêvait.

---

1. Collection Spoelberch de Lovenjoul, D. 588, f° 34. Ce billet n'est pas imprimé dans la *Correspondance* de Victor Hugo. Il n'est pas reproduit non plus dans les *addenda* du tome IV, publié en 1952.

2. SAINTE-BEUVE : *Portraits contemporains*, t. I, p. 173 de l'édition Garnier.

V

ANANKÈ

Notre-Dame est bien vieille ; on la verra peut-être
Enterrer cependant Paris, qui la vit naître...

GÉRARD DE NERVAL.

A U DÉBUT de janvier 1831, Hugo termina *Notre-Dame de Paris*.
Il avait écrit, en six mois, ce long roman ; il l'avait achevé
dans l'ultime délai fixé par Gosselin. À la vérité, il s'agissait
seulement d'écriture et de composition ; les documents avaient été
assemblés en trois ans. Histoires, chroniques, chartes, inventaires,
Hugo avait beaucoup lu. Il avait exploré le Paris de Louis XI et
vu ce qui restait de ses vieilles maisons. Surtout il connaissait à
fond la cathédrale : ses escaliers en spirale, ses mystérieuses cham-
brettes de pierre, ses inscriptions anciennes et modernes. De ce
roman, espérait-il, tout serait historiquement exact : le décor, les
êtres, le langage. « Au reste, ce n'est pas là ce qui importe dans le
livre. S'il a un mérite, c'est d'être œuvre d'imagination, de caprice
et de fantaisie [1]... » En fait, si l'érudition était réelle, les personnages apparaissaient surréels. L'archidiacre, Claude Frollo, était
un monstre ; Quasimodo, un de ces nains hideux à grosse tête dont
fourmillait l'imagination hugolienne ; la Esmeralda, une gracieuse
vision plutôt qu'une femme.

Pourtant ces personnages allaient vivre dans les esprits d'hommes de tous pays et de toutes races. C'est qu'ils possédaient la
grandeur élémentaire des mythes épiques et cette vérité, plus intime, que leur communiquaient des liens occultes avec les fantômes
de l'auteur. Il y avait, obscurément, quelque chose de Victor Hugo

---

1. *Historique de « Notre-Dame de Paris »*, p. 448.

en Claude Frollo, déchiré par la lutte entre le désir et le vœu de chasteté ; il y avait quelque chose de Pepita (et d'Adèle jeune fille) en la Esmeralda, brune avec ce reflet doré des Andalouses, ses grands yeux noirs et sa taille fine ; il y avait le thème, essentiel pour Hugo, de la triple rivalité, autour de la bohémienne, de l'archidiacre, du sonneur bossu et du capitaine Phœbus de Châteaupers. *Tres para una.* Il y avait enfin quelque chose du désarroi de Hugo en 1830 dans la farouche acceptation, par Claude Frollo, de la fatalité. Point de confession directe. Le cordon ombilical avait été coupé. Mais l'œuvre, tout au long de sa croissance, s'était nourrie de l'auteur. Le lecteur sentait, sans les bien saisir, ces secrètes correspondances ; invisibles et puissantes, elles animaient le roman.

Surtout celui-ci vivait de la vie des choses. La véritable héroïne, c'est « l'immense église de Notre-Dame qui, découpant sur un ciel étoilé la silhouette noire de ses deux tours, de ses côtes de pierre et de sa croupe monstrueuse, semblait un énorme sphinx à deux têtes assis au milieu de la ville [1]... ». Comme en ses dessins, Hugo avait, en ses descriptions, le don d'éclairer fortement ses modèles et de projeter sur un fond clair d'étranges et noires silhouettes. « Une époque lui apparaissait comme un jeu de lumières sur des toits, des remparts, des rochers, des plaines, des eaux, des foules grouillantes, des armées compactes, allumant ici un voile blanc, là un costume, là-bas un vitrail [2]... » Capable d'aimer ou de haïr des objets inanimés, il prêtait une vie extraordinaire à une cathédrale, à une ville, à un gibet. Son livre allait exercer une influence profonde sur l'architecture française. Les édifices antérieurs à la Renaissance, jusqu'alors tenus pour barbares, furent désormais vénérés comme des Bibles de pierre. Un Comité des monuments historiques fut créé. Hugo (formé par Nodier) avait, en 1831, déterminé une révolution dans le goût.

Notre-Dame de Paris n'était ni un livre catholique, ni même un livre chrétien. Beaucoup furent choqués par cette histoire d'un prêtre dévoré de désir et sensuellement amoureux d'une bohémienne. De sa foi récente et fragile, déjà Hugo se détachait. En tête de son ouvrage, il avait écrit : « *Anankè*... Fatalité et non Providence... « Vautour fatalité, tiens-tu la race humaine ? » Harcelé

---

1. VICTOR HUGO : *Notre-Dame de Paris.*
2. EMILE FAGUET : *Dix-neuvième Siècle,* p. 201.

par les haines, blessé par les déceptions d'amitié, l'auteur était prêt à répondre : « Oui. » Une force cruelle régnait sur le monde. Fatalité, le drame de la mouche saisie par l'araignée ; fatalité, le drame de la Esmeralda, fille innocente et pure, prise dans la toile des tribunaux ecclésiastiques ; Anankè suprême, la fatalité intérieure du cœur humain. Adèle, Sainte-Beuve lui-même, pauvres mouches se débattant en vain pour rompre les filets jetés sur eux par le destin, n'étaient pas étrangers à cette philosophie. Peut-être aussi, écho sonore de son temps, cédait-il à un anticléricalisme ambiant : « Ceci tuera cela... La presse tuera l'Église... Toute civilisation commence par la théocratie et finit par la démocratie [1]... » Propos d'époque.

Lamennais, qui lut ce roman, lui reprocha de ne pas être assez catholique, mais loua le pittoresque de l'imagination ; Gautier célébra ce style de granit, aussi indestructible que les cathédrales. Lamartine écrivit : « C'est une œuvre colossale, une pierre antédiluvienne. C'est le Shakespeare du roman, c'est l'épopée du Moyen Âge... Seulement c'est immoral par le manque de Providence assez sensible ; il y a de tout dans votre temple, excepté un peu de religion [2]... » De Sainte-Beuve, Hugo attendait, « malgré tout », *le* grand article sur *Notre-Dame de Paris* et pensait avoir mérité, par sa conduite en décembre 1830, que l'amitié littéraire, et même toute l'amitié, survécût à des incidents domestiques. Il avait essayé de concevoir l'amour de Sainte-Beuve pour Adèle comme un amour coupable, mais pur et sans espoir, à la *Werther*. Or Werther respecte Albert, mari de Charlotte. Bref, malgré un silence de trois mois, il se croyait certain de ramener aisément Sainte-Beuve à la fois au devoir et à l'admiration.

Il se trompait. Sainte-Beuve, pendant ce temps de silence, avait beaucoup changé. Du ton céleste des *Consolations,* il était revenu à celui, amer et sceptique, de *Joseph Delorme.* Il parlait sans vergogne d'Adèle à tous ses amis, et même à des prêtres comme l'abbé Barbe et Lamennais. Guttinguer lui écrivait : « J'ai beaucoup entendu parler de vos amours. » C'était, en effet, l'un des ragots de Paris. Quand Sainte-Beuve reçut, en mars, une lettre de Hugo qui annonçait, d'une part, que celui-ci l'avait recommandé à Fran-

---

1. Victor Hugo : *Notre-Dame de Paris.*
2. *Historique de « Notre-Dame de Paris »,* p. 449.

çois Buloz, qui « régénérait » alors la *Revue des Deux Mondes,*
et, d'autre part, l'envoi d'un exemplaire de *Notre-Dame de Paris,*
il jugea grossier qu'un service non sollicité parût payer par avance
une complaisance souhaitée. Il avait tort : c'était plus à Buloz
qu'à Sainte-Beuve que le service était rendu, mais Sainte-Beuve
ne le comprit pas. Une fois de plus, il s'étonna du « monstrueux
égoïsme » de Hugo et ne répondit pas. Hugo, inquiet, le relança,
offrit de venir le prendre « pour causer longuement, profondément,
tendrement », adverbes faits pour exaspérer un esprit méfiant, et
reçut, datée du 13 mars 1831, une lettre dure, non dans la forme,
très enveloppée, mais dans le fond. Affection ? Admiration ? Oui,
tout cela demeurait invariable, affirmait Sainte-Beuve : « Mais
vous dire que cette affection est restée la même que ce qu'elle a
été, vous dire que cette admiration est demeurée en moi comme
un culte intérieur, domestique et de famille, ce serait vous mentir,
et je vous le répéterais vingt fois que vous ne le croiriez pas [1]... »
Chose inattendue, c'était lui qui avait des griefs !

> Quelque coupable que j'aie été envers vous et que j'aie dû
> vous paraître, j'ai cru, mon ami, que vous-même aviez eu
> alors envers moi des torts réels dans l'état d'amitié intime où
> nous étions placés, des torts par manque d'abandon, de con-
> fiance, de franchise. Mon dessein n'est pas de remuer ces
> tristesses. Mais toute la plaie est là. Votre conduite, aux yeux
> de l'univers, si vous l'exposiez, serait irréprochable ; elle a
> été digne, ferme et noble ; je ne l'ai pas trouvée à beaucoup
> près aussi tendre, aussi bonne, aussi rare, aussi *unique* qu'elle
> pouvait l'être dans l'état d'amitié où nous vivions [2]...

Tout homme est stupéfait par ce que les autres pensent de lui.
Hugo en demeura éberlué ; il ne répondit qu'au bout de cinq
jours, le 18 mars 1831 :

> Je n'ai pas voulu écrire sur la première impression de
> votre lettre. Elle a été trop triste et trop amère. J'aurais été
> injuste à mon tour. J'ai voulu attendre plusieurs jours. Au-
> jourd'hui, je suis du moins calme, et je puis relire votre lettre
> sans raviver la profonde blessure qu'elle m'a faite. Je ne

---

1. SAINTE-BEUVE : *Correspondance générale,* t. I, p. 222.
2. *Opus cit.,* t. I, pp. 222-223.

croyais pas, je dois vous le dire, que ce qui s'est passé entre nous, *ce qui est connu de nous deux seuls au monde,* pût jamais être oublié... Vous devez vous souvenir de ce qui s'est passé entre nous dans l'occasion la plus douloureuse de ma vie, dans un moment où j'ai eu à choisir entre elle et vous. Rappelez-vous ce que je vous ai dit, *ce que je vous ai offert, ce que je vous ai proposé,* vous le savez, avec la ferme résolution de tenir ma promesse et de *faire comme vous voudriez ;* rappelez-vous cela et songez que vous venez de m'écrire que, dans cette affaire, j'avais manqué envers vous d'*abandon,* de *confiance,* de *franchise !* Voilà ce que vous avez pu écrire trois mois à peine après. Je vous le pardonne dès à présent. Il viendra peut-être un jour où vous ne vous le pardonnerez pas [1]...

Sur la lettre, en marge de « *connu de nous deux seuls au monde*», Sainte-Beuve écrivit (sans doute pour la postérité) : «FAUX ; *il s'en était prévalu près d'Elle, en me prêtant ce que je n'avais pas dit* » ; en face de : « *Rappelez-vous ce que je vous ai offert* », il répliqua rageusement : « *Il me mentait dans le moment et jouait jeu double.* » Sur l'enveloppe : « *Il jouait jeu double. Il m'écrivait magnifiquement et agissait contre. De là des années d'un duel fourré entre nous.* »

Duel fourré où les deux hommes se battaient pour Adèle, et ces notes marginales semblent prouver qu'elle en fut en partie responsable. Qu'elle ait cessé, au cours de l'été 1831, d'aimer son illustre mari ne peut être nié. Lui-même, déchiré, l'avoue, et au rival lui-même. Pourquoi cette désaffection ? Sans doute, comme son père, Hugo avait-il des exigences charnelles qui dépassaient celles de l'humanité commune. Adèle souhaitait un répit et, elle-même étrangère à toute sensualité, se refusait. Sainte-Beuve, en ses vers, en triompha :

Adèle, tendre agneau ! que de luttes dans l'ombre
Quand ton lion jaloux, hors de lui, la voix sombre,
Revenait, usurpant sa place à ton côté,
Redemandait son droit, sa part dans ta beauté,
Et qu'en ses bras de fer, brisée, évanouie,

1. Collection Spoelberch de Lovenjoul, D. 588, f° 40.

> Tu retrouvais toujours quelque ruse inouïe
> Pour te garder fidèle au timide vainqueur
> Qui ne veut et n'aura rien de toi que ton cœur [1]...

Et puis un mari glorieux ne fait pas nécessairement un mari aimable. Bien au contraire. Comme la mère se donne à son enfant, le poète se donne à son œuvre. Il devient exigeant, dominateur, autoritaire. Adèle, comme elle l'avait prévu dès les fiançailles, trouvait en Victor un seigneur tyrannique ; elle regrettait le confident timide et soumis. Il est certain qu'elle revit secrètement Sainte-Beuve ; qu'elle le vit seul ; qu'elle lui rapporta, sans prudence, les propos de son époux ; et même que le couple clandestin prit l'habitude, loin du « Cyclope », de le critiquer sans indulgence.

Ce passage du loyalisme conjugal à la trahison de cœur et d'esprit prit quelques mois. En avril, après le dur échange de lettres, Adèle fit pression sur les deux hommes pour une réconciliation. Qu'elle fût malade de ces querelles les touchait encore tous deux. Sainte-Beuve écrivit à Hugo : « Puis-je aller vous serrer la main ? » Hugo répondit : « Vous viendrez dîner un de ces jours avec *nous*, n'est-ce pas ? » Il est nécessaire de rappeler qu'à ce moment Sainte-Beuve avait lu *Notre-Dame de Paris* : que, malgré un assaisonnement de louanges, il n'aimait pas assez le livre pour faire l'article, que Hugo le savait et que l'invitation était donc désintéressée. Cette reprise d'une demi-intimité ne fut pas heureuse. La confiance manquait, de part et d'autre. Hugo épiait, quand ils étaient ensemble, sa femme et son ami. Seul avec Adèle, il lui faisait des scènes. Elle essaya d'abord de l'apaiser par la douceur. Puis elle perdit patience : « Est-ce ma faute si je t'aime moins quand tu me tortures [2] ? » Alors il se jetait à ses pieds, puis lui écrivait : « Pardonne-moi. » Pour le rassurer, elle le pria d'être toujours en tiers quand Sainte-Beuve viendrait, ce qui n'était peut-être que manœuvre de femme, mais accrut encore les craintes de Victor.

Vers la fin de juin, celui-ci eut un espoir. D'abord Adèle et les enfants allèrent passer l'été aux environs de Paris, chez les Bertin au château des Roches. Cette belle maison, bâtie dans un grand parc, à côté du village de Bièvre, dominait la vallée et « un hori

---

1. Sainte-Beuve : *L'Enfance d'Adèle* (*Livre d'Amour*, IV, p. 8).
2. Cf. Gustave Simon : *Le Roman de Sainte-Beuve*, p. 126.

zon fait à souhait pour le plaisir des yeux ». Louis-François Bertin, dit Bertin l'aîné, fondateur du *Journal des Débats,* dont Ingres a laissé un portrait vigoureux, y avait sa retraite choisie. Les voisins étaient des amis : les Lenormant, les Dollfus, qui avaient là leurs manufactures de toiles de Jouy. Les fils, le peintre Édouard Bertin et le journaliste Armand Bertin ; la fille, Louise, musicienne qui faisait jouer, en famille, des opéras tirés de Walter Scott, formaient un groupe accueillant et cultivé. Hugo les avait connus en 1827. Après un article publié dans les *Débats* sur les *Odes et Ballades,* il était allé remercier M. Bertin qui, comme Dubois, avait été charmé par la Sainte Famille du poète. Entre les Hugo et les Bertin était née une amitié tendre. En particulier, Mlle Louise, fille sans beauté, d'un embonpoint qui touchait à l'obésité, mais d'une sérénité majestueuse, « *homme par la pensée et femme par le cœur* », « la bonne fée de l'heureuse vallée », devint à la fois la confidente de Victor Hugo et la seconde mère des enfants.

Aux Roches, Victor Hugo déposait son sceptre de chef d'école, son masque romantique et redevenait le plus simple des hommes, père de famille, bourgeois de Paris, riche en émotions vraies. Chaque année, c'était pour lui une joie que de revoir, au lieu des boulevards poudreux et de leurs ormeaux gris, les gazons, les pentes boisées. « Je donnerais le reste du monde pour les Roches et le reste des hommes pour votre famille », écrivait-il à Mlle Louise, et aussi : « Tous les sapins de la Forêt Noire ne valent pas l'acacia qui est dans la cour des Roches. » Là, Dédé retrouvait ses vaches, Toto et Charlot les carrosses en carton que construisait leur père, et la grave Didine, dite Poupée, suppliait Mlle Louise de lui jouer du piano. *Victor Hugo à Louise Bertin, 14 mai 1840 :* « Si l'on pouvait ressaisir les années envolées, je voudrais recommencer un de ces ravissants étés où nous avions des soirées si exquises près de votre piano, les enfants jouant autour de nous et votre excellent père nous échauffant et nous éclairant tous [1]... » Quand on rentrait à Paris, tous les enfants écrivaient à Mlle Louise ou priaient Victor Hugo de le faire pour eux, et le grondaient quand ils trouvaient la lettre manquée : « Papa n'a pas écrit comme je lui avais dit », ajoutait Didine en post-scriptum.

---

1. Lettre publiée par J.-J. WEISS dans le *Livre du Centenaire du Journal des Débats (1789-1889),* p. 409. Elle n'a pas été reproduite dans la *Correspondance* de Victor Hugo.

En cet été 1831, si orageux pour lui, l'influence apaisante des Bertin fit merveille. Le poète alla se promener au clair de lune, sous « les saules pensifs qui pleurent sur la rive » ; il n'écouta plus que la musique et les enfants ; perdu dans la nature, il oublia « la ville fatale ». Sa femme, elle aussi, semblait conquise par le charme de cette vie. On disait que Sainte-Beuve avait accepté une chaire de professeur que lui offraient les Belges, à Liège. Le rival allait donc s'éloigner. Hélas ! au début de juillet, Hugo commit l'imprudence de lui écrire que tout allait à merveille et qu'Adèle paraissait de nouveau très heureuse. Aussitôt Sainte-Beuve, piqué au jeu, décida de refuser la chaire de Liège. Alors, oubliant tout orgueil et toute prudence, ce qui montre combien il était atteint, Hugo lui avoua ses craintes.

> *Victor Hugo à Sainte-Beuve, 6 juillet 1831* : « Ce que j'ai à vous écrire, cher ami, me cause une peine profonde, mais il faut pourtant que je vous l'écrive. Votre départ pour Liège m'en aurait dispensé, et c'est pour cela que je vous ai semblé quelquefois désirer une chose qui, en tout autre temps, eût été pour moi un véritable malheur : votre éloignement. Puisque vous ne partez pas, et j'avoue que vos raisons peuvent être bonnes, il faut, mon ami, que je décharge mon cœur dans le vôtre, fût-ce pour la dernière fois ! Je ne puis supporter plus longtemps un état qui se prolongerait indéfiniment avec votre séjour à Paris... Cessons donc de nous voir en ce moment, afin de nous revoir un jour, le plus tôt possible, et pour la vie... Écrivez-moi un mot. J'arrête ici cette lettre... Brûlez-la, que personne ne puisse jamais la relire, pas même vous. Adieu. Votre ami, votre frère, VICTOR. — J'ai fait lire cette lettre à la seule personne qui devait la lire avant vous [1]. »

La réponse de Sainte-Beuve fut d'une artificieuse douceur. Les rôles inversés, il triomphait dans le secret de son cœur et jouait l'innocent. De quoi Hugo était-il blessé ? Et l'était-il vraiment ? Il avait, lui, Sainte-Beuve, attribué l'air plus sombre de son ami aux effets de l'âge ; ses silences, au fait qu'on se connaissait à fond

---

1. Collection Spoelberch de Lovenjoul, D. 588, f⁰ˢ 46-47. Lettre en partie citée par ANDRÉ BILLY dans *Sainte-Beuve*, t. I, pp. 140-141.

et qu'on s'était tout dit. Quant à « l'autre personne », il ne l'avait jamais revue seule. « Au surplus, mon ami, cette lettre qui m'accable et m'afflige beaucoup ne m'irrite nullement ; j'ai un regret amer, une douleur secrète d'être, pour une amitié comme la vôtre, une pierre d'achoppement, un gravier intérieur, une lame brisée dans la blessure ; j'ai besoin de me rejeter sur la fatalité pour m'absoudre d'être ainsi l'instrument meurtrier qui laboure votre grand cœur. Prenez garde, mon ami, je vous le dis sans aucune amertume, prenez garde, poète comme vous l'êtes, de trop emplir la réalité de votre fantaisie, de faire éclore des soupçons sous votre soleil et de prêter une oreille trop émue aux simples échos de votre voix [1]... »

À quoi le pauvre Hugo : « Vous avez raison en tout, votre conduite a été loyale et parfaite, vous n'avez blessé ni dû blesser personne... Tout est dans ma pauvre malheureuse tête, mon ami ! Je vous aime, en ce moment, plus que jamais ; je me hais, sans la moindre exagération, je me hais d'être fou et malade à ce point. Le jour où vous voudrez ma vie pour vous servir, vous l'aurez, et ce sera peu sacrifier. Car, voyez-vous, je ne dis ceci qu'*à vous seul :* je ne suis plus heureux. J'ai acquis la certitude qu'il était possible que ce qui a tout mon amour cessât de m'aimer ; que cela avait peut-être tenu à peu de chose avec vous. J'ai beau me redire tout ce que vous me dites, et que cette pensée même est une folie, c'est toujours assez de cette goutte de poison pour empoisonner toute ma vie. Oui, allez, plaignez-moi ; je suis vraiment malheureux. Je ne sais plus où j'en suis avec les deux êtres que j'aime le plus au monde. Vous êtes un des deux. Plaignez-moi, aimez-moi, écrivez-moi [2]... » Lecture délicieuse pour l'amour-propre de Sainte-Beuve. Le dieu était donc, de son propre aveu, déchu aux yeux de sa servante. Avec la facile sérénité de l'homme qui a gagné la partie, Sainte-Beuve offrait des conseils.

Sainte-Beuve à Victor Hugo, 8 juillet 1831 : « Permettez-moi de vous dire encore : êtes-vous sûr, sous l'influence de cette fatale imagination, de ne pas porter dans vos rapports avec la personne si faible et si chère quelque chose d'excessif qui l'effraie et resserre, contre votre gré, son cœur ; de sorte

---

1. SAINTE-BEUVE : *Correspondance générale,* t. I, p. 244.
2. Collection Spoelberch de Lovenjoul, D. 588, f°s 48-49.

que vous-même, par votre soupçon, la jetiez dans l'état moral qui réfléchisse ce soupçon et vous le rende plus brûlant ? Vous êtes si fort, mon ami, si accentué, si hors de toutes nos dimensions vulgaires et de nos imperceptibles nuances, que, surtout dans ces moments passionnés, vous devez jeter et voir dans les objets la couleur de vos regards, le reflet de vos fantômes. Tâchez donc, mon ami, de laisser cette eau limpide recommencer à courir à vos pieds sans la troubler, et vous y reverrez bientôt votre image. Je ne vous dirai pas : « Soyez clément, soyez « bon », car vous l'êtes, Dieu merci ! Mais je vous dirai : « Soyez bon à la manière vulgaire, facile dans les petites choses. » J'ai toujours pensé qu'une femme, épouse d'un homme de génie, ressemblait à Sémélé : la clémence du dieu consiste à se dépouiller de ses rayons, à émousser ses éclairs ; là où il croit jouer et briller seulement, il blesse souvent, et il consume [1]... »

Le bon apôtre ! En même temps, il correspondait avec Adèle, qui recevait les lettres tantôt poste restante, sous le nom de *Madame Simon*, tantôt par l'intermédiaire de Martine Hugo, une parente pauvre de Victor à laquelle celui-ci offrait une hospitalité dont elle s'acquittait en le trahissant. Sainte-Beuve écrivait, pour la bien-aimée captive, des vers où le tutoiement poétique renforçait l'intimité ; il tenait ces élégies amoureuses pour le meilleur de son œuvre. Elle répondait par des lettres (portées par la tante Martine) où elle appelait Sainte-Beuve : « Mon cher ange... Cher trésor... » Pauvre Adèle ! La petite Foucher, fille de la souris de bureau proprette, n'était faite ni pour le drame romantique, ni pour la comédie amoureuse. C'était une femme d'intérieur, parfaite mère de famille, affectueuse. Ses sens demeuraient parfaitement calmes. Elle aurait voulu garder le mari et l'ami, tous deux chastement. « Aime-le donc aussi », consentait l'ami, et il la rassurait : « La pureté se voit inscrite à nos visages... » Pureté relativement aisée pour un homme accoutumé à associer le charnel au vénal et qui, en quittant sa dame, allait retrouver quelque Goton. Pourtant il désirait Adèle et sa revanche sur Hugo ne serait complète que le jour où elle se donnerait à lui.

---

1. SAINTE-BEUVE : *Correspondance générale,* t. I, pp. 246-247.

VI

LES FEUILLES D'AUTOMNE

> Il est bon que les hommes sachent ce qu'un autre homme a souffert.
>
> GŒTHE.
>
> Je n'aime pas qu'on soit sévère pour les femmes ; elles ont tant à souffrir.
>
> MME FOUCHER.

POUR apaiser Victor et détourner son attention, Sainte-Beuve s'efforça, comme jadis, de le servir sur le plan littéraire. Le 1er août, il fit paraître une biographie du poète, très élogieuse, dans la *Revue des Deux Mondes*. Hugo était alors tout occupé par les répétitions de *Marion de Lorme* à la Porte-Saint-Martin. La monarchie de Juillet autorisait l'œuvre, jadis interdite par Charles X. Marie Dorval devait jouer Marion. Elle était enthousiaste du rôle, mais demandait que Didier, à la fin de la pièce, pardonnât. Hugo était pour un Didier implacable, mais il céda. Quelqu'un lui rapporta que Sainte-Beuve avait dit : « Didier est un autre Hugo, plus passionné que sensible. » Sainte-Beuve nia le propos et offrit ses services pour *Marion :* « Je voudrais bien, mon ami, pouvoir vous être bon à quelque chose dans ceci [1]... » Cependant il continuait à écrire, pour Adèle, des élégies. Il se représentait l'amie enfermée par « le sombre époux », rêvant « au timide vainqueur » qui n'aura jamais d'elle « rien d'autre que son cœur ». À Charles Magnin, un confrère du *Globe,* il confiait solennellement, en cas de décès, un gros paquet cacheté qui contenait sans doute leurs lettres et ses poèmes.

---

1. SAINTE-BEUVE : *Correspondance générale,* t. I, p. 254.

Puis, en septembre, il obtient d'elle qu'elle le rencontre, d'abord dans quelque église propice où l'on cause à voix basse, derrière un pilier, puis dans sa chambrette. Comment a-t-il amené à de telles imprudences cette épouse croyante et pleine de scrupules ? Par la jalousie. Il a feint — ou peut-être vraiment tenté — de chercher avec une autre l'apaisement et, craignant soudain de le perdre, elle lui a donné, oh ! peu de chose, assez pourtant pour qu'il ait la certitude d'avoir conquis, pour la première fois de sa vie, une femme que tous croyaient inaccessible et qui lui dit l'aimer.

> Plus qu'un premier enfant ou qu'un suprême adieu, —
> Que l'époux dans sa gloire, et ta fille, et ton Dieu !...
> Tu me redis, le front contre mon sein qui bout :
> « Ami, j'ai tout senti, mais toi, tu passes tout. »

Étrange déclaration s'adressant à un homme si impropre à l'amour et qui lui-même proclame :

> Tu n'as jamais connu, dans nos oublis extrêmes,
> Caresse ni discours qui n'ait tout respecté ;
> Je n'ai jamais tiré de l'amour dont tu m'aimes
>   Ni vanité, ni volupté [1].

Casuistique pour amante scrupuleuse, car « un sein qui bout » sous un front de femme devait bien éprouver quelque volupté, et quant à la vanité, elle était satisfaite puisque tout Paris parlait de cette victoire. À Fontaney, Sainte-Beuve racontait que Victor Hugo était un misérable, qu'il séquestrait sa femme par jalousie et l'avait rendue malade. À Lamennais, qui voulait l'emmener à Rome : « J'eusse été comblé, mais des raisons impérieuses et durables me retiennent ici », et à l'abbé Barbe : « La passion, que je n'avais qu'entrevue et désirée, je l'ai sentie ; elle dure, elle est fixée et cela a jeté dans ma vie bien des nécessités, des amertumes mêlées de douceur, et un devoir de sacrifice qui aura son bon effet, mais qui coûte bien à notre nature [2]... »

Et Victor Hugo ? Il était impossible que les rumeurs ne l'atteignissent pas. Il parlait à ses amis d'un voyage qu'il projetait par l'Italie, la Sicile, l'Égypte et l'Espagne. Eût-il pensé à quitter la France seul, pour un an, s'il n'avait été très malheureux ? Et com-

---

1. SAINTE-BEUVE : *Livre d'Amour,* XI, p. 40.
2. SAINTE-BEUVE : *Correspondance générale,* t. I, p. 276.

ment ne l'eût-il pas été ? Il avait joué toute sa vie sur cet amour ; il avait lutté trois ans pour conquérir cette femme ; il avait vécu huit ans dans l'illusion d'être pour elle l'objet d'une religieuse adoration. Il avait rêvé de former le ménage idéal, à la fois romanesque, sensuel et pur. Absorbé dans son œuvre et son combat, il n'avait pas deviné près de lui ce cœur déçu. Le réveil fut effroyable : « Malheur à qui aime sans être aimé ! Ah ! l'effrayante chose. Voyez cette femme. C'est un être charmant. Elle est douce, blanche et candide ; elle est la joie et l'amour du toit. Mais elle ne vous aime pas. Elle ne vous hait pas non plus. Elle ne vous aime pas ; voilà tout. Sondez, si vous l'osez, la profondeur d'un tel désespoir. Regardez-la ; elle ne vous comprend point. Parlez-lui ; elle ne vous entend pas. Toutes vos pensées d'amour viennent se poser sur elle ; elle les laisse repartir comme elles sont venues, sans les chasser, sans les retenir. Le rocher qui est au milieu de l'Océan n'est pas plus indifférent, ni plus impassible, ni plus immuable que l'insensibilité qu'elle a dans le cœur. Vous l'aimez. Hélas ! vous êtes perdu. Je n'ai jamais rien lu de plus glaçant et de plus terrible que ces paroles de la Bible : *Stupide et insensible comme une colombe* [1]... » C'était à devenir fou. Mais un poète peut, par une mystérieuse transmutation, changer sa douleur en chants. En novembre 1831 parurent *Les Feuilles d'Automne*.

Ce recueil passait infiniment les *Odes et Ballades* et *Les Orientales*. Sainte-Beuve, mauvais hôte, avait été bon maître. Passant par le creuset du magicien, la poésie intime de Joseph Delorme avait atteint à la perfection de la forme sans perdre son « je ne sais quoi de plaintif ». Comme le disait l'auteur dans sa préface : « À l'adolescent, cette poésie parle de l'amour ; au père, de la famille ; au vieillard, du passé. » Par là elle était immortelle, car « il y aura toujours des enfants, des mères, des jeunes filles, des vieillards, des hommes enfin, qui aimeront, qui se réjouiront, qui souffriront... Ce n'est point là de la poésie de tumulte et de bruit ; ce sont des vers sereins et paisibles, des vers comme tout le monde en fait ou en rêve, des vers de la famille, du foyer domestique, de la vie privée ; des vers de l'intérieur de l'âme. C'est un regard mélancolique et résigné, jeté çà et là sur tout ce qui est, surtout sur ce qui a été [2]... ».

---

1. VICTOR HUGO : *Amour. — Tas de Pierres*, p. 415.
2. VICTOR HUGO : *Les Feuilles d'Automne*. Préface, pp. 7, 9-10.

Sentir comme tout le monde et exprimer mieux que tout le monde, voilà ce que voulait maintenant Hugo. Il y réussissait. On trouvait, dans *Les Feuilles d'Automne,* les plus beaux poèmes qui eussent été écrits sur les enfants, sur la charité, sur la famille. Que « *Lorsque l'enfant paraît...* » ou : « *Donnez, riches ; l'aumône est sœur de la prière* » soient dans toutes les mémoires enlève à ces poèmes leur pouvoir de choc, mais, comme ces statues de saints qu'ont polies les baisers des fidèles, ils ne sont usés que parce qu'ils furent vénérés. La mélancolie résignée dont est imprégné tout le recueil surprit et toucha les lecteurs de 1831. Oui, ce sont bien des feuilles d'automne, des feuilles prêtes à tomber que ces vers désenchantés où le poète pleure sur lui-même : « *Voilà que ses beaux ans s'envolent tour à tour — Emportant l'un sa joie et l'autre son amour...* » Eh ! quoi ? pense-t-on. Il n'a pas trente ans et ses rêveries sont funèbres ?

> Le soleil s'est couché ce soir dans les nuées.
> Demain viendra l'orage, et le soir, et la nuit ;
> Puis l'aube, et ses clartés de vapeurs obstruées ;
> Puis les nuits, puis les jours, pas du temps qui s'enfuit [1] !

Les croyances religieuses qui l'avaient, quelques années, soutenu fléchissent au spectacle du monde. Il médite sur la montagne :

> Et je me demandai pourquoi l'on est ici,
> Quel peut être après tout le but de tout ceci,
> Que fait l'âme, lequel vaut mieux d'être ou de vivre,
> Et pourquoi le Seigneur, qui seul lit à son livre,
> Mêle éternellement, dans un fatal hymen,
> Le chant de la nature au cri du genre humain [2] ?

Seul le rattache à sa foi celle de sa fille Léopoldine et, pour cette grave enfant au visage consumé, il écrit la *Prière pour tous* :

> Ce n'est pas à moi, ma colombe,
> De prier pour tous les mortels,

---

1. Victor Hugo : *Soleils couchants* (*Les Feuilles d'Automne,* VI, p. 105).
2. Victor Hugo : *Ce qu'on entend sur la montagne* (*Les Feuilles d'Automne,* V, p. 26).

Pour les vivants dont la foi tombe,
Pour tous ceux qu'enferme la tombe,
Cette racine des autels !

Ce n'est pas moi, dont l'âme est vaine,
Pleine d'erreurs, vide de foi,
Qui prierais pour la race humaine,
Puisque ma voix suffit à peine,
Seigneur, à vous prier pour moi [1]...

Feuilles d'un automne précoce. L'âme, en vivant, s'est altérée. *« À force de marcher l'homme erre, l'esprit doute. — Tous laissent quelque chose aux buissons de la route, — Les troupeaux leur toison, et l'homme sa vertu. »* Nul n'a mieux dit que Sainte-Beuve à la fois l'émouvante beauté et le douloureux scepticisme de ces poèmes : « À la verte confiance de la première jeunesse, à la croyance ardente, à la virginale prière d'une âme stoïque et chrétienne, à la mystique idolâtrie pour un seul être voilé, aux pleurs faciles, aux paroles fermes, retenues et nettement dessinées dans leur contour comme un profil énergique d'adolescent ont succédé ici un sentiment amèrement vrai du néant des choses, un inexprimable adieu à la jeunesse qui s'enfuit, aux grâces enchantées que rien ne répare ; la paternité à la place de l'amour ; des grâces nouvelles bruyantes, enfantines, qui courent devant les yeux, mais qui aussi font monter les soucis au front et pencher tristement l'âme paternelle ; des pleurs... plus de prière pour soi ou à peine, car on n'oserait, et d'ailleurs on ne croit plus que confusément ; des vertiges, si l'on rêve ; des abîmes, si l'on s'abandonne ; l'horizon qui s'est rembruni à mesure qu'on a gravi ; une sorte d'affaissement, même dans la résignation, qui semble donner gain de cause à la fatalité ; déjà les paroles pressées, nombreuses, qu'on dirait tombées de la bouche du vieillard assis qui raconte, et dans les tons, dans les rythmes pourtant, mille variétés, mille fleurs, mille adresses concises et viriles à travers lesquelles les doigts se jouent comme par habitude, sans que la gravité de la plainte fondamentale en soit altérée [2]... »

---

1. Victor Hugo : *La Prière pour tous*, p. 114.
2. Sainte-Beuve : *Portraits contemporains*, t. I, pp. 272-273 de l'édition originale.

Cette plainte obstinée, monotone, Sainte-Beuve en sait la cause secrète et il s'étonne, peut-être avec envie, de voir le poète accepter angoisses et doutes tout en gardant une haute et sombre philosophie. « Quelle étrange vigueur d'âme cela suppose ! » dit-il. « On trouverait quelque chose de semblable dans la sagesse du Roi hébreu. » C'est vrai. Il y a dans cette sérénité, sans espérance et sans révolte, un peu de l'Ecclésiaste. Mais le ressort de la résignation est ici le génie poétique. Comme les accords célestes d'un *Requiem* élèvent les âmes au delà de la douleur, en imposant aux cris funèbres la mesure et la pureté, ainsi Victor Hugo, ayant perdu son plus grand amour et sa plus grande amitié, domine son amertume en lui donnant cette forme à la fois parfaite et simple. Et il n'est pas moins admirable que Sainte-Beuve, lui aussi, ait su dépasser le ressentiment pour reconnaître la perfection de l'œuvre d'art. Après avoir foulé, non sans mélancolie, dans ces tristes poèmes, des amitiés mortes et des amours pourrissantes, il est beau de voir que les couleurs de l'automne sont plus riches encore que celles du printemps et que l'art, comme la nature, avec ce qui change, fait de l'éternel.

Hugo dédicaça un exemplaire « à son fidèle et bon ami Sainte-Beuve, malgré ces silences qui deviennent comme des fleuves infranchissables entre nous ».

CINQUIÈME PARTIE

AMOUR ET TRISTESSE D'OLYMPIO

I

PLACE ROYALE

La haine contre moi déborde à pleine bouche...
VICTOR HUGO.

1832. Victor Hugo n'a que trente ans, mais luttes et tristesses l'ont marqué. Corps et visage se sont épaissis. On ne retrouve plus en lui le charme angélique de la dix-huitième année, ni l'air vainqueur des premiers jours de son mariage. L'autorité devient plus impériale que cavalière ; le regard est souvent pensif, tourné vers le dedans ; toutefois une charmante jovialité reparaît en de fréquents moments de gaieté. Hugo écrira un jour qu'il y a en lui quatre *Moi : Olympio,* la lyre ; *Hermann,* l'amant ; *Maglia,* le rire ; *Hierro,* le combat. Et, certes, il aime le combat, mais il aurait besoin de s'y sentir soutenu. Or les amis sûrs se font rares. Sainte-Beuve observe et guette, sans bienveillance. Lamartine a toujours été distant et, d'ailleurs, de 1832 à 1834, il voyage en Orient. Le cénacle, qui se sent dépassé, en prend un peu d'amertume. Saint-Valry, Gaspard de Pons, jadis hospitaliers à la jeunesse misérable de Hugo, se plaignent d'être sacrifiés à de nouveaux amis. Alfred de Vigny, que Sainte-Beuve et Hugo nomment ironiquement « le gentilhomme », supporte mal les succès de celui qui fut jadis « le cher Victor ». Quand la *Revue des Deux Mondes* écrit, parlant de Hugo : « Drame, roman, poésie, tout relève aujourd'hui de cet écrivain », le « cher Alfred » proteste et demande une note rectificative. Sainte-Beuve jure alors à Hugo que le nom de Vigny ne paraîtra plus dans ses articles, promesse qui ne sera pas tenue et n'aurait jamais dû être faite.

Si les amis s'éloignent, les ennemis foisonnent. Gustave Planche, jadis amical, tourne à l'hostilité ; Nisard, Janin s'acharnent

sur Hugo. On peut s'en étonner, car il fut toujours écrivain consciencieux, confrère loyal et serviable. Mais ses triomphes des dernières années ont passé les bornes que peut supporter l'amour-
propre des rivaux ; depuis *Hernani, Notre-Dame de Paris* et les
Feuilles d'Automne, Byron étant mort, Gœthe et Walter Scott
mourants, Chateaubriand et Lamartine silencieux, il est sans con-
teste le premier écrivain du monde ; cela ne fait aucun plaisir aux
autres. « Toute poésie paraît alors décolorée à côté de la sienne. »
Que ce soit en vers ou en prose, sa phrase a « des cassures har-
dies [1] », une symétrie de diamant. La langue, avant lui, avait été
plate ; il lui a rendu le relief par des mots qui font saillie, par des
contrastes vigoureux d'ombre et de lumière. Seulement il le sait un
peu trop. Son orgueil, sa confiance en soi s'épanouissent. C'est
comme « la conscience d'une mission divine » ; il respecte en lui-
même « un temple vivant ».

Dans la préface de *Marion de Lorme,* il s'est moqué de ceux
qui disent que ce temps n'est plus celui des génies : « Laissez-les
parler, jeune homme ! Si quelqu'un eût dit, à la fin du XVIIIe siècle,
que les Charlemagnes étaient encore possibles, tous les sceptiques
d'alors... eussent haussé les épaules et ri. Eh bien ! au commencement du XIXe siècle, on a eu l'Empire et l'Empereur. Pourquoi
maintenant ne viendrait-il pas un poète qui serait à Shakespeare
ce que Napoléon est à Charlemagne [2] ?... » On devine le poète
auquel il pense et il a le droit d'y penser, mais les contemporains
blâment cette superbe. Le jeune Antoine Fontaney, qui respecte
Hugo, s'étonne de l'entendre dire que, « s'il savait ne point devoir
primer et prendre rang au-dessus de tous, il se ferait demain notaire [3] ». Ce n'est rien de plus que le : « Je veux être Chateaubriand ou rien », mais, à quinze ans, il l'écrivait dans le secret d'un
cahier ; maintenant, il le dit sur la place publique, où de telles
phrases sont notées, colportées.

« C'était un envieux que j'avais pris pour un ami. Il avait
contre moi cette hostilité qui sort d'une intimité ancienne et qui
est, par conséquent, armée de pied en cap [4]... » Le cas de Sainte-
Beuve était singulier. Sur le plan littéraire, il restait officiellement

---

1. Paul Bourget : *Etudes et Portraits,* t. I, p. 113.
2. Victor Hugo : *Marion de Lorme,* préface, p. 9.
3. Antoine Fontaney : *Journal intime,* 6 septembre 1832, p. 150.
4. Victor Hugo : *Moi. — Tas de Pierres,* p. 245.

un allié, non sans réserves ; sur le plan humain, il trahissait, se donnant la passion pour excuse. Il n'allait plus chez les Hugo et se bornait à faire prendre des nouvelles de « la chère famille » quand, par exemple, au printemps de 1832, le petit Charlot eut le choléra, ou ce qu'on crut tel. Mais il rencontrait secrètement Adèle.

> *Sainte-Beuve à Madame Victor Hugo :* « Mon Adèle chérie, combien vous avez été bonne et belle hier ! et que cette demi-heure, dans le coin de cette chapelle, laissera en moi d'éternels et délicieux souvenirs. Mon amie, il y a quatorze ans que je n'étais venu là ; et j'y étais venu, il y a quatorze ans, avec des émotions bien vives et bien tendres aussi. J'étais très pieux dans ce temps ; c'était la première année de mon arrivée à Paris... Oh ! mon amie, comme ces quatorze ans d'intervalle n'ont pas été perdus pour moi, puisque je me suis retrouvé, après ce temps, assis sur ces mêmes chaises, presque au même coin du pilier, encore tendre et pieux de cœur et si tendrement aimé [1]... »

Car il continuait, tant pour flatter les sentiments d'Adèle que par naturel penchant, à colorer ses amours adultères d'un vague mysticisme. Il écrivait, sur son aventure, un roman : *Volupté,* et lisait, en vue de ce livre, des ouvrages édifiants. Hugo surveillait sévèrement sa femme, mais l'offensive triomphe toujours de la défensive :

> Le jaloux rôde en vain comme un voleur en armes ;
> Plus patient que lui, j'attends et je vaincrai.
> J'attends, guerrier sauvage, à mon poste fidèle,
> Jours et mois et saisons, immobile et caché ;
> Elle, au-dedans, épie et le sent là près d'elle [2]...

Sainte-Beuve reçut-il Adèle chez lui cette année-là ou seulement la suivante ? On ne sait. Bien que son adresse officielle fût celle de sa mère, d'abord rue Notre-Dame-des-Champs puis rue du Montparnasse, il vivait, pour échapper à ses obligations de garde

---

1. SAINTE-BEUVE : *Correspondance générale,* t. I, pp. 281-282.
2. SAINTE-BEUVE : *Livre d'Amour,* XIII, pp. 93-94.

national et pour être plus libre, dans un pauvre hôtel de la cour
du Commerce, l'hôtel de Rouen, où il avait loué, sous un faux
nom, pour vingt-trois francs par mois, une chambrette.

L'été fut passé par les Hugo, comme l'année précédente, au
château des Roches. Mlle Louise Bertin faisait de la musique ; elle
chantait : « *Jamais dans ces beaux lieux* », ou : « *Phœbus, l'heure
t'appelle* » ; et elle tirait de *Notre-Dame de Paris* un opéra, *La
Esmeralda,* pour lequel elle exigeait de Hugo des vers de mirliton.
Didine, douce, studieuse, enjouée, charmait ses parents et ses hôtes.
La lumière était élyséenne. On n'entendait « aucun bruit de la
ville, aucune voix des hommes [1] ». Ce silence plaisait au poète
qui évitait alors les humains « par goût de solitude et tristesse de
caractère ». Et Adèle ? « Ma femme, écrivait-il, fait deux lieues à
pied tous les jours et engraisse visiblement [2]... » Une femme qui fait
huit kilomètres par jour et s'en trouve si bien a, pour marcher, des
raisons sentimentales. Il est probable que ces promenades, si béné-
fiques, conduisaient Adèle à la petite église romane de Bièvre, où
elle retrouvait Sainte-Beuve.

Dans un article sur *Le Roman intime,* celui-ci écrivait : « *Toute femme organisée pour aimer est susceptible d'un second amour
si le premier a éclaté en elle de bonne heure. Le premier amour,
celui de dix-huit ans, en le supposant aussi vif que possible, en
l'entourant des combinaisons les plus favorables à son cours, ne se
prolonge jamais jusqu'à vingt-quatre ans ; et il se trouve là un
intervalle, un sommeil du cœur durant lequel de nouvelles passions
se préparent [3]...* » Leçon pour Adèle. Cependant, sur Victor, il
continuait de publier des articles flatteurs, correspondait avec lui
pour organiser une protestation contre le gouvernement, qui avait
proclamé l'état de siège, et terminait ses lettres par : « Je vous
aime. » Hugo signait les siennes : « Votre frère, VICTOR. » Tous
deux savaient fort bien ce qu'ils faisaient et prenaient cette mon-
naie d'amitié pour ce qu'elle valait.

En octobre 1832, une fois de plus, les Hugo déménagèrent.
Ils avaient loué, en juillet, un grand appartement, place Royale,
n° 6, au deuxième étage de l'hôtel de Guéménée, noble maison

1. JULES JANIN : *Contes fantastiques,* t. II, p. 10.
2. VICTOR HUGO : *Correspondance,* t. I, p. 511.
3. SAINTE-BEUVE : *Portraits de Femmes,* p. 35.

bâtie vers 1604, donnant sur l'une des plus belles places de Paris [1] :
verdure, briques roses et toits d'ardoises mansardés. Loyer élevé :
quinze cents francs, mais les pièces étaient immenses et quand
Hugo, toujours fou de brocante, les eut tapissées de damas rouge,
remplies de meubles gothiques ou Renaissance, de vases et d'as-
siettes fêlés, de lustres de Venise, de tableaux de ses peintres ordinaires, elles prirent un air assez royal.

Lorsque, l'été suivant, les Hugo y convièrent leurs amis et leurs
ennemis (c'étaient souvent les mêmes), les salons illuminés, fenêtres ouvertes, où des jeunes femmes aux épaules nues riaient dans
les embrasures, offrirent un spectacle ravissant. Le salon de la
place Royale éclipsa celui de l'Arsenal. Adèle, beauté altière et
décorative, recevait mieux que la bonne Mme Nodier et compen-
sait, par l'éclat de son regard, la pauvreté de ses rafraîchissements.
Il fallait venir là « tout esprit, en laissant son estomac dans l'antichambre [2] ». Mais quoi ? Hugo avait neuf personnes à sa charge ;
il dépensait cinq cents francs par mois pour la nourriture de cette
famille ; en outre, il payait une pension pour améliorer le sort
d'Eugène ; et sa plume, seule, devait soutenir ce train. Quant à
Sainte-Beuve, bien que fort pauvre, il avait, dès l'installation de
son amie place Royale, loué non loin de là une nouvelle chambre,
à l'hôtel Saint-Paul. Adèle pouvait s'y rendre à pied, sans fatigue.

Si place et logis étaient seigneuriaux, ils se trouvaient au cœur
d'un quartier populaire. « Nous autres, pauvres ouvriers du fau-
bourg Saint-Antoine », aimait à dire Hugo. Affectation ? Peut-
être, mais aussi affection authentique. Ayant connu la pauvreté,
il comprenait et plaignait ceux qui en souffraient. La réussite ne
lui donnait pas bonne conscience. En 1828, il avait publié *Le Dernier Jour d'un Condamné* ; en 1832, ce fut *Claude Gueux*. Même
thème des peines injustes. Mêmes attaques contre les lois d'une
société faite pour les riches et les puissants. Tous les proscrits ren-
contrés dans l'enfance continuaient de le hanter ; il rêvait d'écrire
un long roman sur *Les Misères*, et singulièrement sur quelque coupable traqué par la loi et qui aurait des excuses. Dès ce moment
aussi, il pense à un personnage d'évêque sublime et prend des

---

1. C'est l'actuelle place des Vosges, dont le n° 6 est aujourd'hui le
musée Victor Hugo.
2. ARSÈNE HOUSSAYE : *Confessions*, t. I, p. 254.

notes sur Mgr Miollis, évêque de Digne, qui fut un saint homme.
Il a le désir de devenir un écrivain social et l'avocat des pauvres.
L'étrange est qu'en même temps il veuille faire fortune et discute
âprement ses contrats avec ses éditeurs. Mais est-ce si étrange ?
Pour assurer l'avenir de ses quatre enfants, il faut de l'argent. C'est
la misère qui lui a jadis enseigné à tenir ses comptes avec une
farouche minutie. Tout son comportement est méticuleux. Fontaney, assistant à sa toilette, est agacé par sa manière de se raser :
« Il faut le voir repasser son rasoir avec une lenteur incroyable,
puis le mettre un quart d'heure dans son gousset pour l'échauffer,
puis commencer ses ablutions à l'eau de rose, puis se verser tout un
pot sur la tête [1]... »

Pour édifier une fortune littéraire, le chemin le plus court semble être alors le théâtre. Un drame qui atteint cinquante représentations à deux mille francs « fait » cent mille francs de recettes,
soit douze mille pour l'auteur, qui touche en outre cinq mille pour
l'impression de la pièce (quinze mille pour les trois premières édi-
tions d'*Hernani*). *Notre-Dame de Paris* ne lui en rapportera que
le quart. D'autre part, Hugo sait que le théâtre peut — et doit —
exercer une influence morale et politique : « Le théâtre est une
tribune. Le théâtre est une chaire. » Son sujet de drame favori
demeure la défense d'un réprouvé, d'un banni, contre des oppres-
seurs. Vague souvenir d'une enfance jalonnée de drames. Or, de
toutes les proscriptions, la plus injuste est celle qui résulte de la
naissance (le bâtard, et ce fut Didier dans *Marion de Lorme*) ou
de la difformité (et ce sera le nain Triboulet dans *Le Roi s'amuse*).

De ce dernier drame, il a eu l'idée à Blois. Triboulet, fou du
roi François Ier, était né près de la maison du général Hugo. Victor avait découvert le personnage dans une *Histoire de Blois* trou-
vée chez son père. Il ne garda rien de l'aventure authentique et
construisit, autour de François Ier, un mélodrame où Triboulet,
entremetteur du royal débauché, se voyait puni dans son amour
paternel. L'intrigue était un tissu de coïncidences invraisemblables,
relevé par un sens vif des effets dramatiques et, çà et là, par la
verve comique. Quelques belles tirades brillaient. Sainte-Beuve,
qui était à la Comédie-Française lors de la lecture, prit des notes
aigres-douces : « J'ai bien quelques petites opinions personnelles

---

1. ANTOINE FONTANEY : *Journal intime*, p. 10.

sur ce genre de drame et sur son degré de vérité humaine, mais je n'ai aucun doute sur l'impression qui sera produite et sur l'immense talent déployé dans cette œuvre, radieuse de beaux vers [1]... » Et dans le secret de ses carnets : « Hugo a fait un jour une phrase si enflée qu'elle est devenue un ballon qui l'a enlevé. Tout d'abord, il a été pris à sa propre ampoule, il a été dupe de sa rhétorique ; aujourd'hui, il est sincère [2]. »

La première du *Roi s'amuse* eut lieu le 22 novembre. Bien que bousingots et Jeune France, tous ceux de Théophile, tous ceux de Devéria fussent à leur poste, la salle parut froide. Pourtant la tirade de Saint-Vallier assura un succès au premier acte et déjà l'amphithéâtre trépignait en chantant : « *L'Académie est morte — Mironton ton ton mirontaine...* » Mais la fin du second acte, où le bouffon aide les gentilshommes à enlever sa fille Blanche, demi-nue, permit aux loges indignées par les attaques contre les Cossé, les Montmorency et autres nobles familles, de crier à l'immoralité. « *Vos mères aux laquais se sont prostituées ! — Vous êtes tous bâtards !* » leur criait Triboulet. Ils n'aimaient pas ça. Au rideau final, la bourrasque fut telle que l'acteur Ligier eut peine à nommer l'auteur. Le lendemain, le ministre, comte d'Argout, « considérant qu'en des passages nombreux les mœurs sont outragées », interdit la pièce. Le vrai motif était que la cour ne supportait pas de voir la monarchie, fût-ce celle de François Ier, bafouée en scène.

Victor Hugo plaida, très soutenu par Eugène Renduel, l'éditeur de la pièce. *Victor Hugo à Eugène Renduel :* « Je crois, mon cher éditeur, qu'il est important pour vous, pour moi, pour le retentissement du livre et de l'affaire, que la chose soit énergiquement annoncée la veille par les journaux. Voici sept petites notes que je vous envoie, en vous priant d'user de toute votre influence pour qu'elles paraissent demain dans les sept principaux journaux de l'opposition [3]... » Entre autres génies, il avait celui de transmuer toute disgrâce en publicité. *Journal de Fontaney :* « *Le Roi s'amuse* est suspendu par le gouvernement. Quel service rendu à Victor ! Je vais chez lui. Il joue bien son rôle : « On lui ôte vingt mille francs de la poche [4]... »

1. SAINTE-BEUVE : *Correspondance générale*, t. I, p. 314.
2. Collection Spoelberch de Lovenjoul. Texte inédit.
3. Cf. ADOLPHE JULLIEN : *Le Romantisme et l'éditeur Renduel*, article publié dans la *Revue des Deux Mondes*, numéro du 1er décembre 1895, p. 666.
4. ANTOINE FONTANEY : *Journal intime*, p. 161.

Le tribunal de commerce se déclara incompétent. Le plaignant avait, à la barre, prononcé un violent réquisitoire contre le gouvernement de Juillet, qu'il accusait de filouter, l'un après l'autre, les droits accordés après la Révolution. Napoléon n'avait pas, lui non plus, respecté les libertés ? Sans doute, mais il ne les avait pas volées. « Le lion. disait Hugo, n'a pas les mœurs du renard. Alors on nous prenait notre liberté, c'est vrai, mais on nous donnait un bien sublime spectacle... On avait un bureau de censure, on rayait nos pièces de l'affiche, mais à toutes nos plaintes on pouvait nous répondre : « Marengo ! Iéna ! Austerlitz [1] !... » Il faut savoir que l'orateur correspondait alors avec Joseph Bonaparte, auquel il écrivait que, si le duc de Reichstadt garantissait les libertés, il n'aurait pas de soutien plus fidèle que Victor Hugo.

---

1.   VICTOR HUGO : Notes de *Marion de Lorme*, p. 507.

II

LA PRINCESSE NEGRONI

> Hugo avait une sorte d'évangélisme laïque
> qui le fit s'attendrir sur ce que Juliette lui fit
> connaître de son passé ... Il y avait en lui quel-
> que chose de prétolstoïen.
>
> PIERRE LIÈVRE.

L E FILS du général Hugo n'avait jamais craint les batailles. L'interdiction du *Roi s'amuse,* loin de l'abattre, lui inspira un
désir de revanche immédiate. Il avait une pièce toute prête :
Le Souper à Ferrare, trois actes en prose inspirés par la lecture de
la *Gaule poétique* de Marchangy. Là, il avait trouvé l'idée de seigneurs soupant joyeusement chez un ennemi décidé à les faire
mourir, et de moines entrant, au dernier service, pour confesser
les soupeurs. L'Horreur frappant à la porte d'une salle de festin,
les prières des agonisants succédant aux chansons à boire, noir et
blanc, ce contraste le touchait. Plusieurs fois dans sa vie (police
arrêtant Lahorie à table, folie d'Eugène au cours du dîner de
noces), il avait entendu le pas terrible du Commandeur. Il trans-
posa l'anecdote de Marchangy et prit pour héroïne Lucrèce Borgia.
La peindre avec tous ses vices, puis la réhabiliter par l'amour maternel comme il avait relevé Triboulet par l'amour paternel, le
thème devait le tenter et le drame fut écrit en quinze jours. À la
vérité, l'auteur ne s'y renouvelait pas. *Marion de Lorme, Le Roi
s'amuse, Lucrèce Borgia,* trois moutures du même sujet : un être
perdu de vices sauvé par un seul grand sentiment. Les drames de
Hugo étaient loin de valoir sa poésie lyrique. Mais la scène a son
esthétique particulière ; le mélodrame y avait alors triomphé de la
tragédie ; et il était naturel que l'on jouât *Lucrèce Borgia* dans le
théâtre où l'on avait créé *La Tour de Nesle.*

Ce théâtre était la Porte-Saint-Martin, dont le directeur, Harel,

avait pour maîtresse Mlle George, actrice illustre, transfuge de la
Comédie-Française, auréolée de souvenirs impériaux (elle avait
été maîtresse de Napoléon) et qui, toute proche de la cinquantaine,
demeurait avide de rôles d'amoureuses et capable de les jouer, à
la scène comme à la ville. Victor Hugo lut sa pièce, une première
fois chez elle et pour elle, puis au foyer de la Porte-Saint-Martin,
pour Frédérick Lemaître. À cette seconde lecture assistait une jeune
et belle actrice, Juliette Drouet, qui voulait bien accepter un bout
de rôle : celui de la princesse Negroni. « Il n'y a pas de petit rôle,
écrivait-elle à Harel, dans une pièce de M. Victor Hugo. » Celui-ci
ne la connaissait pas, mais l'avait entrevue un soir, dans un bal, en
mai 1832, « *blanche avec des yeux noirs, jeune, grande, éclatante* »,
couverte de bijoux, l'une des plus radieuses beautés de Paris. Il
n'avait pas osé lui parler :

> Elle allait et passait comme un oiseau de flamme,
> Mettant, sans le savoir, le feu dans plus d'une âme
> Et, dans les yeux fixés sur tous ses pas charmants,
> Jetant de toutes parts des éblouissements !
> Toi, tu la contemplais, n'osant approcher d'elle,
> Car le baril de poudre a peur de l'étincelle [1].

Pendant la lecture, il rencontra plusieurs fois ce regard. Il y
devina sympathie et abandon ; il se sentait alors le cœur vide et
triste ; ce fut un enchantement mutuel et immédiat. Il parla beaucoup d'elle, s'informa, et voici ce qu'il apprit. Mlle Juliette avait
vingt-six ans. Elle était née à Fougères, en 1806, d'un père tailleur,
Julien Gauvain, qui avait pris le maquis comme Chouan, en 93.
Orpheline dès le berceau, Julienne (dite Juliette) avait été confiée
à un oncle, le sous-lieutenant René Drouet, canonnier garde-côtes
en Bretagne. Ce brave homme lui avait fait une enfance buisson-
nière et sauvage, déchirée à toutes les épines, puis, à dix ans, l'avait
mise en pension à Paris, chez les bénédictines de l'Adoration perpétuelle, parmi lesquelles il comptait deux parentes. Là, Juliette
avait été la favorite des religieuses, très gâtée, mais fort bien élevée.
Elle eût risqué de prononcer des vœux bien imprudents sans l'in-
tervention du très sage archevêque de Paris, Mgr de Quélen, qui,
remarquant un jour de visite au couvent cette belle personne, l'in-

---

1. VICTOR HUGO : *A Ol.* (*Les Voix intérieures*, p. 415).

terrogea, se convainquit qu'elle n'était pas faite pour le cloître et la libéra.

Son étonnante beauté, « fatal présent des dieux », son corps parfait la conduisirent en 1825, à dix-neuf ans, par des cheminements demeurés inconnus, à l'atelier du sculpteur James Pradier. Il avait, quand Juliette le connut, trente-six ans. C'était, par naissance, un huguenot genevois devenu, par métier et nature, un libertin romantique aux yeux sombres, aux cheveux longs, qui s'habillait avec truculence : pourpoint, bottes à glands, pantalon collant, cape de mousquetaire. Dans son atelier, on faisait des armes et on jouait du piano. Il était sans méchanceté, mais sensuel et volage. Juliette posa pour lui des nus plus qu'audacieux et, entre deux séances, il lui fit un enfant : Claire, qu'il ne reconnut pas, mais ne renia jamais. Entré à l'Institut en 1827, rêvant d'un mariage bourgeois, il avait poussé Juliette vers le théâtre en lui donnant des conseils assez intelligents sur l'art de la comédienne, et d'autres, fort désabusés, sur l'art de séduire et de garder un homme. « Mes conseils ne seront jamais ceux de la passion et ils seront désintéressés. L'amitié que je t'ai vouée ne peut s'effacer tant que tu en seras *digne* [1]... » On ne sait au juste ce qu'il entendait par là.

Juliette avait tenu à Bruxelles, puis à Paris, de petits emplois et obtenu des succès de beauté plutôt que de talent. Actrice sans préparation ni métier, elle n'avait trouvé, comme elle l'écrivait à Pradier, « que des engagements au Mont-de-Piété [2] ». Elle avait beaucoup pleuré et craint de ne pas arriver. « Sacrebleu ! répondait Pradier, prends le dessus !... Mets-toi dans l'idée que tu es la première moutardière du pape et tu le deviendras... Fais-toi aimer, des actrices surtout, qui sont des diables en tous pays... Joue la comédie même hors du théâtre. » Et il signait : « Ton dévoué ami, amant et père [3]. »

Corrompue par le cynisme des ateliers, elle s'était donnée à de nombreux amants qui n'avaient pas rehaussé ses idées sur le sexe masculin : un bellâtre italien de cinquante-trois ans, Bartolomeo Pinelli ; un décorateur insolvable, Charles Séchan ; un journaliste

---

1. Cf. Louis Guimbaud : *Juliette Drouet avant Victor Hugo*, article publié dans le numéro spécial d'*Europe* (février-mars 1952), p. 57.
2. Paul Souchon : *Claire Pradier* (manuscrit inédit).
3. Inédit. Collection Georges Blaizot.

impudent, Alphonse Karr qui lui parla mariage et lui emprunta de l'argent ; et enfin un oisif richissime, le prince Anatole Demidoff, beau, violent, la cravache facile, qui en 1833, meublait pour elle un luxueux appartement, rue de l'Échiquier. Carrière de courtisane, mais Juliette gardait une vraie fraîcheur de sentiments, le goût breton de la rêverie, un amour passionné pour sa fille, un regard doux, velouté, « qui révélait par moments son âme céleste », et une gaieté spirituelle qui avaient bien du charme.

Plus tard, Victor écrira dans le carnet de Juliette : « Le jour où ton regard a rencontré mon regard pour la première fois, un rayon est allé de ton cœur au mien comme l'aurore à une ruine. » À la vérité, sans le savoir, chacun des deux se trouvait en présence d'un être désemparé. Ayant perdu Adèle, Hugo éprouvait le besoin de retrouver, avec l'amour, la confiance en soi ; Juliette ne connaissait que la sensualité et désirait, depuis l'âge de seize ans, devenir « la compagne passionnée d'un honnête homme ». Quand Alphonse Karr, amant dépravé, avait voulu la traîner en des lieux de plaisir : « Il me semble, avait-elle répondu, que mon âme a des désirs comme mon corps, et mille fois plus ardents... Vous me donnez des plaisirs suivis de fatigue et de honte. Je rêve, au contraire, un bonheur calme, uni. Écoutez, j'ai trop d'orgueil pour mentir : je vous quitterai, j'abandonnerai vous, la terre et même la vie si je trouve un homme dont l'âme caresse mon âme, comme vous aimez et caressez mon corps [1]... »

Pendant les répétitions de *Lucrèce Borgia,* elle multiplia les avances et les coquetteries. Hugo se tenait sur la défensive. Avait-il toujours été un mari fidèle ? On ne sait ; mais son attitude, sa poésie conjugale et paternelle exigeaient qu'il le fût. Il avait peur des actrices, des « tracasseries de coulisses » et gardait une attitude « respectueuse et prudente ». Mis en garde par le chahut du *Roi s'amuse,* il préparait sa première avec la minutie d'un grand capitaine. On convoqua, pour une lecture, les « délégués des combattants d'*Hernani* ». Aussi la représentation fut-elle un triomphe.

Le talent de Mlle George et celui de Frédérick Lemaître en méritaient une large part, mais Juliette elle-même, malgré la brièveté de son apparition, enchanta le public. « Elle avait, dit Théophile Gautier, deux mots à dire et ne faisait en quelque sorte que

---

1. Cf. Raymond Escholier : *Un Amant de Génie,* p. 118.

traverser la scène. Avec si peu de temps et si peu de paroles, elle a trouvé moyen de créer une ravissante figure, une vraie princesse italienne, au sourire gracieux et mortel [1]... » Quant à l'auteur, il enregistrait avec bonheur le jugement sur elle des spectateurs, qui était aussi le sien : « Qu'elle est jolie, qu'elle est belle, quelle taille, des épaules superbes, un charmant profil, quelle charmante actrice, quel air décent et distingué ! Intentions et expressions justes ; profondes émotions. Elle sent vivement ; il y a quelque rapport, dans sa voix et sa manière, avec Mme Dorval ; mais quelle différence pour le naturel et l'âme ! Avec une année d'expérience, elle sera parfaite ; elle sera notre première actrice en *genre*. Quel jeu muet, quelle âme [2] !... »

Il se trompait, non sur la beauté de l'actrice, adorable, mais sur son talent. Mlle Juliette était une comédienne maladroite parce qu'elle « en faisait trop ». Mais l'amour ne juge pas et Hugo était amoureux. Soir après soir, il venait à la Porte-Saint-Martin, voir, l'éclair d'une scène, ces beaux yeux toujours rivés aux siens. Il était terriblement tenté. Depuis longtemps, Adèle se refusait obstinément à lui. Sous son masque de jeune vainqueur, il cachait une secrète et cuisante douleur.

> Je suis triste au-dedans de moi.
> J'ai, sous mon toit, un mauvais hôte.
> Je suis la tour splendide et haute
> Qui contient le sombre beffroi [3]...

Il rendait, chaque soir, visite à Juliette dans sa loge, lui donnait des conseils, se grisait de cette beauté offerte. Quatre jours après la première, le 6 février, il lui dit : « Je t'aime ! » C'était ce qu'elle attendait et souhaitait. Dans la nuit du 16 au 17 février, le Samedi gras (ils crurent toute leur vie que c'était un mardi, mais ils se trompaient ou de date, ou de jour), l'auteur et l'actrice devaient se rendre ensemble, après *Lucrèce Borgia,* à un bal de théâtre. Ils décidèrent de passer cette nuit chez Juliette, qui habitait encore boulevard Saint-Denis, en attendant que fût prêt son « nid » de

---

1. THÉOPHILE GAUTIER : *Portraits contemporains,* p. 379.
2. Cf. RAYMOND ESCHOLIER : *Un Amant de Génie,* p. 123.
3. VICTOR HUGO : *A Mademoiselle Juliette* (*Les Chants du Crépuscule,* p. 265).

la rue de l'Échiquier. *Juliette à Hugo :* « Monsieur Victor, viens me chercher ce soir chez Mme K[raft]. Je t'aimerai jusque-là pour prendre patience. À ce soir. Oh ! ce soir, ce sera tout. Je me donnerai à toi tout entière [1]... » Huit ans plus tard, il lui rappela ce jour :

> T'en souviens-tu, ma bien-aimée ? Notre première nuit, c'était une nuit de carnaval, la nuit du Mardi gras de 1833. On donnait, je ne sais dans quel théâtre, je ne sais quel bal où nous devions aller tous les deux. (J'interromps ce que j'écris pour prendre un baiser sur ta belle bouche, et puis je continue.) Rien, pas même la mort, j'en suis sûr, n'effacera en moi ce souvenir. Toutes les heures de cette nuit-là traversent ma pensée en ce moment, l'une après l'autre, comme des étoiles qui passeraient devant l'œil de mon âme. Oui, tu devais aller au bal et tu n'y allas pas, et tu m'attendis. Pauvre ange ! que tu as de beauté et d'amour ! Ta petite chambre était pleine d'un adorable silence. Au dehors nous entendions Paris rire et chanter, et les masques passer avec de grands cris. Au milieu de la fête générale, nous avions mis à part et caché dans l'ombre notre douce fête à nous. Paris avait la fausse ivresse ; nous avions la vraie. N'oublie jamais, mon ange, cette heure mystérieuse qui a changé ta vie. Cette nuit du 17 février 1833 a été un symbole, et comme une figure de la grande et solennelle chose qui s'accomplissait en toi. Cette nuit-là, tu as laissé au dehors, loin de toi, le tumulte, le bruit, les faux éblouissements, la foule, pour entrer dans le mystère, dans la solitude et dans l'amour [2] !

Victor Hugo fut enivré. Adèle, tant désirée jadis, n'avait pu lui donner que la docilité craintive des jeunes mariées ; soudain, il possédait une amoureuse, belle comme on ne l'est pas, « yeux diamantés et limpides, front clair et serein... Le col, les épaules et les bras sont d'une perfection tout antique ; elle pourrait inspirer dignement les sculpteurs et être admise au concours de beauté avec les jeunes Athéniennes qui laissaient tomber leurs voiles, de-

————————

1.   JULIETTE DROUET : *Mille et une lettres d'amour à Victor Hugo,* p. 13.
2.   VICTOR HUGO : *Le Livre de l'Anniversaire,* cité par Louis Barthou dans *Les Amours d'un Poète,* p. 139.

vant Praxitèle méditant sa Vénus [1]... » Ce corps « aux durs tétons bretons », égal aux plus beaux marbres antiques, se pliait avec une adroite complaisance à tous les jeux de l'amour. Juliette, en cette « nuit sacrée », révéla le plaisir à un homme de trente ans, merveilleusement doué lui-même pour le goûter, pour le donner, et qui, marié à vingt ans, n'était passé que par le lit conjugal. Les caresses sont un art, comme la poésie. Juliette y était virtuose.

Parler avec Juliette était un autre enchantement. Elle avait tant à conter : la Bretagne, l'écolière aux pieds nus ; le couvent ; la misère ; et tant à entendre de lui. Ayant mené une vie difficile et aventureuse, elle contentait par ses récits bien des curiosités de l'écrivain. « Je suis peuple », disait-elle fièrement. Or il y avait, chez « le baron Hugo », malgré quelques poussées de vanité naïvement nobiliaire, un chaleureux désir de connaître le peuple. Et puis un poète a besoin d'être compris. Dès qu'il écrivit des vers pour Juliette, elle accueillit ces poèmes avec une joie infiniment plus vive que n'avait fait Adèle. L'indolente épouse ne semblait pas s'intéresser aux manuscrits, aux brouillons ; Juliette, « par nature collectionneuse », gardait tout avec dévotion. Elle donnait de la saveur à la gloire, qui par elle-même est fade. Aussi mérita-t-elle de belles dédicaces. Sur la huitième édition des *Orientales :* « À vous, ma beauté ! À toi, mon amour ! » Sur la quatrième édition de *Han d'Islande,* parue en mai 1833 :

> N'écoutez pas, mon ange, en votre rêverie,
> Paris aux mille voix qui là-bas pleure et crie ;
> Entends plutôt mon cœur qui parle à ton côté.
> Écoute-le chanter pendant que tu reposes.
> Va! les soupirs d'un cœur disent bien plus de choses
> Que les rumeurs d'une cité [2].

Pour Hugo, après une année humiliante, cet amour était une résurrection. Prendre une maîtresse, passer les nuits hors de chez lui, l'avait d'abord effarouché, lui, le poète du foyer et de la famille. Puis il en avait eu de la fierté. Il parlait de sa conquête à

---

1. THÉOPHILE GAUTIER : *Mademoiselle Juliette,* article publié dans un recueil collectif auquel collaborèrent Balzac, Nerval, Gautier, Hugo, Sandeau, Roger de Beauvoir, etc. : *Les Belles Femmes de Paris* (à Paris, 10, rue Christine, 1840).
2. Cf. LOUIS BARTHOU : *Les Amours d'un Poète,* p. 145.

tout le monde, et même à Sainte-Beuve, qui s'en gaussait : « Hugo se donne à moi comme un homme qui n'a qu'un défaut : celui de trop aimer les femmes. Il prétend qu'il ne songe pas du tout à sa gloire. Il y a toujours deux défauts en nous : celui qu'on avoue et celui qu'on cache [1]... » Naturellement, tout Paris jasait de cette aventure et de pieux amis, comme Victor Pavie, s'inquiétaient. Mais Hugo voulait croire que tant de bonheur ne pouvait être coupable. *Victor Hugo à Victor Pavie :* « Je n'ai jamais commis plus de fautes que cette année, et je n'ai jamais été meilleur. Je vaux bien mieux maintenant qu'à mon temps d'*innocence,* que vous regrettez. Autrefois, j'étais innocent ; maintenant, je suis indulgent. C'est un grand progrès, Dieu le sait. J'ai auprès de moi une bonne et chère amie, cet ange qui le sait aussi, que vous vénérez comme moi, et qui me pardonne, et qui m'aime [2]... »

L'Ange du pardon, c'était Adèle. À la vérité, l'angélisme lui était facile. Comment n'eût-elle pas pardonné ? Comment, ne voulant plus être sa femme, eût-elle exigé de lui la fidélité conjugale ? D'ailleurs, la vie familiale continuait. Didine écrivait à Louise Bertin : « Ma Louise, il y a bien longtemps que je ne t'ai vue... Ma petite tante Julie [Foucher] est arrivée du couvent... On a coupé les cheveux à Toto et à Dédé... Julie dit qu'elle n'aime pas les usurpateurs ; elle déteste Louis-Philippe », et Hugo, le pécheur, ajoutait : « Pardonnez-moi, mademoiselle, d'user du papier blanc que me laisse Poupée... Ce pauvre Paris continue d'être fort ennuyeux. C'est à regretter l'été des émeutes et l'été du choléra... Je passe mes journées à glaner dans un vieux fouillis de quoi faire ces deux volumes de *Littérature mêlée* (et fort mêlée)... Le soir, nous allons, ma femme et moi, nous promener du côté de la Rapée, au bord de la rivière [3]... » Tableau idyllique. Famille à la Greuze.

Quand Adèle alla, comme chaque été, s'installer aux Roches avec les enfants, Sainte-Beuve vint rôder dans la vallée. « *Puisqu'un si noble époux par Phryné t'est ravi »,* écrivait-il dans un poème hardiment dédié : *À Adèle.*

Voilà que tout s'éclaire et tout change à la fois.
Quelques printemps de plus ont embelli les bois

---

1. Collection Spoelberch de Lovenjoul. Texte inédit.
2. Victor Hugo : *Correspondance,* t. I, p. 529.
3. Lettre inédite. Collection Alfred Dupont.

Et préparé, pour nous, la charmille épaissie ;
Pour nous ! car ta prison s'est enfin adoucie,
Car lui, le dur jaloux, l'orgueilleux offensé,
S'est pris au piège aussi d'un amour insensé.
Il court après l'objet qui, nuit et jour, l'enlève ;
Et nous, prompts à jouir de chaque courte trêve,
Nous courons non moins vite aux bois les plus voisins [1]...

Dès que Hugo quittait Bièvres, Adèle sortait à pied, retrouvait sur la route Sainte-Beuve, qui avait loué une voiture, et ils étaient heureux autant qu'ils pouvaient l'être. C'était peu. Cet amour avait été, dès son aube, crépusculaire. « Il se confond, écrivait Sainte-Beuve à Mme Victor Hugo, avec les nuances tombantes du soir dans ces églises où nous allons... Il s'est habitué au deuil au sein même du bonheur. J'ai toujours été médiocrement doué de la faculté de l'espérance ; j'ai toujours senti l'absence et l'empêche-ment en toutes choses ; mes sentiments ont toujours un peu man-qué de soleil dans la saison propice [2]... » Cependant Victor, à Paris, introduisait Juliette dans l'appartement de la place Royale et, le lendemain, elle lui écrivait :

Savez-vous que vous êtes bien charmant de m'avoir ouvert les portes de chez vous ; c'était plus que de la curiosité satis-faite pour moi et je vous remercie de m'avoir fait connaître l'endroit où vous vivez, où vous aimez et où vous pensez. Mais pour être sincère avec vous, mon cher adoré, je vous dirai que j'ai rapporté de cette visite une tristesse et un découragement affreux ! Je sens, bien plus qu'avant, combien je suis séparée de vous et à quel point je vous suis étrangère. Ce n'est pas de votre faute, mon pauvre bien-aimé ; ce n'est pas de la mienne non plus ; mais c'est comme cela ; il ne serait pas sensé que je vous attribue, dans mon malheur, plus de part que vous n'y avez, mais je puis sans cela, mon cher bien-aimé, vous dire que je me trouve la plus misérable des femmes. Si vous avez quelque pitié de moi, mon cher amour, vous m'ai-derez à sortir de cette posture accroupie et humiliante, dans laquelle je suis, et qui torture mon esprit en même temps que

---

1. SAINTE-BEUVE : *Récit* (*Livre d'Amour*, VIII, p. 32).
2. Lettre citée par RENÉ TERNOIS dans *Tristesses de Sainte-Beuve*, article publié dans l'*Education nationale*.

mon corps. Aidez-moi à me relever, mon bon ange, que j'aie foi en vous et en l'avenir ! Je vous en prie, je vous en prie [1].

Humilité sincère. Le drame de Juliette, c'est qu'elle était devenue jadis une courtisane en toute innocence, trouvant naturel, puisqu'elle n'avait rencontré chez les hommes que cynisme et brutalité, de demander au moins le luxe à un prince Demidoff ou à ses pareils. Voilà qu'elle aimait un maître exigeant, qui méprisait toute vénalité, qui n'admettait pas le partage et qui avait trop souffert de jalousie pour ne pas exiger des certitudes. Parce qu'il l'aimait d'un amour « complet, profond, tendre, brûlant, inépuisable, infini », il la voulait aussi pure que belle. Or elle n'avait d'autres moyens d'existence que ses riches protecteurs ; au théâtre, elle gagnait fort peu ; sa fille Claire était à sa charge. Si amoureuse qu'elle fût, elle hésitait à bouleverser sa vie. Elle venait d'emménager dans son bel appartement de la rue de l'Échiquier ; sans doute continuait-elle d'y recevoir le donateur de tant de splendeurs, le sauvage Demidoff, et les amis de celui-ci. Alors Victor la traitait en fille perdue, comme Didier Marion de Lorme. Un Balzac eût souri. Mais Hugo vivait là un de ses drames. Parfois, blessée par « des soupçons outrageants » (et trop légitimes), Juliette souhaitait rompre ; elle s'enfuyait, puis elle revenait demander à ce terrible juge et merveilleux amant de « la sanctifier et de faire revivre ce qu'il y avait en elle de bon et de vertueux ».

Il était prêt à pardonner si elle brisait avec son passé. Elle obéit enfin et se trouva soudain très pauvre. En janvier 1834, elle avait en dépôt au Mont-de-Piété : « 48 chemises de batiste brodée 36 chemises de batiste, 25 robes dont deux sans manches, 31 jupon brodés, 12 camisoles brodées, 23 peignoirs, 1 cachemire rayé à volants, 1 châle en cachemire de l'Inde, etc. [2]. » Cet inventaire, soigneux et lamentable, évoque ceux qui suivent un décès. La princesse Negroni était morte et Juliette Drouet luttait pour survivre Les créanciers l'assiégèrent ; leurs visites accrurent la jalousie d Victor Hugo. Quand elle dut lui avouer une part de ses angoisses le bourgeois économe s'indigna ; le héros romantique déclara prendre les dettes à son compte.

---

1. Cf. Paul Souchon : *Les Deux Femmes de Victor Hugo,* p. 34.
2. Cf. Raymond Escholier : *Un Amant de Génie,* pp. 137-138.

Victor Hugo à Juliette Drouet : « Cet argent est à vous ; je viens de le gagner pour vous. C'est le reste de ma nuit que j'ai voulu vous donner. Il fallait avoir la chose qu'on me demandait ce matin, ou pas. La plume m'est tombée vingt fois des mains, mais c'était pour vous : j'ai travaillé. Je ne suis pas comme les autres hommes : je fais la part de la fatalité. Même dans votre chute, je vous regarde comme l'âme la plus généreuse, comme la plus digne et la plus noble créature que le sort ait jamais frappée. Ce n'est pas moi qui me réunirai aux autres pour accabler une pauvre femme terrassée. Personne n'aurait le droit de vous jeter la première pierre, excepté moi. Si quelqu'un la jette, je me mettrai devant [1]... »

Puis, comme il l'avait séparée de tous ceux qu'elle avait connus jadis et ne pouvait lui-même vivre avec elle, il lui donna du travail. Le mouvement naturel de l'écrivain est de faire, de la femme qu'il aime, une secrétaire. *Juliette à Hugo :* « Il n'est pas tout à fait six heures du soir ; je viens de finir de copier les vers que tu m'as donnés hier... » Elle devait lui rendre compte de tous ses actes : « Je suis rentrée hier ; j'ai lu tes vers ; j'ai dîné, j'ai fait mes comptes ; ensuite je me suis couchée ; j'ai lu tes journaux ; je me suis endormie, j'ai rêvé de toi ; je me suis réveillée ce matin à huit heures ; je me suis levée presque aussitôt ; j'ai fait une partie du ménage, réparé la toilette d'hier... À deux heures et demie, je me suis mise à copier et, depuis que j'ai fini, je t'écris. Voici, MON COMMANDANT, le rapport de la place ; êtes-vous satisfait ? Le caporal de garde l'est aussi. Après dîner, je ferai répéter les enfants et je compterai les vers des *Feuilles d'Automne* [2]... »

Mais Juliette avait de belles compensations. Il avait acheté pour elle un carnet en corne noire, incrusté d'or : *Tablettes de bals et de soirées,* sur lequel, chaque soir, avant de la quitter pour retourner place Royale, il écrivait quelque pensée banale et tendre : Sur le premier jour de l'année, j'écrirai : je t'aime ; sur le dernier : je t'adore... — Tes caresses me font aimer la terre ; tes regards me font comprendre le ciel... — Je te définirais d'un mot, ma pauvre amie : un ange dans un enfer... — La beauté, tu l'as ;

1. Cf. Louis Barthou : *Les Amours d'un Poète,* pp. 153-154.
2. Cf. Louis Guimbaud : *Victor Hugo et Juliette Drouet,* p. 266.

l'intelligence, tu l'as ; le cœur, tu l'as. Si la société t'avait traitée
comme la nature, tu serais bien haut. Mais ne t'afflige pas ; la
société n'aurait pu te faire que reine ; la nature t'a faite déesse [1]... »
L'amant, bien qu'épris, demeurait très Didier et continuait de penser à cette Marion de Lorme comme à un ange déchu. Elle-même
se méprisait. Le sérieux, la solennité des sentiments de Victor, qui
ennuyaient Adèle, plaisaient à Juliette, et d'autant plus qu'ils
alternaient avec une gaieté d'étudiant qui la charmait.

Restait pour elle un espoir : la carrière théâtrale. Hugo, après
maintes querelles, avait promis à Félix Harel un nouveau drame
pour la Porte-Saint-Martin : *Marie Tudor.* Il y voulait donner
deux rôles, presque égaux, à Mlle George et à Mlle Juliette ; la
première serait la reine d'Angleterre ; la seconde, Jane, pauvre
fille coupable et touchante, à laquelle son amant pardonnait. Les
répétitions furent houleuses. L'impériale et impérieuse Mlle George
n'était pas femme à tolérer une rivale. Sans aimer Hugo, elle supportait mal qu'un auteur allât porter ses hommages à une com-
parse. Acide et hautaine, elle se plaignait de la médiocrité de sa
partenaire. Le beau Pierre Bocage, excité par elle, rendit le rôle
de Gilbert après avoir, aux répétitions, traité Juliette avec imper-
tinence. Ami intime d'Alexandre Dumas, il ne souhaitait pas le
succès de Hugo, car une rivalité opposait, malgré eux, aux yeux
de tous, les deux dramaturges romantiques. Par les soins de Bocage, de Sainte-Beuve et même de Harel, la presse parlée, avant
la première, fut mauvaise. On disait que la pièce était pleine d'hor-
reurs et de crimes, qu'on voyait en scène le bourreau et, surtout,
que Juliette était détestable.

À la veille de la première, le directeur dit à l'auteur : « Mlle
Juliette est impossible ; Mlle Ida [2], maîtresse de Dumas, sait le
rôle et elle est prête à le jouer. » Hugo était trop amoureux et
trop équitable pour céder ; Harel, furieux, lui refusa au dernier
moment une partie de son service ; Dumas, chevaleresque, donna
ses propres places au rival. La soirée commença dans un climat
d'orage. Les deux premiers actes passèrent, mais, au troisième acte

---

1. Cf. Louis Barthou : *Les Amours d'un Poète,* pp. 156-160.
2. Marguerite-Joséphine Ferrand, dite Ida Ferrier, épousa Dumas père
le 5 février 1840. Elle quitta le théâtre, puis le mari, pour aller vivre en
Italie avec le duc de Villafranca. Elle mourut à Gênes, le 11 mars 1859

les scènes de Juliette furent sifflées. Troublée par l'hostilité de ses camarades et du public, elle avait, hélas ! justifié craintes et critiques. Le lendemain, sous la pression de Sainte-Beuve, d'Adèle et des « anciens combattants d'*Hernani* », Hugo, non sans chagrin et colère, dut consentir que la malheureuse Juliette, en alléguant une indisposition (d'ailleurs réelle ; elle avait dû s'aliter), rendît le rôle.

> *Hugo à Juliette :* « Vous n'avez pas cessé, un seul instant, d'avoir l'accent vrai, l'accent passionné, l'accent pathétique ; ceux qui n'écoutaient pas se plaignent de n'avoir pas entendu ; laissez-les dire. Vous avez été belle, touchante à la fin ; vous aviez été belle et charmante au commencement. Tout ce que vous avez dit, vous l'avez dit sans perdre un instant le sentiment délicat des nuances, chose rare et difficile dans la passion ; vous avez dignement tenu tête à la Reine dans la scène du dénouement ; et là, il était beau de ne pas succomber ; ce n'est pas la lutte de deux femmes, c'est Jane contre Marie, c'est la gazelle contre la panthère. Soyez tranquille ; on vous rendra justice un jour [1]... »

L'accueil, si cruel, des spectateurs avait achevé d'enlever à la pauvre Juliette le peu de talent théâtral qu'elle possédait. « Je n'ose plus, disait-elle. Ces gens m'ont ôté la confiance en moi. Je ne peux plus répéter, je suis paralysée. » C'était une triste et injuste aventure.

1. Cf. Raymond Escholier : *Un Amant de Génie*, pp. 148-149.

III

L'ANNÉE 1834

Si deux personnes se brouillent, c'est qu'elles
étaient un peu trop bien ensemble.
PAUL VALÉRY.

NOTE *de Sainte-Beuve pour lui-même :* « Je me disais : Comme tout ce qui était beau, florissant et grandissant, il y a quelques années, est tombé ! Lamennais réduit au silence, ruiné et sans disciples ; Lamartine, dans l'*Orient désert,* retranché des vivants par la mort de sa fille ; et tous nos poètes déchus, nos anges tombés ! Hugo, l'auteur de *Son nom* et *À toi,* aux pieds de Juliette ; *Eloa*[1] captive et souffre-douleur de Mme Dorval ; Antony fou, Émile redevenu dameret[2] ; — oh ! il n'y a que nous, mon Adèle, qui ayons suivi et accompli étroitement notre destinée serrons-nous bien, cher ange, et unissons-nous jusqu'à la mort et après la mort ! Je t'aime[3] !... » Tableau désenchanté qui ne l'étai pas encore assez puisque cet amour même s'allait prouver vulnérable. L'année 1834 vit la brouille totale de Sainte-Beuve et de Victor Hugo ; elle fut aussi l'année des pires orages pour la pauvre Juliette.

La brouille des anciens amis intervint non pour des raison sentimentales, mais par humeurs d'hommes de lettres. Victor Hugo, au début de 1834, publia une *Étude sur Mirabeau.* Pourquoi Mirabeau ? Parce que le sujet lui permettait, indirectement, d

---

1. Alfred de Vigny, auteur d'*Eloa*.
2. Antony et Emile Deschamps.
3. Collection Spoelberch de Lovenjoul, D. 2044. Cité par Maurice Alle dans *Sainte-Beuve et Volupté,* pp. 94-95. Sainte-Beuve a mis cette note intim au dos d'une lettre que Lamennais lui avait écrite, pour l'inviter à venir fai un séjour à La Chênaie.

s'expliquer. Balzac l'a peint, dans ces sinistres années, comme un homme « malheureux et détesté ». C'était vrai. On le traitait, à tout propos, avec une injustice hargneuse. Sainte-Beuve lui-même affectait, avec onction, de s'étonner de cette sévérité : « La critique avait eu contre son œuvre, contre sa personne depuis quelques mois, de presque unanimes et vraiment inconcevables clameurs [1]... » Or Mirabeau avait, en son temps, souffert d'injustices analogues. On lui avait opposé Barnave, qui avait les mêmes idées politiques que Mirabeau, mais non le même génie, comme en 1798 on avait préféré Moreau à Bonaparte, comme en 1834 certains exaltaient Dumas père aux dépens de Hugo.

« Le peuple, cependant, qui n'est pas envieux parce qu'il est grand, écrivait Hugo, le peuple était pour Mirabeau [2]... » Hugo commençait à espérer que ce peuple, un jour, lui donnerait sa revanche sur les « hommes comme il faut, qui sont les hommes comme il ne faut pas ». De même qu'il avait écrit jadis : « Il nous faut notre Shakespeare », il disait maintenant : « Après nos grands hommes de révolution, il nous faut un grand homme de progrès... La Révolution française a ouvert, pour toutes les théories sociales, un livre immense, une sorte de grand testament. Mirabeau y a écrit son mot, Robespierre le sien. Louis XVIII y a fait une rature. Charles X a déchiré la page. La Chambre du 7 août l'a recollée à peu près, mais voilà tout. Le livre est là, la plume est là. Qui osera écrire [3] ?... » Tout bas, il se répondait : « Toi ! » Il entrevoyait, au delà de la gloire littéraire, une carrière politique.

La même année, sous le titre de *Littérature et Philosophie mêlées*, il réunit, chez Renduel, en les retouchant quelque peu, des écrits de jeunesse. Le but était de confronter le « jeune Jacobite » de 1819 avec le « révolutionnaire » de 1830 et de montrer que, si sa pensée avait évolué, c'était avec droiture et désintéressement. De ce recueil d'articles, on parla peu. Gustave Planche, dans la *Revue des Deux Mondes* : « M. Hugo, dans l'intérêt de sa gloire, n'aurait jamais dû tirer ce livre de la poussière où il gisait enseveli [4]... » Sainte-Beuve publia, sur le *Mirabeau*, un article élogieux

1. Victor Hugo : *Sur Mirabeau* (*Littérature et Philosophie mêlées*, . 198).
2. *Opus cit.*
3. *Opus cit.*, pp. 217-218.
4. Gustave Planche : Article publié dans la *Revue des Deux Mondes*, II, pp. 181-204.

pour l'écrivain, mais où Hugo crut, avec raison, voir des perfidi
à l'égard de l'homme. *Victor Hugo à Sainte-Beuve :* « J'y ai trouv
mon pauvre ami (et *nous sommes deux* à qui il a fait cet effet
d'immenses éloges, des formules magnifiques, mais au fond, et ce
m'attriste profondément, pas de bienveillance... J'aimerais mieu
moins d'éloges et plus de sympathie... Victor Hugo est combl
mais Victor, votre ancien Victor, est affligé [1]. » Sainte-Beuve pr
testa d'une amitié « qui est mon premier titre, après tout, dans l
lettres comme elle a été le premier grand sentiment de ma vie [2]
Mais ces politesses félines se multipliaient en vain. Propos hostile
conversations rapportées envenimaient sans remède les rapports d
deux hommes. La rupture fut brusque. *Sainte-Beuve à Victor H*
go, 30 mars 1834 : « Au reste, nous en demeurerons là, je vous pri
C'est trop parler, je ne dis pas comme vous de *personnes indigne*
mais d'un sujet indigne. Faites-nous de belles poésies et je tâcher
de faire de consciencieux articles. Revenez à votre œuvre comm
moi à mon métier. Je n'ai pas de temple et ne méprise personn
Vous avez un temple ; évitez-y tout scandale [3]... »

Victor Hugo à Sainte-Beuve, 1er avril 1834 : « Il y a tant d
haines et tant de lâches persécutions à partager aujourd'hui ave
moi que je comprends fort bien que les amitiés, même les plu
éprouvées, renoncent et se délient. Adieu donc, mon ami. Enter
rons, chacun de notre côté, en silence, ce qui était déjà mort e
vous et ce que votre lettre tue en moi [4]... » Après ces adieux, le
deux hommes continuèrent de se serrer la main quand leurs obl
gations professionnelles les mettaient en présence. Sainte-Beuve fi
chaque 1er janvier, un cadeau à sa filleule ; mais, d'amitié, poin

Pour Victor Hugo et Juliette Drouet, 1834 fut une anné
chaotique. Sommets sublimes, sombres abîmes. Le seul trait stabl
du climat changeant de leur vie commune était un mutuel amou
de corps et de cœur. Elle l'exprimait de manière touchante : « S
le bonheur pouvait s'acheter avec la vie, il y a longtemps que l
mienne serait dépensée [5]... » — *26 février 1834 :* « Bonjour, mo
cher bien-aimé ; bonjour, mon grand poète ; bonjour, mon dieu

---

1. Collection Spoelberch de Lovenjoul, D. 588, fos 97 et 98.
2. SAINTE-BEUVE : *Correspondance générale,* t. I, p. 425.
3. Collection Spoelberch de Lovenjoul, D. 588, f° 126.
4. Collection Spoelberch de Lovenjoul, D. 588, f° 101.
5. JULIETTE DROUET : *Mille et une lettres d'amour à Victor Hugo,* p. 3

Voici une belle journée d'amour et de soleil, digne en tout de rappeler le jour où tu es né [1]... — Mon Toto, je vous aime ; vous m'avez rendue bien heureuse, cette nuit ; je n'aurais eu aucun regret, aucun désir à former si elle avait pu se prolonger autant que ma vie [2]... » Les ennemies de Juliette Drouet disaient qu'elle manquait d'esprit. Quelle injustice ! On pouvait sourire de son orthographe, parfois fantaisiste, mais non de son style. Elle avait la plus charmante drôlerie, pastichant en tête d'une lettre les romantiques épigraphes de son poète et déployant, pour dire : « Je t'aime » sous mille formes diverses, une incroyable ingéniosité. « Je vous écris au courant de mon cœur, je vous aime comme une femme de paradis, mais je vous le dis comme une fille de basse-cour... J'ai de l'amour plein le cœur et de l'esprit plein votre tête [3]... » Elle trouvait des accents dignes de la Religieuse portugaise. Hugo n'avait pas tardé à reconnaître en elle ce don lyrique et il gardait ses lettres précieusement.

Mais on ne vit ni d'amour ni d'esprit, et elle était une pauvre fille chargée de dettes. Douze mille francs à l'orfèvre Janisset ; deux mille cinq cents francs à Mmes Lebreton et Gérard, marchandes de cachemires ; mille francs au gantier Poivin ; quatre cents francs à Vilain, marchand de rouge... en tout vingt mille francs (cinq à six millions de notre temps). Or au début, tout effrayée par son soupçonneux seigneur et maître, elle avait essayé de négocier avec ses créanciers, de mettre son linge au Mont-de-Piété, d'emprunter par l'intermédiaire de Jacques-Firmin Lanvin et de sa femme [4], amis qui lui étaient tout dévoués. D'où mystères, cachotteries, démarches suspectes et jalousie de Hugo, qui prenait « son air de Grand Inquisiteur ». Plusieurs fois, au cours de l'année, ils furent tout près de rompre. *Carnet de Victor Hugo, 13 janvier 1834, onze heures et demie du soir :* « Aujourd'hui encore un amant. Demain... » Juliette, qui avait tout sacrifié et qui s'était, pour garder cet amant, délibérément acculée à la misère, ne pouvait être que blessée par tant de sévérité : « Rien de tout cela n'a

---

1. JULIETTE DROUET : *Mille et une lettres d'amour à Victor Hugo*, p. 39.
2. *Opus cit.*, p. 41.
3. Cf. LOUIS GUIMBAUD : *Victor Hugo et Juliette Drouet*, pp. 72-73.
4. Jacques-Firmin Lanvin, né le 11 germinal an XI (1er avril 1803), avait épousé, le 21 juin 1824, Antoinette-Eliza Véron, née le 2 vendémiaire, an XIII, confidente de Juliette Drouet.

pu trouver grâce à vos yeux. Je suis encore pour vous, aujourd'hui,
ce que j'étais pour tout le monde il y a un an : une femme que
le besoin peut jeter dans les bras du premier riche qui veut l'acheter. Ce sont là les causes, dures et irrésistibles, de notre séparation.
Voilà ce que je ne peux plus supporter [1]... »

Elle avait d'autres sujets de douleur : la place Royale, où Victor Hugo menait une vie brillante à laquelle Juliette n'était pas
associée (il arrivait parfois que, la nuit, lasse de l'attendre, elle
allât errer sous ses fenêtres et, comme lui jadis devant l'hôtel de
Toulouse, regardât les lumières en écoutant les rires) ; — la facilité
avec laquelle il accueillait les calomnies (ou les vérités) sur le passé
de Juliette, de la bouche d'Ida Ferrier ou de la mûrissante Mlle
George, qui lui demandaient avec une hypocrite sollicitude pourquoi il avait choisi entre toutes cette « femme fausse, vaniteuse,
coquette et désordonnée » ; — enfin le peu d'intérêt qu'il portait
à sa carrière d'actrice. Il l'avait fait engager au Théâtre-Français
en 1834, à trois mille francs par an, ce qui avait permis d'acquitter
les termes de l'appartement du 35, rue de l'Échiquier, termes que
Demidoff, naturellement, ne payait plus. Mais on ne lui donnait
aucun rôle et elle en venait à penser que son amant la jugeait,
comme actrice, aussi durement que le public de *Marie Tudor*. Quel
avenir, alors ? Rester une pauvre fille, sans carrière ni foyer, maîtresse d'un jaloux qui la méprisait ? Quand ses créanciers la firent
expulser et qu'elle vit ses meubles saisis, elle pensa sérieusement à
se tuer.

Victor, vous vous êtes servi cette nuit, pour m'accabler,
des calomnies infâmes d'une George et des malheurs de ma
vie passée. Vous vous êtes raillé des quinze mois d'amour et de
souffrances passées avec vous... Je vous demande de ne pas
repousser la vérité de l'amour, pur et vif, que j'ai eu pour
vous. N'imitez pas ces enfants qui, voyant passer un vieillard,
doutent qu'il ait été jamais jeune et fort. Moi, je vous ai aimé
de toutes les puissances de mon âme. Ici sont toutes vos lettres, plus le mouchoir que vous m'avez rapporté, qui n'est pas
le mien [2]...

---

1. JULIETTE DROUET : *Mille et une lettres d'amour à Victor Hugo*,
p. 40.
2. JULIETTE DROUET : *Mille et une lettres d'amour à Victor Hugo*,
pp. 43-44.

Elle lui répétait ce qu'elle lui avait dit jadis, à propos du rôle de Jane dans *Marie Tudor ;* elle ne pouvait plus :

> Aujourd'hui, ce n'est plus d'un rôle qu'il s'agit, mais de ma vie tout entière. Maintenant que la calomnie m'a terrassée dans tous les sens ; maintenant que j'ai été condamnée dans ma vie sans avoir été entendue, comme je l'ai été dans ta pièce ; maintenant que ma santé et ma raison se sont usées dans ce combat sans profit et sans gloire ; maintenant que je suis signalée à l'opinion publique comme une femme sans avenir, je n'ose plus, je ne peux plus vivre... Ceci est bien profondément vrai : je n'ose plus vivre. Cette crainte a fait naître en moi le besoin du suicide [1]...

Puis, comme le corps et le cœur de Hugo étaient plus sages que son orgueil, il lui revenait, repentant. La regardant dormir, il lui écrivait :

> Tu trouveras cette petite lettre en t'éveillant, pliée en quatre sur ton lit, et tu me souriras, n'est-ce pas ? Je veux un sourire de ces pauvres beaux yeux qui ont tant pleuré. Dors, ma Juliette ; rêve que je t'aime ; rêve que je suis à tes pieds ; rêve que tu es à moi ; rêve que je suis à toi ; rêve que je ne puis pas vivre sans toi ; rêve que je pense à toi ; rêve que je t'écris. À ton réveil, tu trouveras que le rêve est la réalité. Je baise vos petits pieds et vos grands yeux [2]...

Il l'emmenait aux environs de Paris et lui montrait sa chère vallée de la Bièvre, pleine de paresse et de verdure. Le 3 juillet 1834, ils passèrent la nuit à l'hôtel de l'Écu de France, à Jouy-en-Josas. Nuit inoubliable.

> Mon bien-aimé Victor, je suis encore tout émue de notre soirée d'hier... Hier, 3 juillet 1834, à dix heures et demie du soir, dans l'auberge de l'Écu-de-France, moi, Juliette, j'ai été la plus heureuse et la plus fière des femmes de ce monde ; je déclare encore que, jusque-là, je n'avais pas senti dans toute sa plénitude le bonheur de t'aimer et d'être aimée de toi. Cette

---

1. Juliette Drouet : *Mille et une lettres d'amour à Victor Hugo,* p. 46.
2. Cf. Raymond Escholier : *Un Amant de Génie,* p. 153.

lettre, qui a toute la forme d'un procès-verbal, est en effet un
acte qui constate l'état de mon cœur. Cet acte, fait aujour-
d'hui, doit servir pour tout le reste de ma vie dans le monde ;
le jour, l'heure et la minute où il me sera représenté, je m'en-
gage à remettre ledit cœur dans le même état où il est aujourd'hui, c'est-à-dire rempli d'un seul amour qui est le tien
et d'une seule pensée qui est la tienne. Fait à Paris, le 4
juillet 1834, à trois heures de l'après-midi. JULIETTE. — Ont
signé pour témoins les mille baisers dont j'ai couvert cette
lettre [1].

Comme revenait le temps du séjour d'été aux Roches, ils cher-
chèrent pour elle une chambre, point trop éloignée du château des
Bertin ; ils la trouvèrent au sommet de la colline boisée, au hameau
des Metz, dans une maison basse, blanche, rustique à volets verts,
couverte d'une vigne un peu folle, chez un ménage Labussière,
pour quatre-vingt-douze francs par an, que Victor paya d'avance.
Puis ils rentrèrent à Paris. *Victor Hugo à Juliette Drouet, 9 juillet
1834 :* « Mon amour, mon ange ! Il n'y a rien de plus enivrant
que le chant qui sort de ta bouche, si ce n'est le baiser que l'on y
cueille. N'oublie jamais que ces lignes ont été écrites dans ton lit,
toi dans mes bras, nue et adorable, tandis que tu me chantais des
chansons de moi avec une voix qui ravissait mon âme. Pauvres
chansons que tu me rendais charmantes ! J'en avais fait les vers,
tu en faisais la poésie [2]... » Le 19 juillet, elle quitta la rue de
l'Échiquier, gardant « un éternel souvenir de cette chambre où ils
avaient été si heureux et si malheureux », et emménagea, 4 *bis*,
rue de Paradis, dans un logement minuscule. « Oh ! cette rue est
bien nommée, ma Juliette ! Le ciel est pour nous dans cette rue,
dans cette maison, dans cette chambre, dans ce lit [3]... »

Au mois d'août (1834), ce paradis devint un enfer. La meute
des créanciers avait retrouvé la piste et aboyait si fort que Juliette
dut enfin avouer à son amant le montant total de ses dettes. Vingt
mille francs ! Le fils de la générale Hugo, l'enfant qui longtemps
n'avait eu d'autre revenu que deux sous par jour, entra dans une

1. JULIETTE DROUET : *Mille et une lettres d'amour à Victor Hugo*,
p. 51.
2. Cf. LOUIS BARTHOU : *Les Amours d'un Poète*, pp. 191-192.
3. *Opus cit.*, p. 193.

épouvantable colère ; il dit qu'il paierait tout lui-même, peu à peu, dût-il y compromettre sa santé et sa vie, mais les promesses furent mêlées aux reproches les plus durs. Qu'avait-elle fait ? La violence de ses remords porte à imaginer des fautes plus graves. *Juliette à Victor :* « Oh ! va, tu n'auras jamais été aimé d'un amour plus pur que le mien, d'un amour plus vrai, d'un amour plus durable, et cependant je suis une misérable. Quelle réparation, quelle expiation exiges-tu pour un crime qui n'est pas le mien, qui vient de je ne sais où, dont mon corps ni mon âme ne sont complices ! Parle, prononce. Je me soumettrai à tous les châtiments qui ne seront pas la mort de notre amour [1]... »

Elle s'enfuit, avec sa petite fille, vers la Bretagne, où vivait, à Saint-Renan, sa sœur Renée (Mme Koch). Séparés, les amants mesurèrent l'un et l'autre leur folie. Qu'était l'argent, qu'étaient les dettes au regard de tant d'amour ? Hugo remua « des pieds, des mains et des ongles » pour sauver Juliette dans l'immédiat. Il alla jusqu'à faire appel à Pradier (qu'il appelait « le prince de Furstenberg », du nom de la rue où vivait le sculpteur) pour que le sculpteur assumât au moins les dépenses de sa fille Claire, mais Pradier s'y refusa. Il ne le pourrait, dit-il, que si Victor Hugo obtenait pour lui la commande d'un groupe pour l'Arc de Triomphe. Marchandage cynique. Juliette, tout au long du voyage, envoya lettres sur lettres : « Victor, je me meurs loin de toi... Est-ce que c'est vrai que tu me hais, que je te suis odieuse, que tu me méprises ?... Je ferai tout ce que tu voudras ; je ferai tout, mon Dieu ! dis, veux-tu encore de moi [2] ?... » Il voulait si bien d'elle qu'il faisait tout pour l'aider : « Je viens de voir M. Pradier. Je l'ai pris par les entrailles. Il a été ce qu'il devait être, et il est convenu que le père de ton enfant et moi ferons tout pour te sauver. Il s'engagera comme moi, s'il le faut, mais, pour cela, il faut TOI à Paris. Il est du même avis que moi. Ta présence est indispensable pour tout guider et tout débrouiller. Moi, de mon côté, je viens de ramasser mille francs avec mes ongles. Tu vois ce que peut l'Amour. Je vais courir à la malle-poste. S'il y a une place, je partirai mardi et tu me verras vendredi... Je n'ai pas mangé depuis trente heures, mais je t'aime [3]... »

---

1. Cf. RAYMOND ESCHOLIER : *Un Amant de Génie*, p. 163.
2. Cf. LOUIS GUIMBAUD : *Victor Hugo et Juliette Drouet*, p. 279.
3. Cf. RAYMOND ESCHOLIER : *Un Amant de Génie*, p. 168.

Laissant Adèle et ses enfants aux Roches, il vola vers la Bretagne. Les amants se retrouvèrent à Brest, ciel et mer bleus, beaux jours après les journées de brume. Ils jurèrent de ne plus se faire de mal.

Tout en poursuivant sa maîtresse, Hugo apaisait son épouse. *Victor Hugo à Adèle Hugo, Rennes, 7 août 1834 :* « Adieu, mon Adèle. Je t'aime. À bientôt. Écris-moi long et souvent. Tu es la joie et l'honneur de ma vie. Je baise ton beau front et tes beaux yeux [1]... » Adèle. qui, en ce mois d'août, se promenait librement avec Sainte-Beuve, sous les charmilles de Bièvre, n'avait ni grand-peine ni grand mérite à répondre avec une complaisante résignation : « Je ne veux rien te dire, écrivait-elle, qui puisse t'attrister de loin, ne pouvant être près de toi pour te consoler. Et puis, d'ailleurs, je crois que tu m'aimes au fond de tout cela, et que tu t'amuses, puisque tu tardes ainsi à revenir ; et, en vérité, ces deux certitudes me rendent heureuse [2]... » Indifférence engendre indulgence.

Juliette et Victor revinrent à petites journées, elle dormant sur son épaule dans les diligences, lui voyant des forçats à Brest, des menhirs à Carnac, des églises partout et *Lucrèce Borgia* à Tours. Puis Juliette se réinstalla, le 2 septembre, dans sa petite chambre des Metz, Victor au château des Roches, et commencèrent six semaines d'une vie simple et inimitable. Chez la mère Labussière (où Antoinette Lanvin, l'amie qui servait d'intermédiaire entre elle et Pradier, lui amenait souvent sa fille Claire), Juliette devait faire son ménage, mangeait dans la cuisine, n'avait que deux robes, l'une de laine, l'autre de jaconas rayé blanc et rose, mais sa pauvreté même, ses cuillers de fer, ses gros souliers, l'absence de tout divertissement témoignaient de sa soumission et de son amour. Aussi Hugo, en qui cet ascétisme, imposé par lui, satisfaisait un étrange appétit de domination, écrivit-il sur l'exemplaire de *Claude Gueux* destiné à sa maîtresse : « *À mon ange, dont les ailes repoussent. — Aux Metz, le 2 septembre 1834* [3]. » Chaque jour, Victor venait à pied, à travers les bois. Adèle était complice. Louise Bertin confidente. Les vieilles filles, quand elles sont bonnes, aiment l'odeur de l'amour. Le plus souvent, Juliette allait au-devant de son amant et l'attendait, en pleine forêt, au creux d'un vieux châ-

1. VICTOR HUGO : *Bretagne et Normandie* (*En Voyage*, t. II, p. 18).
2. Cf. LOUIS BARTHOU : *Les Amours d'un Poète*, p. 201.
3. *Opus cit.*, p. 202.

taignier, « le sein gonflé, les joues roses, la bouche ouverte avec un bel air d'enjouement, elle semblait une fleur issue du rude calice formé par l'arbre [1] ». Elle bondissait en le voyant, embrassait sur lui les brumes de la forêt et l'entraînait vers les fourrés tapissés de mousses épaisses.

L'amour et la nature font de divines harmonies. « *Ce bruit de nids joyeux qui sort des sombres bois* » se mêle délicieusement aux soupirs des amants. Ils étaient heureux. Hugo, qui se plaisait à expliquer le monde, et Dieu, et toutes choses, trouvait en cette belle repentie une élève admirative et docile. Un orage, pendant lequel ils se réfugièrent au creux du vieux châtaignier, devint pour elle un précieux souvenir. Elle tremblait de froid ; il tentait de la réchauffer ; les gouttes de pluie tombaient des cheveux de l'homme sur le cou de la femme. Cependant il parlait. « Toute ma vie j'entendrai tes paroles de tendre sollicitude et d'enseignement. » Elle était de ces femmes qui sont reconnaissantes à un homme de louer non seulement leur beauté, mais leur noblesse d'âme. Juliette, qui avait été jugée si sévèrement et qui condamnait elle-même son passé, avait besoin de s'entendre dire :

Lorsque ma poésie insultée et proscrite
Sur ta tête, un moment, se repose en chemin ;
Quand ma pensée en deuil sous la tienne s'abrite
Comme un flambeau de nuit sous une blanche main ;

Quand nous nous asseyons tous deux dans la vallée ;
Quand ton âme, soudain apparue en tes yeux,
Contemple, avec les pleurs d'une sœur exilée,
Quelque vertu sur terre ou quelque étoile aux cieux [2]...

Elle aimait qu'il lui parlât d'espoir en Dieu et que l'amant se fît prédicateur :

Nos fautes, mon pauvre ange, ont causé nos souffrances.
Peut-être qu'en restant bien longtemps à genoux,
Quand il aura béni toutes les innocences,
Puis tous les repentirs, Dieu finira par nous [3] !

---

1. Louis Guimbaud : *Victor Hugo et Juliette Drouet*, p. 64.
2. Victor Hugo : *Au bord de la mer* (*Les Chants du Crépuscule*, p. 272).
3. Victor Hugo : *Espoir en Dieu* (*Les Chants du Crépuscule*, p. 276).

Elle dut être bien heureuse et bien fière lorsque, le 25 octobre, il déposa pour elle, dans le vieux châtaignier qui accueillait leurs lettres et où elle allait porter jusqu'à cinq billets par jour, un poème avec cette dédicace : « *À vous que je respecte, à toi que j'aime.* — V. » Ce poème avait pour titre : *Dans l'église de* *** ; il avait été écrit au soir d'un jour où, après leur promenade, ils s'étaient longuement arrêtés dans la petite église de Bièvre :

> C'était une humble église au cintre surbaissé,
> L'église où nous entrâmes,
> Où, depuis trois cents ans, avaient déjà passé
> Et pleuré bien des âmes.
>
> Elle était triste et calme à la chute du jour,
> L'église où nous entrâmes,
> L'autel sans serviteur, comme un cœur sans amour,
> Avait éteint ses flammes [1]...

Là sans doute elle avait prié ; là elle avait dit à un Dieu, en qui elle croyait de tout son être, son désespoir de femme qui n'avait autour d'elle « *ni le foyer joyeux, ni la famille douce* », et qui « *pourtant n'avait rien fait à ce monde d'airain* » ; là son ami l'avait consolée, rassurée, « *la trouvant grave et douce, et digne du saint lieu* ». Par la simplicité des sentiments, par la familiarité du ton, par le mouvement continu des strophes, par l'alliance parfaite, et comme naturelle, de la pensée et du rythme, ce poème était l'un des plus beaux qu'il eût écrits. Mais la plainte de Juliette, dont il se faisait si harmonieusement l'interprète, prouvait que, malgré tant de mutuel amour, le bonheur n'était pas dans cette liaison.

---

1. Victor Hugo : *Dans l'église de* *** (*Les Chants du Crépuscule*, p. 286).

IV

OLYMPIO

Rien n'est davantage au crédit de Victor Hugo que la tendresse imperturbable à lui vouée par cette créature admirable que fut Juliette Drouet.

PAUL CLAUDEL.

ALORS commença la plus étonnante vie de pénitence et de claustration qu'ait jamais acceptée une femme, hors des ordres monastiques. Victor Hugo avait promis de pardonner le passé ; mais il avait posé ses conditions, et elles étaient dures. Juliette, hier encore l'une des femmes les plus admirées de Paris, sertie de dentelles et de joyaux, ne devait plus vivre que pour lui, ne plus sortir qu'avec lui, renoncer à toute coquetterie et à tout luxe, bref faire pénitence. Elle accepta, par ivresse mystique de « la rédemption amoureuse ». Son maître et amant lui donnait chaque mois, par petites sommes, environ huit cents francs, qu'elle enregistrait pieusement :

Dates.		Francs.	Sous.
1ᵉʳ	Argent gagné par mon adoré	400	
4	Argent gagné par mon adoré	53	
6	Argent de la nourriture de mon Toto	50	
10	Argent gagné par mon petit homme .	100	
11	Argent de la nourriture de mon chéri	55	
12	Argent gagné par mon bien-aimé ...	50	
14	Argent de la bourse de mon adoré ...	6	4
24	Argent de la bourse de mon cher adoré	11	
30	Argent de la bourse de mon petit Toto	3 [1]	

---

1. Collection Simone André-Maurois.

Là-dessus, elle devait, avant tout, prélever les sommes dues aux créanciers, le loyer et la pension de sa fille. Il lui restait peu d'argent pour vivre. Le plus souvent, elle n'avait pas de feu dans sa chambre et, si le froid était vif, restait au lit à rêver, à lire ou à faire ses comptes, que son maître exigeait chaque soir et refaisait lui-même, minutieusement. Elle se nourrissait de lait, de fromage et d'œufs. Chaque soir, une pomme. Point de robes neuves ; elle « requinquait » les vieilles, un auteur fameux lui répétant tous les jours que « la toilette n'ajoute rien aux charmes d'une jolie femme ». Il lui demandait des explications sur l'achat d'une boîte de poudre dentifrice, sur l'origine d'un tablier nouveau, fait avec un vieux châle. Le miracle est qu'elle accepta cette vie de recluse et d'esclave, non seulement avec gaieté, mais avec reconnaissance : « Je ne sais pas ce que je n'aimerais pas mieux que de faire des dettes ! Mon Dieu ! la hideuse et avilissante chose et que tu es grand et noble, mon adoré, de m'aimer malgré mon passé... »

En ses heures libres, elle copiait les manuscrits ou ravaudait les vêtements de son amant. Cela encore lui était doux. Le côté douloureux de sa vie était que, ne pouvant sortir seule, elle l'attendait parfois plusieurs jours, regardant comme un oiseau en cage le ciel bleu. Quand Hugo se trouvait libre, il l'accompagnait à Saint-Mandé, où Claire Pradier était en pension, ou aux Invalides, où l'oncle Drouet se mourait, ou encore chez le brocanteur. Il aimait la petite Claire et lui écrivait : « Puisque tu penses un peu, ma pauvre Claire, à ton ancien ami M. Toto, il faut qu'il te dise ici un petit bonjour. Travaille bien, deviens sage et grande, deviens une noble et digne personne comme ta mère [1]... » S'il tardait trop à venir, la claustration devenait un supplice pour Juliette, qui n'avait même plus ce qu'elle appelait « la joie du préau », c'est-à-dire un tour sur le boulevard, et elle se plaignait : « J'ai eu la stupidité de me laisser mener comme un chien de basse-cour : de la soupe, une niche, une chaîne, voilà mon lot ! Il y a cependant des chiens qu'on mène avec soi ; mais, moi, je n'ai pas tant de bonheur ! Ma chaîne est trop fortement rivée pour que vous ayez l'intention de la détacher [2]... »

Son seul espoir d'indépendance, tenace malgré tant de mé-

1. Louis Barthou : *Les Amours d'un Poète*, p. 224.
2. Cf. Louis Guimbaud : *Victor Hugo et Juliette Drouet*, p. 98.

comptes, demeurait le théâtre. Victor Hugo avait achevé un nouveau drame en prose : *Angelo, tyran de Padoue.* C'était un mélodrame à la *Lucrèce Borgia :* courtisane relevée par un beau sentiment (la Tisbé) ; douce femme sauvée (Catarina) ; modèle complet avec reconnaissances, couloirs secrets, fioles de poison et croix de ma mère, mais bien construit et accepté d'enthousiasme par la Comédie-Française. Or Juliette y était pensionnaire. Ne pouvait-elle espérer un des deux rôles ? Elle devina que Victor Hugo redoutait de confier sa pièce à une actrice au talent discuté, guettée par la cabale, et n'osait le lui dire. La généreuse fille s'effaça : « Séparons nos destins dramatiques », lui dit-elle. C'était renoncer au sien. Elle quitta le Théâtre-Français sans y avoir jamais joué ; les deux rôles allèrent à Mlle Mars et à Mme Dorval.

Suprême humiliation pour la comédienne et sujet de crainte pour l'amoureuse : la coquetterie troublante, le charme fatal de Marie Dorval étaient connus. Dorval avait eu « le gentilhomme » Vigny, auquel elle n'était pas fidèle ; Juliette ne doutait point qu'elle ne s'attaquât à un poète jeune et beau. *Juliette à Hugo :* « Je suis jalouse, moi, d'une femme en chair et en os, de l'humeur la plus concupiscente qui se puisse trouver, qui est là tous les jours avec toi, te regardant, te parlant, te touchant. Oh ! oui, de celle-là, j'en suis jalouse ! Cela va même jusqu'à me faire souffrir des douleurs atroces [1]... » La première d'*Angelo* (acclamations, enthousiasme, délire, grâce surtout aux actrices, toutes deux favorites du public) fut un supplice pour Juliette, mais son loyalisme l'emporta : « Si tu savais avec quelle probité j'ai applaudi Mme Dorval, tu te ferais un scrupule de rien dire ni rien faire ce soir qui puisse blesser mon pauvre cœur un peu endolori déjà par la pensée qu'une autre que moi est admise à interpréter tes plus nobles pensées ! Allons ! voilà que je redeviens malgré moi triste et troublée de te savoir près de cette femme [2]... » Dans les éloges entendus, elle entrevoyait « cette espèce de mariage de l'intelligence de l'actrice avec l'auteur », et il était amer pour elle de n'être pas « celle qui communiquait au public cette pensée sublime ».

Elle avait droit à une compensation et l'eut, d'abord par de beaux vers :

---

1. Juliette Drouet : *Mille et une lettres d'amour à Victor Hugo,* p. 71.
2. *Opus cit.,* p. 75.

Puisque j'ai mis ma lèvre à ta coupe encor pleine,
Puisque j'ai dans tes mains posé mon front pâli,
Puisque j'ai respiré parfois la douce haleine
De ton âme, parfum dans l'ombre enseveli,

Puisqu'il me fut donné de t'entendre me dire
Les mots où se répand le cœur mystérieux,
Puisque j'ai vu pleurer, puisque j'ai vu sourire
Ta bouche sur ma bouche et tes yeux sur mes yeux...

Je puis maintenant dire aux rapides années :
« Passez ! Passez toujours ! Je n'ai plus à vieillir !
Allez-vous-en, avec vos fleurs toutes fanées ;
J'ai dans l'âme une fleur que nul ne peut cueillir.

« Votre aile, en le heurtant, ne fera rien répandre
Du vase où je m'abreuve et que j'ai bien rempli.
Mon âme a plus de feu que vous n'avez de cendre !
Mon cœur a plus d'amour que vous n'avez d'oubli [1] ! »

puis par un voyage qu'elle fit avec lui, l'été suivant. Bien que ses deux ménages fussent de lourdes charges, Victor Hugo remontait le courant. *Angelo* avait été joué soixante-deux fois, avec des recettes moyennes de 2,250 francs. Le libraire Renduel avait acheté le manuscrit. En 1835, il paya neuf mille francs le droit de réimprimer *Odes et Ballades*, *Les Orientales* et *Les Feuilles d'Automne*, pendant dix-huit mois ; puis onze mille francs une nouvelle réimpression, plus *Les Chants du Crépuscule* et le nouveau recueil des *Voix intérieures*. En trois ans (1835-1838), Renduel versa quarante-trois mille francs [2]. De la librairie comme des théâtres, l'argent affluait, large fleuve place Royale, ruisseau rue de Paradis.

À la fin de juillet, Adèle eut envie d'aller, en Anjou, au mariage de leur ami Victor Pavie. Hugo était invité, mais savait que Sainte-Beuve viendrait et ne voulait pas l'y rencontrer. Souhaitant toute liberté de voyager avec Juliette, il envoya sa femme à ces noces où Pierre Foucher, son père, devait la conduire. Pendant cette séparation, les deux époux, plus fraternels que conjugaux, ne cessèrent d'échanger les lettres les plus affectueuses. *Victor à Adèle,*

---

1. VICTOR HUGO : *Les Chants du Crépuscule*, **XXV**, p. 262.
2. Près de neuf millions de francs 1954.

Montereau, 26 juillet 1835 : « Bonjour, mon pauvre ange. Bonjour, mon Adèle. Comment as-tu fait le voyage ?... » *La Fère, 1ᵉʳ août :* « J'espère que tu t'es bien amusée... » *Amiens, 3 août :* « Et toi, où es-tu ? Que fais-tu ? Comment vas-tu ?... » *Le Tréport, 6 août :* « C'est une bien belle chose que la mer, mon Adèle. Il faudra que nous la voyions un jour ensemble... » *Montivilliers, 10 août :* « J'espère que ce petit voyage t'aura fait du bien et que tu te portes toujours grasse et fraîche... » *Adèle à Victor :* « J'ai bien pensé à toi, mon bon et cher Victor ; je t'aurais voulu là près de moi [1]... » « Je ne puis te dire quelles émotions tout cela m'a fait, mon pauvre ami. J'espère que tu les comprendras et les partageras... » *19 août :* « Enfin, si tu t'amuses, je ne te trouve aucun tort. D'ailleurs, je serais bien injuste de me plaindre de toi, qui m'écris de si bonnes et charmantes lettres [2]... »

Le doux et naïf Pierre Foucher, qui accompagnait sa fille, s'avouait un peu éberlué par cette entente inattendue : « À notre rentrée dans Angers, écrit-il, Adèle a trouvé des lettres de son mari. Il voyage dans la Brie et la Champagne... Il est très aimable pour notre Adèle. Il lui mande qu'il veut qu'elle s'amuse, qu'elle pense à lui, qu'elle l'aime, et il finit ainsi : *« Je souhaite à Pavie une « femme comme toi, et après cela qu'il remercie Dieu [3]... »* Les noces angevines furent « pantagruéliques ». Pendant quatre jours, on festoya sous la tente ou sur des bateaux à vapeur. Adèle, femme d'un grand homme, et fort belle, faisait « l'admiration des gens de la noce ». Sainte-Beuve, les larmes aux yeux, lut un épithalame trop long, qui fut accueilli avec un ennui poli. *Adèle à Victor :* « Quand tu seras à Paris, je te prierai, mon ami, de lui écrire quelques lignes de remerciements pour ses soins [4]... »

Le soleil brillait, la campagne était accueillante, les bords de la Loire riants, mais Adèle restait mélancolique. L'empressement de son ami aux rares cheveux roux ne la consolait plus de l'absence de son mari. *Adèle à Victor :* « En voyant la Loire, je me disais qu'il y a dix ans je la voyais avec toi. Quand voyagerons-nous ensemble [5] ?... » — « Je suis bien vieille par les goûts et assez triste

---

1. Cf. PAUL SOUCHON : *Les Deux Femmes de Victor Hugo,* pp. 64-65.
2. Cf. GUSTAVE SIMON : *La Vie d'une Femme,* pp. 214-215.
3. Cf. PAUL SOUCHON : *Les Deux Femmes de Victor Hugo,* p. 64.
4. *Opus cit.,* p. 65.
5. Maison de Victor Hugo. Catalogue *Maturité de Victor Hugo,* n° 324, p. 117.

sans chagrins [1]... » Elle se sentait lasse de Sainte-Beuve, de la vie
et de tout. La jalousie réveille un semblant d'amour. Didine (onze
ans) grondait doucement son père : « Maman pleure quelquefois
en pensant qu'elle n'est pas avec toi... N'oublie pas ta petite fille,
petit père, et laisse là les pierres taillées et viens avec nous, qui
t'aimons tant [2]... »

Cependant Victor et Juliette jouissaient pleinement de la poésie
de leur voyage. *Juliette à Victor :* « Te rappelles-tu nos départs,
et comme on se serrait l'un contre l'autre sous la capote de la
diligence ? La main dans la main, l'âme dans l'âme, on perdait le
sentiment de tout ce qui n'était pas notre amour. Et quand on
arrivait à l'étape, quand on visitait cathédrales et musées, on admirait toutes choses à travers l'émotion dont nos cœurs étaient
inondés. Que de chefs-d'œuvre m'ont ainsi exaltée parce que tu
les aimais et que ta bouche savait m'en éclaircir le mystère ! Que
de marches j'ai montées jusqu'au sommet d'interminables tours,
parce que tu les montais devant moi [3] !... » La passion parle là
toute pure. Pour Juliette, le voyage créait l'illusion du mariage.
Pour Victor, c'étaient la fantaisie, le renouvellement, le retour à
la sauvage liberté de l'enfance. Il aimait à voyager sans programme,
me, sans bagages, escaladant des ruines, dessinant, cueillant des
fleurs et des images. Juliette, qui s'accommodait de tout, était, pour
ces escapades, la compagne idéale. Loin de Paris, Victor ne jouait
plus le prophète ni l'inquisiteur, mais devenait gai comme un étudiant en vacances. Sur les murs des pires auberges, il écrivait des
invectives :

> Au diable ! auberge immonde, hôtel de la punaise,
> Où la peau, le matin, se couvre de rougeurs ;
> Où la cuisine pue, où l'on dort mal à l'aise,
> Où l'on entend chanter les commis voyageurs !

Le voyage de 1835 conduisit les amants en Picardie et en
Normandie. *Coulommiers :* église insignifiante. *Provins :* quatre
églises, un donjon, le tout répandu de la façon la plus charmante

1. Cf. Jacques Castelnau : *Adèle Hugo*, p. 141.
2. Maison de Victor Hugo. Catalogue *Maturité de Victor Hugo*, n° 329,
p. 118.
3. Juliette Drouet : *Mille et une lettres d'amour à Victor Hugo*,
p. 615.

sur deux collines. À deux lieues de *Soissons,* dans une vallée repliée loin de toute route, un admirable châtelet du xve siècle : *Septmonts.* « Si jamais on voulait vendre ce château une dizaine de mille francs, je te l'achèterais, mon Adèle [1]... » *Saint-Quentin :* une jolie façade en bois sculpté de 1598. « Me voici maintenant à *Amiens,* dont la cathédrale va m'occuper toute la journée. C'est une merveille... » *Le Tréport :* « J'ai eu hier joie et chagrin, chère amie ; joie de recevoir ta lettre, chagrin de n'en recevoir qu'une... J'ai séjourné près de vingt-quatre heures à *Abbeville ;* j'espérais donner le temps d'arriver à de nouvelles lettres de toi. Je suis allé deux fois à la poste ; rien !... À bientôt, mon Adèle. Ce sera une vive joie que celle de t'embrasser [2]... » Lettres de bon mari. Mais les adjectifs enthousiastes étaient d'un homme qui voyait toutes ces choses avec une autre, et qu'il aimait.

Au retour, double installation d'Adèle aux Roches, de Juliette aux Metz. L'escapade se transformait en tradition. Ces mois de septembre et d'octobre 1835 furent pluvieux et venteux. Juliette resta souvent seule dans sa chambrette, chez la mère Labussière, regardant la tempête, inquiète de sa pauvre petite fille « que nous oublions trop », cousant un peignoir ou relisant les œuvres de son « cher petit homme ». Elle ne s'en lassait point : « Je connais tous tes ouvrages, à la lettre. Eh bien ! chaque fois que je les relis, j'éprouve encore plus de plaisir que la première fois. C'est comme ta belle figure. Je la connais dans ses moindres détails. Il n'y a pas un cheveu, pas un poil de ta barbe que je ne connaisse par leur nom. Cela ne m'empêche pas d'être toujours surprise et ravie de tant de beauté [3]... » Quand, malgré la pluie, elle se hasardait jusqu'au gros châtaignier, elle était souvent déçue de n'y trouver ni amant, ni lettre : « À moins que le ciel ne se fonde en eau, j'irai à notre *gros arbre,* qui est bien stérile pour moi cette année. Il ne m'a pas encore apporté la plus petite lettre et c'est bien ingrat à lui, car je lui donne la préférence sur les autres, beaucoup plus jeunes et plus charmants que lui. Mais l'ingratitude, c'est le fond des hommes et des arbres [4]... » Elle recevait, de temps à autre, une merveilleuse page qui la consolait de tout :

1. Victor Hugo : *Bretagne et Normandie* (*En Voyage,* t. II, p. 29).
2. *Opus cit.,* t. II, pp. 31-33.
3. Cf. Paul Souchon : *Olympio et Juliette,* p. 99.
4. Cf. Paul Souchon : *Olympio et Juliette,* pp. 105-106.

Victor à Juliette : « Souvenons-nous, toute notre vie, de la journée d'hier. N'oublions jamais cet effroyable orage du 24 septembre 1835, si plein de douces choses pour nous. La pluie tombait à torrents, les feuilles de l'arbre ne servaient qu'à la conduire plus froide sur nos têtes, le ciel était plein de tonnerres. Tu étais nue entre mes bras, ton beau visage caché dans mes genoux, ne se détournant que pour me sourire, et ta chemise collée par l'eau sur tes belles épaules. Et pendant cette longue tempête d'une heure et demie, pas un mot qui n'ait été un mot d'amour. Tu es ravissante ! Je t'aime plus qu'il n'y a de paroles pour te le dire, ma Juliette. Quel affreux tumulte hors de nous ; en nous, quelle délicieuse harmonie ! Que ce jour-là soit un souvenir d'or pur sur les jours qui nous restent [1]... »

L'admiration éperdue de Juliette, qui tenait de la dévotion, encourageait dangereusement le poète à se déifier. Les Romantiques, pour mieux fuir leur destin terrestre, se créaient alors un double sur lequel ils reportaient à la fois leurs angoisses et leurs ambitions [2]. Byron en avait, avec *Childe Harold,* donné le premier exemple ; Vigny avait *Stello* ; Musset, *Fortunio* et *Fantasio* ; George Sand, *Lélia* ; Sainte-Beuve, *Joseph Delorme* ; Chateaubriand, *René* ; Stendhal, *Julien Sorel* ; Gœthe, *Wilhelm Meister* ; Benjamin Constant, *Adolphe*... Hugo s'incarnait en *Olympio,* « qui lui ressemblait comme un frère, demi-dieu né dans la solitude aux souffles confondus de l'orgueil, de la nature et de l'amour [3]... ».

Le choix du nom était un coup de génie. Olympien, Titan foudroyé, mais qui se souvient de sa superbe origine ; être surhumain qui peut, plus loin que les hommes, plonger son regard dans les abîmes ; à la fois divin et victime des dieux ; c'était ainsi que l'adoration de Juliette accoutumait Hugo à se voir. Il traversait alors une pénible période, se savait détesté, se voyait calomnié. « Presque tous ses anciens amis, écrivait Henri Heine, l'ont abandonné et, pour dire la vérité, l'ont abandonné par sa faute, blessés qu'ils étaient par son égoïsme. » D'où le besoin d'adresser à son double cette belle consolation :

---

1. PAUL SOUCHON : *Olympio et Juliette,* p. 179.
2. Sur ce thème, EMILE HENRIOT : *Les Romantiques.*
3. MAURICE LEVAILLANT : *La Tristesse d'Olympio* (Paris, Champion, 1928), p. 50.

> Jeune homme, on vénérait jadis ton œil sévère,
>   Ton front calme et tonnant ;
> Ton nom était de ceux qu'on craint et qu'on révère,
>   Hélas ! et maintenant

> Les méchants accourus pour déchirer ta vie,
>   L'ont prise entre leurs dents
> Et les hommes alors se sont, avec envie,
>   Penchés pour voir dedans [1] !...

La passion, au sens plein et tragique du mot, achevait de modeler un poète qui passait infiniment, non seulement celui des *Odes et Ballades,* mais celui des *Feuilles d'Automne. Les Chants du Crépuscule,* publiés à la fin d'octobre, par Renduel, étaient un recueil de chefs-d'œuvre. Le titre annonçait une lumière adoucie et, en effet, après le feu d'artifice des *Orientales,* on voyait là une alliance vraiment admirable de la simplicité du ton à la rigueur du modelé. Les tournures les plus familières se trouvaient relevées au niveau de l'épique. Quoi de plus beau que *Napoléon II* ou que l'apostrophe émue, presque filiale, à l'ombre de l'Empereur :

> Dors, nous t'irons chercher. Ce jour viendra peut-être,
> Car nous t'avons pour dieu sans t'avoir eu pour maître !
> Car notre œil s'est mouillé de ton destin fatal,
> Et, sous les trois couleurs comme sous l'oriflamme,
> Nous ne nous pendons pas à cette corde infâme
>   Qui t'arrache à ton piédestal !

> Oh ! va, nous te ferons de belles funérailles !
> Nous aurons bien aussi peut-être nos batailles ;
> Nous en ombragerons ton cercueil respecté ;
> Nous y convierons tout : Europe, Afrique, Asie !
> Et nous t'amènerons la jeune Poésie
>   Chantant la jeune Liberté [2] !

Un poème dédié : *À Louis B*[oulanger], *La Cloche,* devait justifier l'attitude politique de l'auteur. Victor Hugo chantait pour

---

1. VICTOR HUGO : *A Olympio* (*Les Voix intérieures,* XXX, p. 467).
2. VICTOR HUGO : *A la Colonne* (*Les Chants du Crépuscule,* II, p. 201).

l'Empereur après avoir chanté pour le Roi ? Pourquoi non ? La cloche du beffroi, « *la cloche, écho du ciel placé près de la terre* », portait, gravées sur elle, les armes de tous les régimes. Mise « *au centre de tout, comme un écho sonore* », elle n'en sonnait pas moins les peines et les joies de tous. Ainsi le poète a des chants pour toutes les gloires et tous les deuils de la patrie. D'impérieux passants peuvent faire tinter la cloche pour d'autres que pour Dieu.

> Mais qu'importe à la cloche et qu'importe à mon âme
> Qu'à son heure, à son jour, l'esprit saint les réclame,
> Les touche l'une et l'autre et leur dise : « Chantez ! »
> Soudain, par toute voie et de tous les côtés,
> De leur sein ébranlé, rempli d'ombres obscures,
> À travers leur surface, à travers les souillures
> Et la cendre, et la rouille, amas injurieux,
> Quelque chose de grand s'épandra dans les cieux [1] !...

Ce qu'il avait surtout chanté dans *Les Chants du Crépuscule,* c'étaient ses noces, spirituelles et charnelles, avec Juliette Drouet. Treize poèmes lui étaient, plus ou moins secrètement, dédiés [2]. Ceux qui, affamés de scandale, lurent ce recueil plus en juges qu'en amis, eurent la surprise d'y trouver aussi des poèmes inspirés par l'épouse et par les enfants. La pièce *Date Lilia* était un hommage aux vertus d'Adèle Hugo, tentative pour démentir les rumeurs de désunion qui couraient sur le ménage, reconnaissance pour le passé, geste amical pour le présent :

> Oh ! si vous rencontrez quelque part, sous les cieux,
> Une femme au front pur, au pas grave, aux doux yeux,
> Que suivent quatre enfants dont le dernier chancelle,
> Les surveillant bien tous, et, s'il passe auprès d'elle
> Quelque aveugle indigent que l'âge appesantit,
> Mettant une humble aumône aux mains du plus petit...
> Oh ! qui que vous soyez, bénissez-la. C'est elle
> La sœur, visible aux yeux, de mon âme immortelle !

---

1. Victor Hugo : *A Louis B...* (*Les Chants du Crépuscule,* XXXII, p. 281).
2. Voir *Les Chants du Crépuscule,* pièces XIV, XXI, XXII, XXIII, XXIV, XXVI, XXVII, XXVIII, XXIX, XXX, XXXI et XXXIII.

Mon orgueil, mon espoir, mon abri, mon recours !
Toit de mes jeunes ans qu'espèrent mes vieux jours [1]...

Cette pièce, qui couronnait le volume comme pour le sanctifier, exaspéra Sainte-Beuve, et il ne put se contenir. Son article sur *Les Chants du Crépuscule,* tout entier injuste, se terminait par une attaque contre cette poésie domestique : « On dirait qu'en finissant l'auteur a voulu jeter une poignée de lis aux yeux. Nous regrettons que l'auteur ait cru ce soin nécessaire. L'unité de son volume en souffre ; son titre de *Chants du Crépuscule* n'allait pas jusqu'à réclamer cette dualité. Le même manque de tact littéraire (au milieu de tant d'éclat et de puissance)... lui a inspiré d'introduire dans la composition de son volume deux couleurs qui se heurtent, deux encens qui se repoussent. Il n'a pas vu que l'impression de tous serait qu'un objet respecté eût été mieux honoré et loué par une omission entière [2]... »

Adèle fut affligée par ces commentaires indiscrets. Si tant d'hymnes à Juliette la froissaient, elle avait été touchée par des vers comme :

> Toi ! sois bénie à jamais,
> Ève qu'aucun fruit ne tente !
> Qui, de la vertu contente,
> Habites les purs sommets [3]...

Ève qu'aucun fruit ne tente... Son mari lui distribuait là un rôle qui ne lui déplaisait pas. Les amours nouvelles de Victor Hugo inspiraient à sa femme légitime le désir d'un rapprochement, affectueux mais non sensuel. Elle n'avait jamais été une amoureuse ; elle acceptait volontiers de n'être plus qu'une compagne honoraire.

> *Adèle à Victor Hugo :* « Ne te prive de rien. Moi, je n'ai pas besoin de plaisirs ; c'est le calme qu'il me faut. Je suis bien vieille [4]... Je n'ai au monde qu'un désir : c'est que ceux que j'aime soient heureux ; le bonheur de la vie est passé pour moi ; je le cherche dans la satisfaction des autres. Il y a bien

1. VICTOR HUGO : *Date Lilia* (*Les Chants du Crépuscule,* XXXIX, pp. 307-308).
2. SAINTE-BEUVE : *Portraits contemporains,* t. I, p. 461.
3. *Les Chants du Crépuscule,* XXXVI, p. 298.
4. Adèle Hugo avait alors trente-deux ans.

de la douceur, malgré tout, là-dedans. Ainsi tu as bien raison quand tu dis que « j'ai *le sourire indulgent* ». Mon Dieu ! tu peux faire tout au monde ; pourvu que tu sois heureux, je le serai. Ne crois pas que ce soit indifférence, mais c'est dévouement et détachement, pour moi, de la vie... Jamais je n'abuserai des droits que le mariage me donne sur toi. Il est dans mes idées que tu sois aussi libre qu'un garçon, pauvre ami, toi qui t'es marié à vingt ans ! Je ne veux pas lier ta vie à une pauvre femme comme moi. Au moins, ce que tu me donneras, tu me le donneras franchement, et en toute liberté [1]... »

Après *Les Chants du Crépuscule,* elle écarta peu à peu Sainte-Beuve de sa vie. Elle lui reprochait non seulement cet article indécent, mais les propos qu'il tenait partout sur l'immoralité des *Chants du Crépuscule.* Hugo pensa se battre en duel avec son ancien ami. L'éditeur Renduel dut intervenir : « Est-ce qu'un duel est possible entre vous, entre deux poètes ? » dit-il. *Sainte-Beuve à Victor Pavie :* « Nous sommes, je le regrette, sérieusement fâchés et cela durera ; du moins, je ne prévois pas qu'il y ait raccommodement possible. Il y a des *articles* entre nous, articles qu'il est impossible d'annuler et de rétracter [2]... »

Chose surprenante, Juliette, si magnifiquement glorifiée, se montra plus jalouse qu'Adèle. Elle s'inquiéta de voir les critiques attribuer à la pièce finale : *Date Lilia,* le sens d'un « retour à la famille ». *Juliette à Victor, 2 décembre 1835 :* « Je ne suis pas la seule à m'apercevoir que, depuis un an, tu as changé, et d'habitudes, et de sentiments. Je suis peut-être la seule que cela fasse mourir de chagrin, mais qu'importe, puisque le foyer est *gai* et que la famille est *heureuse* [3] ?... » Surtout elle se plaignait d'être moins désirée : « Je vous assure, plaisanterie à part, mon cher petit Toto, que nous nous conduisons d'une manière tout à fait ridicule. Il est temps de faire cesser le scandale de deux amoureux vivant dans la plus atroce chasteté [4]... » Elle voulait un *Victor aimant* et non un *Victor dévoué :* « Jamais je n'ai prétendu vivre avec toi autrement qu'en *maîtresse aimée,* et non en femme dépendante d'un ancien

1. Cf. JACQUES CASTELNAU : *Adèle Hugo,* p. 141-142.
2. SAINTE-BEUVE : *Correspondance générale,* t. II, p. 52.
3. Cf. PAUL SOUCHON : *Les Deux Femmes de Victor Hugo,* p. 85.
4. Cf. LOUIS GUIMBAUD : *Victor Hugo et Juliette Drouet,* p. 305.

amour. Je ne demande ni ne veux de pension de retraite [1]... »
Elle devinait, avec la lucidité des amoureuses, que, parvenu à une
parfaite maîtrise de son art, il rêvait de triompher sur d'autres
théâtres, d'être un homme d'État, un réformateur social, un prophète. Quand elle le lui disait, il protestait :

> Quand tu me parles de gloire,
> Je souris amèrement.
> Cette voix que tu veux croire,
> Moi, je sais bien qu'elle ment...
>
> La gloire est vite abattue.
> L'envie au sanglant flambeau
> N'épargne cette statue
> Qu'assise au seuil d'un tombeau...
>
> Chante ! en moi l'extase coule.
> Ris-moi ! C'est mon seul besoin.
> Que m'importe cette foule
> Qui fait sa rumeur au loin [2] ?...

Mais elle avait raison de penser que ni foule, ni rumeur ne lui
étaient indifférentes et que, comblé par l'amour et la gloire, il
allait, pour un temps, sacrifier à l'ambition.

1. Cf. Louis Guimbaud : *Victor Hugo et Juliette Drouet*, p. 312.
2. Victor Hugo : *Les Rayons et les Ombres*, XXIV, pp. 610-611.

SIXIÈME PARTIE

AMBITIONS RÉALISÉES

> Lorsque, plus tard, elle le vit devenir musca-
> din, elle lui dit un jour tristement : « Benjamin,
> vous faites votre toilette, vous ne m'aimez
> plus ».
>
> SAINTE-BEUVE *(Madame de Charrière).*

I

« LES RAYONS ET LES OMBRES »

ECRIRE des poèmes d'amour est naturel au jeune homme ; le poète qui approche de la maturité attend de soi-même autre chose. Victor Hugo, entre 1836 et 1840, s'inquiète de ne jouer aucun rôle public. Chanter les bois, le soleil et Juliette, ce fut bien, mais ne saurait remplir toute la vie d'un homme qui veut être « un esprit conducteur ».

> Malheur à qui prend ses sandales
> Quand les haines et les scandales
> Tourmentent le peuple agité !
> Honte au penseur qui se mutile
> Et s'en va, chanteur inutile,
> Par la porte de la cité [1]...

Les recueils de cette période : *Les Voix intérieures* (1837), *Les Rayons et les Ombres* (1840) poseront plus de questions sur la nature profonde des choses. Au sommet des monts, à la pointe des caps, le poète se penche sur les abîmes et dialogue avec Dieu :

> Que faites-vous, Seigneur ? À quoi sert votre ouvrage ?
> À quoi bon l'eau du fleuve et l'éclair de l'orage...

---

1. VICTOR HUGO : *Fonction du Poète* (*Les Rayons et les Ombres*, I, p. 539).

> — À quoi bon incliner sur ses axes mobiles
> Ce globe monstrueux, avec toutes ses villes,
> Et ses monts, et les mers qui flottent alentour,
> À quoi bon, ô Seigneur ! l'incliner tour à tour,
> Pour que l'ombre l'éteigne ou que le jour le dore,
> Tantôt vers la nuit sombre et tantôt vers l'aurore [1] ?...

Point de réponse. *Pensar, dudar ;* penser, c'est douter. Derrière les sublimes spectacles de la nature, le poète devine la présence d'un Dieu dont le monde est le visage, mais ce Dieu, invisible et muet, n'apparaît jamais, et quand le sort, prenant l'homme au collet, lui jette cette question sombre : « Âme, que croyez-vous ? »

> C'est l'hésitation redoutable et profonde
> Qui prend, devant ce sphinx qu'on appelle le monde,
> Notre esprit effrayé plus encore qu'ébloui,
> Qui n'ose dire non et ne peut dire oui !...
>
> Nous nous apercevons qu'il nous manque la foi,
> La foi, ce pur flambeau qui rassure l'effroi,
> Ce mot d'espoir écrit sur la dernière page,
> Cette chaloupe où peut se sauver l'équipage [2] !...

L'action, elle, n'exige pas de certitudes métaphysiques. « *Ce siècle est grand et fort, un noble instinct le mène* », et Hugo voudrait se mêler à ceux qui sculptent alors les nations. Chateaubriand, son modèle, fut pair de France, ambassadeur, ministre des Affaires étrangères. Voilà la route royale qu'il entend suivre désormais. Seulement, pour qu'un écrivain obtienne la pairie, il faut, sous Louis-Philippe, qu'il soit de l'Académie française. Si, au temps de *Cromwell* et d'*Hernani,* Hugo et ses amis avaient malmené cette compagnie, il connaissait trop bien le monde des lettres pour penser que l'Académie tînt rigueur de leurs attaques aux hommes de talent. Haïraient-ils si fort s'ils n'aimaient ? Dès 1834, Hugo avait assigné à son ambition, pour premier objectif, le quai Conti et fait donner pour l'assaut toute sa puissante volonté. « Hugo veut être de l'Académie, notait aigrement Sainte-Beuve. Il s'en occupe ;

---

1. VICTOR HUGO : *Le Monde et le Siècle* (*Les Rayons et les Ombres,* VII, p. 567).
2. VICTOR HUGO : *Pensar, dudar* (*Les Voix intérieures,* XXVIII, p. 455).

il vous en entretient gravement ; il s'y appesantit durant des heures ; il vous reconduit, par distraction, du boulevard Saint-Antoine à la Madeleine, tout en vous en parlant. Dès que Hugo tient une idée, toutes ses forces s'y portent en masse et s'y concentrent ; et l'on entend arriver du plus loin sa grosse cavalerie d'esprit, artillerie, et train, et métaphores [1]. »

Sa maîtresse et sa fille, Juliette et Didine, étaient hostiles à l'habit vert ; on les avait élevées dans l'horreur de ces broderies ; elles avaient de la constance dans l'esprit. Juliette craignait qu'une candidature et les obligations mondaines qu'elle entraînerait n'écartassent d'elle son amant. Toutefois quand elle obtint d'accompagner le grand homme dans ses visites et de l'attendre, pelotonnée dans le cabriolet, tandis qu'il tirait des sonnettes, elle trouva que c'était une merveilleuse occasion « de recueillir, chemin faisant, des miettes de lui ». Jalouse, elle ajoutait : « Comme cela, je saurai le temps que vous passez auprès des femmes et des filles d'académiciens [2]. » Puis elle y prit goût : « Il fait si beau pour cueillir des *immortels* aujourd'hui qu'il serait grand dommage de ne pas en profiter. »

Mais quand arriva, en février 1836, le jour de l'élection (il s'agissait de remplacer le vicomte Lainé), elle annonça l'échec avec délices : « Dans trois heures environ, vous ne serez pas académicien, mon cher petit Toto, et vous pourrez vous en vanter. Moi, qui ne tiens pas aux avantages politiques lorsqu'ils sont habillés d'un habit académique, je fais les mêmes vœux que Mlle Didine et je me réjouis à l'avance de vous conserver sans aucun persil [3]... » En effet, Mercier Dupaty, auteur éphémère de comédies bouffonnes, fut élu et Hugo dit amèrement : « Je croyais qu'on allait à l'Académie par le Pont des Arts ; je me trompais ; on y va, à ce qu'il paraît, par le Pont-Neuf [4]. » Cependant Dupaty, galant homme, mettait sa carte place Royale avec ce quatrain :

> Avant vous, je monte à l'autel.
> Mon âge seul y peut prétendre.
> Déjà vous êtes immortel
> Et vous avez le temps d'attendre.

1. SAINTE-BEUVE : *Mes Poisons*, p. 44.
2. Cf. LOUIS BARTHOU : *Les Amours d'un Poète*, p. 260.
3. Cf. PAUL SOUCHON : *Les Deux Femmes de Victor Hugo*, p. 135.
4. Cf. ALEXANDRE DUMAS : *Mémoires*, t. IV, p. 53.

Nouvelles visites en novembre 1836. Dans une lettre à Victor Pavie, son frère Théodore faisait, cette fois encore, des pronostics pessimistes : « Lamartine, blessé au genou, ne sera peut-être pas de retour. Guizot, qui présente Hugo par opposition à Mignet, candidat de Thiers, ne sera pas encore reçu et ne pourra voter. Guiraud est à Limoux à faire sa blanquette. Il ne reste de ferme que Chateaubriand et Soumet, car Nodier est passé aux classiques, transfuge et débile [1]... » En fait, les deux génies de la maison, Lamartine et Chateaubriand, votèrent pour Hugo, mais Mignet l'emporta. « Si l'on pesait les voix, dit Delphine Gay, Hugo serait élu ; malheureusement, on les compte. » L'amie de jeunesse devenait fort influente, ayant épousé un journaliste cynique, insolent et racé : Émile de Girardin. Après tant de romantisme, elle était allée droit à l'antiromantique, après Stello à Rastignac. Delphine admirait son mari, qui venait de fonder *La Presse,* où elle-même signait : *Vicomte de Launay,* des articles brillants. Girardin avait demandé à Hugo, pour le premier numéro, un article-programme où le poète avait posé les principes d'une politique à la fois conservatrice et fidèle aux principes de 1789 [2]. Il était donc un collaborateur du journal et son amie Delphine y dénonça « le grand scandale de la semaine », en gourmandant les académiciens : « La France, messieurs, vous demande d'honorer ce qu'elle admire et de couronner le talent qui, dans l'étranger, fait sa gloire [3]... » Elle avait raison, mais les assemblées sont de grands animaux, assez simples, et ne réagissent que lentement.

Le candidat battu et non découragé reprit la vie quotidienne. Il s'attachait de plus en plus à ses enfants. Didine, charmante, sensée, fine, discrète, demeurait sa favorite et devenait sa confidente. Prématurément mûrie par une situation de famille difficile, Léopoldine était une très sérieuse personne dont sa mère faisait, avec talent, les plus jolis crayons du monde. Grâce aux reprises et réimpressions, les finances du ménage Hugo prospéraient. On plaçait, chaque année, une somme importante en rentes sur l'État. Victor n'en continuait pas moins à exiger de sa femme des comptes rigoureux. Il lui avait donné des cahiers avec colonnes faites à la règle : *Nourriture, Entretien* (Adèle), *Entretien* (enfants), *Édu-*

---

1. Cf. EDMOND BIRÉ : *Victor Hugo après 1830,* t. I, p. 199.
2. PIERRE AUDIAT : *Ainsi vécut Victor Hugo,* p. 179.
3. Article publié dans *La Presse,* numéro du 7 janvier 1837.

cation, Mercerie, Frais divers, Gages, Voitures, Prêts. Tout devait y figurer, jusqu'à o fr. 12 cent. d'omnibus et deux francs de coiffure chez M. Émery, coiffeur-parfumeur, 31, rue Saint-Antoine. On y pouvait voir qu'en 1839 Mme Victor Hugo s'était fait coiffer dix-huit fois. Le temps n'avait pas fait d'elle une meilleure ménagère. Place Royale, la maison, bien que cossue, était mal tenue. Victor Hugo travaillait « dans une petite glacière », ses matelas étaient rembourrés de têtes de clous, son linge laissé sans boutons, et l'on ne ravaudait pas ses vêtements. Du moins, tel était le jugement porté par Juliette Drouet, témoin partial.

Adèle correspondait encore, à longs intervalles, avec Sainte-Beuve, mais il pensait que cet « amour » n'était plus pour elle qu'une rêverie sur le passé, et il n'avait pas tort. « Elle se sentait vieillir, sa santé lui donnait des inquiétudes, et qui sait si cette bonne chrétienne ne se faisait pas un devoir de rompre une liaison coupable, qui avait perdu l'excuse d'un entraînement irrésistible [1] ? » Irrité par sa défaite, Sainte-Beuve remplissait alors ses cahiers de notes cruelles sur Victor Hugo : « Hugo dramatique, c'est Caliban qui pose pour Shakespeare [2]... Quand Hugo me reproche de ne m'occuper que de petits sujets, il veut dire que je ne m'occupe plus de lui ?... Hugo : le sophisme devenu fastueux. » Et même sur Adèle : « On sait très bien, dans la grande jeunesse, se passer d'esprit dans la beauté qu'on aime, et de jugement dans le talent que l'on admire (j'ai éprouvé cela chez Hugo, lui et elle [3])... » Tant de lucidité est une lame fine, dangereuse pour celui même qui la manie, et Sainte-Beuve souffrait.

Mme Victor Hugo et ses enfants passèrent tout l'été 1836, de mai à octobre, non plus aux Roches, mais à Fourqueux (dans la forêt de Marly), avec M. Foucher vieillissant. Fontaney y vint, au mois d'août, passer une journée qu'il trouva délicieuse : « Dîner le plus joyeux qui se soit fait de longtemps. Victor sans habit, en chemise, c'est-à-dire en peignoir de sa femme, est superbe de gaieté... Monceaux de beefsteaks. Visite du curé, M. Foucher et ses chenilles [4]... » Pour les enfants, l'arrivée de leur père était une fête. Quand il les quittait pour voyager avec Juliette, Didine lui

1. André Billy : *Sainte-Beuve, sa vie et son temps*, t. I, p. 253.
2. Sainte-Beuve : *Mes Poisons*, p. 47.
3. Collection Spoelberch de Lovenjoul.
4. Antoine Fontaney : *Journal intime*, pp. 194-195.

écrivait : « Je te plains bien, mon pauvre petit père, de faire tant de lieues à pied et de trouver de si mauvais soupers pour te récompenser de ta fatigue ; cependant, je n'en suis pas fâchée, car j'espère que cela te feras [*sic*] bientôt revenir à ton petit Fourqueux, où tu ne trouves que des personnes qui t'aime [*sic*] de tout leur cœur [1]... » Quand il revenait place Royale, sa femme l'y rejoignait, mais les enfants restaient à Fourqueux. *Léopoldine à Adèle Hugo :* « Nous nous levons sur les huit heures ; nous allons à la messe, nous déjeunons ; j'étudie mon piano ; Dédé joue... M. le Curé vient tous les jours me préparer mes devoirs, dîner, passer la soirée... Demande à petit père s'il veut me faire cadeau d'une romance intitulée : *Les Laveuses du Couvent ?* C'est très jolie [*sic*]. S'il ne veut pas, achète-la tout de même ; il faudra bien qu'il la paye [2]... »

Elle préparait sa première communion avec l'abbé Roussel, curé de Fourqueux, et avec son pieux grand-père, qui composait pour elle des cantiques. On a le Cahier de Retraite de Didine, quatre-vingt-douze pages d'*Analyses des instructions préparatoires à ma Première Communion.* Victor Hugo, Robelin et Théophile Gautier vinrent assister à la cérémonie, qui prit place le dimanche 8 septembre, jour de la Nativité de la Sainte-Vierge dans l'église paroissiale de Fourqueux. Léopoldine, seule communiante, édifia tous les assistants. Devant tant de candeur et de grâce naïve, les plus incrédules étaient émus. Auguste de Châtillon peignit la scène. Le 20 août, Mme Victor Hugo avait fait envoyer au curé de Fourqueux les œuvres complètes de son mari, en vingt volumes reliés (prix : quarante francs), en demandant à l'éditeur Renduel de déduire « discrètement » cette somme des comptes de l'auteur.

La robe blanche de communion avait été, ô romantisme ! taillée par Juliette Drouet dans une de ses anciennes robes d'organdi, reliquat vaporeux d'un temps de coupables splendeurs. Après la messe, Hugo repartit pour Paris, au grand désappointement des convives du repas que Pierre Foucher et sa fille offraient à tout le clergé des environs. Mme Hugo, craintive comptable, écrivit à Victor : « Les dépenses de la première communion de Didine n'excèdent pas deux cents francs... C'est, en effet, assez cher, mais,

---

1. Maison de Victor Hugo. Catalogue de l'exposition *Maturité de Victor Hugo,* n° 342, p. 123.
2. Maison de Victor Hugo. Catalogue de l'exposition *Maturité de Victor Hugo,* n° 349, p. 125.

aussitôt que Châtillon aura fini son tableau, il s'en ira, et je fer-
merai ma maison pour *tout le monde* [1]... » L'ordre régnait à Fourqueux.

Le 16 avril 1837, Hugo et Sainte-Beuve assistèrent aux obsèques de Gabrielle Dorval, maîtresse de Fontaney et fille aînée de
Marie Dorval, « idéale beauté » morte à vingt et un ans. Rencontre fâcheuse. *Sainte-Beuve à Ulric Guttinguer, 28 avril 1837 :*
« Nous étions dans un fiacre, cinq, entre autres Hugo, Barbier, moi,
Bonnaire (de la *Revue des Deux Mondes*), etc. ; il n'y manquait
que de Vigny ! En tout trois, Hugo et moi d'une part, Bonnaire
et moi de l'autre, qui ne se parlaient pas, qui ne se connaissaient
pas, trois sur cinq, nez à nez, dans ce fiacre. Quel enterrement [2] !... »
L'amitié, dans leurs cœurs, était plus morte que la jeune morte.
« Hugo, calme, impassible, causait avec le pauvre mari [3] ; Sainte-
Beuve, inquiet, excité, ne disait mot et regardait sans cesse par la
portière. S'il avait pu s'envoler, il l'eût fait sans doute [4]... »

Quelque temps encore, il essaya de croire qu'Adèle pourrait
lui revenir. *À Guttinguer, 20 juin 1837 :* « Elle garde la chambre,
ne peut supporter ni la voiture, ni la marche à pied. Je n'ai qu'à
grand-peine et à très longs intervalles de ses nouvelles directes et
vraies. Hélas ! l'autre soir, par ce ciel si beau, j'allais à travers la
foule heureuse en hurlant et pleurant comme un cerf blessé [5]... »
Pour tenter de la reconquérir, il publia dans la *Revue des Deux
Mondes* une nouvelle, *Madame de Pontivy,* qui n'était que trop
transparente. Il y peignait l'amour, pour un ami, Murçay, qui a
« toutes les délicatesses de l'auteur », d'une femme mal mariée,
déçue, isolée et méconnue à cause de sa timide sauvagerie : « Sa
vie devait être comme ces vallées presque closes, où le soleil ne
paraît que lorsqu'il est déjà ardent et sur les onze heures du ma-

---

1. Maison de Victor Hugo. Catalogue de l'exposition *Maturité de Victor
Hugo,* n° 354, p. 127.
2. SAINTE-BEUVE : *Correspondance générale,* t. II, p. 179.
3. Auguste Barbier, auquel cette citation est empruntée, fait erreur.
Fontaney vivait maritalement, rue de l'Ouest, n° 20, avec Gabrielle Dorval,
qu'il avait enlevée au couvent où sa mère l'avait mise. Mais, de peur qu'un
tel mariage ne pût nuire à sa carrière diplomatique, il avait constamment refusé
d'épouser sa maîtresse. Phtisique, il lui survécut à peine deux mois.
4. AUGUSTE BARBIER : *Souvenirs personnels,* 1883, p. 262.
5. SAINTE-BEUVE : *Correspondance générale,* t. II, p. 205.

tin [1]... » Mme de Ponticy connaissait enfin la passion et, bien que
« de sensibilité dormante », accordait tout aux désirs de son ami,
non qu'elle les partageât, mais parce qu'elle voulait qu'il fût pleinement heureux. Puis cet amour semblait se mourir de sa propre
langueur. Murçay errait aux endroits les plus déserts, ne sachant
que se redire à lui-même ces mots : « *Laissez-moi, tout a fui !* »
Dans la nouvelle, l'harmonie était rétablie au dernier moment, par
une tendre démarche de Murçay, et les amants entraient ensemble,
heureux, dans les années crépusculaires.

Mais la vie ne copie pas toujours l'art. Dans le monde réel,
Mme Victor Hugo fut irritée par un texte qui lui était d'autant
plus évidemment destiné qu'elle avait reçu quelque temps auparavant, de Sainte-Beuve, une pièce de vers contenant la plainte même
de Murçay :

> Laissez-moi ! tout a fui ! Le printemps recommence ;
> L'été s'anime et le désir a lui ;
> Les sillons et les cœurs agitent leur semence.
> Laissez-moi ! Tout a fui [2] !...

Victor Hugo lut, lui aussi, dans la revue, *Madame de Pontivy* ;
il apprit que Sainte-Beuve disait partout que cette histoire n'avait
été écrite que pour rassurer « une personne très chère », et il entra
en fureur. Il semble bien que les époux se mirent d'accord pour
faire venir l'indiscret place Royale et pour lui signifier un congé
définitif. Cette scène violente dut se passer vers octobre 1837. Presque aussitôt après, Sainte-Beuve partit pour la Suisse, où il devait
faire, à Lausanne, un cours sur *Port-Royal.* Jamais dépaysement
n'avait été plus opportun. *Sainte-Beuve à Guttinguer :* « Humaine-
ment, ma vie est manquée, je le sais. Il ne me reste qu'à me sauver
littérairement... » Et, le *18 mai 1838 :* « En quittant Paris, en
octobre, j'étais sombre et trois fois sombre. J'avais tout lieu de
l'être... Du côté de la place Royale, j'ai éprouvé ce que deux mots
de conversation pourraient seuls vous expliquer : d'une part, une
noire et grossière machination, qui sent son Cyclope ; de l'autre,
une inouïe et vraiment stupide crédulité qui m'a donné la mesure

---

1. SAINTE-BEUVE : *Madame de Pontivy,* p. 203 de l'édition Calmann-
Lévy du *Clou d'or,* tiré à 1,200 exemplaires en 1921.
2. SAINTE-BEUVE : *Livre d'Amour,* p. 104.

d'une intelligence que l'amour n'éclaire plus [1]... » Il allait en venir, par dépit, à porter les jugements les plus sévères et les plus injustes sur la pauvre Adèle. Lorsqu'il revint à Paris, il nota : « J'ai revu A... Ai-je éprouvé la vérité du mot de La Rochefoucauld : *« On pardonne tant que l'on « aime »* ? Cependant, il me semble que c'en est fait de l'amour, au moins de ce côté-là. » Et trois ans après, dans son journal : « *Je la hais.* » Mais il se souvint toujours avec orgueil de sa seule conquête flatteuse et, avec colère, de l'offensante rupture. Il ne cessa jamais tout à fait de voir Adèle ni de correspondre avec elle, de loin en loin. En 1845, il écrira encore à George Sand : « Je ne puis me consoler de ne plus aimer, de ne plus être aimé ; de ne plus avoir, à ma tristesse du jour et à mon désespoir éternel, un lendemain d'espérance — comme il arrivait toujours dans ce bon temps où l'on était si malheureux [2]... »

Pour Victor Hugo, cette rupture impliquait le devoir d'établir un partage équitable entre sa femme et sa maîtresse. Du côté de chez Juliette, tout n'était qu'amour, mais dans les orages et la pauvreté. Il l'avait installée au Marais, 14, rue Saint-Anastase, à portée de la place Royale. Ce petit appartement était tapissé de portraits et de dessins du dieu de la maison. Les deux amants le remplissaient, au hasard de leurs courses chez les brocanteurs, de statuettes gothiques et d'étoffes anciennes. Dans sa chambre à coucher, Juliette entretenait, entre le lit et la cheminée au « bon feu pétillant », un coin où son poète pouvait travailler, avec plumes d'oie bien taillées, lampe toujours faite et provision de papier azuré. De son lit, elle regardait sans mot dire cette « chère petite tête » engendrer de sublimes choses. « Je te voyais tout à l'heure et je me sentais saisie d'admiration devant ta noble et belle figure inspirée [3]... » Ces heures la payaient de ses humiliations.

Elle disait : « C'est vrai ; j'ai tort de vouloir mieux.
Les heures sont ainsi très doucement passées ;
Vous êtes là ; mes yeux ne quittent pas vos yeux,
Où je regarde aller et venir vos pensées...

« Je me fais bien petite en mon coin près de vous.
Vous êtes mon lion ; je suis votre colombe.

---

1. SAINTE-BEUVE : *Correspondance générale*, t. II, p. 365.
2. *Opus cit.*, t. VI, p. 173.
3. Cf. PAUL SOUCHON : *Les Deux Femmes de Victor Hugo*, p. 100.

J'entends, de vos papiers, le bruit paisible et doux ;
Je ramasse parfois votre plume qui tombe [1]... »

À la douceur d'être ainsi adoré, il était sensible. Non que l'adoration fût aveugle. Juliette avait ses rancunes et ses jalousies, fort
légitimes, car un escalier — dérobé — conduisait, place Royale,
directement au bureau de Victor Hugo, et Juliette, qui, elle-même,
y avait été parfois reçue, n'ignorait pas que d'autres femmes y cé-
daient aux charmes du maître. *Juliette à Victor Hugo :* « Vous êtes
beau, trop beau, parce que je suis jalouse même quand vous êtes
avec moi. Jugez du reste... Je voudrais être seule à vous aimer,
parce que j'ai une âme capable de vous défrayer de toutes les
amours de toutes les femmes [2]... » La chasteté de son amant, dont
elle se plaignait, s'expliquait sans doute par de secrets plaisirs.
Plusieurs fois, elle le prit en flagrant délit de mensonge. Il lui disait : « Je dois aller voir ma famille à la campagne », et elle dé-
couvrait que la famille était encore place Royale. Quelles fugues
secrètes masquait-il ?

Juliette, après avoir été jalouse de Mlle George et de Marie
Dorval, redoutait maintenant sa propre modiste et une danseuse
de l'Opéra, Mlle Lison. Les tentatrices s'acharnaient sur un homme
qui ne leur résistait guère. Actrices avides d'un rôle, jeunes femmes
du monde coquettes et ardentes, romancières débutantes tiraient
le cordon de la porte secrète. On parlait poésie sur un divan. « Si
j'étais reine, disait Juliette, vous ne sortiriez qu'avec un bon masque de fer dont moi seule aurais le secret. » Mais c'était elle qui
portait les chaînes et l'Infidèle continuait d'interdire toute sortie
sans lui. « Pourquoi cette vie de prisonnière ? demandait-elle. Je
vous aime, mon Toto, voilà votre verrou le plus gros et le plus
fort [3]... » Elle ne s'accoutumait pas à cette tyrannie : « Depuis
bientôt quatre ans que votre amour s'est éboulé sur moi, je suis
dans une position à ne pouvoir ni me remuer, ni respirer. Ma foi en
vous risque d'être ensevelie sous les décombres de notre liaison [4]... »

---

1. VICTOR HUGO : *Paroles dans l'Ombre* (*Les Contemplations*, liv. II,
XV, p. 90).
2. JULIETTE DROUET : *Mille et une lettres d'amour à Victor Hugo*,
p. 91.
3. JULIETTE DROUET : *Mille et une lettres d'amour à Victor Hugo*,
p. 91.
4. *Opus cit.*, p. 103.

Peut-être n'y eût-elle pas tenu sans les voyages ; mais, chaque été, elle avait ces merveilleux interludes. *On* (c'est-à-dire Adèle) allait à Fourqueux ou à Boulogne-sur-Seine, s'installer à la campagne avec les quatre enfants et, pendant six semaines, les amants, devenus conjugaux, partaient pour Fougères, ville natale de Julienne Gauvain, ou pour la Belgique, dont les carillons, les beffrois et les vieilles maisons enchantaient Hugo.

Adèle recevait sa lettre quotidienne. *17 août 1837 :* « Chère amie, je suis tout ébloui de Bruxelles... L'hôtel de ville est un bijou comparable à la flèche de Chartres... Dis à Didine et à Dédé, dis à Charlot et à Toto de s'entr'embrasser en mon nom... Les églises me font penser à toi. Je sors de là vous aimant tous plus encore, s'il est possible [1]... » *19 août 1837 :* « La cathédrale de Malines a une vraie chemise de dentelle [2]... » Il allait en chemin de fer d'Anvers à Bruxelles : « La rapidité est inouïe. Les fleurs du bord du chemin ne sont plus des fleurs, ce sont des raies rouges ou blanches ; plus de points, tout devient raie ; les blés sont de grandes chevelures jaunes ; les luzernes sont de longues tresses vertes [3]... » Les carnets du voyageur se couvraient de beaux croquis, fuligineux et rembrandtesques.

Adèle, depuis qu'elle n'avait plus, pour son mince filet de sentiment, l'exutoire Sainte-Beuve, ne pouvait accepter les disparitions de l'époux avec autant de grandeur d'âme : « Il ne faut plus que tu voyages sans moi l'année prochaine. *J'ai résolu ceci.* Je suis, je l'espère, dans mon droit. Ce que je te dis est sérieux. Si le voyage est impossible pour *nous,* je louerai ici une maison où je serai mieux, avec mon père et Julie [4], que je débaucherai. Tu peux très bien ne pas aller à Paris tous les jours et prendre domicile à la campagne. Les communications sont si faciles. Alors, mon ami, tu pourras me faire passer une année heureuse, car je sais que tu peux cela. Lorsque tu dis que ce ne peut être, je fais souvent semblant de te croire pour ne pas te tracasser, mais je ne suis pas convaincue [5]... » Victor dans sa réponse, très vague, parut céder. *Dieppe, 8 septembre 1837 :* « Le voyage n'est qu'un étourdis-

---

1. Victor Hugo : *Belgique* (*En Voyage,* t. II, p. 84).
2. *Opus cit.,* t. II, p. 90.
3. *Opus cit.,* t. II, p. 93.
4. Sa sœur, Julie Foucher, alors âgée de quinze ans.
5. Cf. Paul Souchon : *Les Deux Femmes de Victor Hugo,* pp. 77-78.

sement rapide. C'est à la maison qu'est le bonheur [1]... » Tout homme volage, mais sans dureté, se trouve amené à dire plus qu'il ne pense et à promettre, de tous côtés, bien plus qu'il ne peut tenir.

Autre compensation pour Juliette : le Livre rouge des anniversaires, qu'elle gardait sous son oreiller et où, le 17 février, le 26 mai et autres fêtes carillonnées, des vers étaient écrits chaque année. Elle remerciait avec extase : « Je crois que, si Dieu se montre jamais à moi, ce sera sous ta forme, car tu es ma foi, tu es ma religion et mon espoir... C'est bien sûr toi que Dieu a fait à son image. Aussi c'est toi que j'aime en lui et lui que j'adore en toi [2]... » Cette déification réveillait en Victor l'esprit d'Olympio. Elle aurait passionnément souhaité faire avec lui un pèlerinage aux Metz, où ils avaient été si heureux ; il choisit d'y aller sans elle, en octobre 1837, pour s'y trouver seul avec leurs souvenirs. Lamartine, Musset avaient tiré de tels retours des chefs-d'œuvre ; il souhaitait se mesurer avec eux sur leur terrain :

> Il voulut tout revoir, l'étang près de la source,
> La masure où l'aumône avait vidé leur bourse,
> Le vieux frêne plié,
> Les retraites d'amour au fond des bois perdues,
> L'arbre où, dans les baisers, leurs âmes confondues
> Avaient tout oublié !
>
> Il chercha le jardin, la maison isolée,
> La grille d'où l'œil plonge en une oblique allée,
> Les vergers en talus.
> Pâle, il marchait. Au bruit de son pas grave et sombre,
> Il voyait à chaque arbre, hélas ! se dresser l'ombre
> Des jours qui ne sont plus [3] !...

Le fruit de ces jours passés à errer en rêvant, au pays de sa plus douce aventure, fut un poème : *Tristesse d'Olympio*. Pourquoi « *tristesse* » après tant de joies ? Parce que le contraste entre l'éter-

---

1. Victor Hugo : *Dieppe* (*En Voyage*, t. II, p. 136).
2. Juliette Drouet : *Mille et une lettres d'amour à Victor Hugo*, p. 127.
3. Victor Hugo : *Tristesse d'Olympio* (*Les Rayons et les Ombres*, XXXIV, p. 631).

nelle beauté de la nature et les fugitifs bonheurs de l'homme est douloureux aux romantiques :

> Que peu de temps suffit pour changer toutes choses !
> Nature au front serein, comme vous oubliez !
> Et comme vous brisez, dans vos métamorphoses,
> Les fils mystérieux où nos cœurs sont liés !...
>
> D'autres vont maintenant passer où nous passâmes.
> Nous y sommes venus ; d'autres vont y venir ;
> Et le songe qu'avaient ébauché nos deux âmes,
> Ils le continueront, sans pouvoir le finir !...
>
> Eh bien ! oubliez-nous, maison, jardin, ombrages !
> Herbe, use notre seuil ! Ronce, cache nos pas !
> Chantez, oiseaux ! Ruisseaux, coulez ! Croissez, feuillages !
> Ceux que vous oubliez ne vous oublieront pas.
>
> Car vous êtes pour nous l'ombre de l'amour même !
> Vous êtes l'oasis qu'on rencontre en chemin.
> Vous êtes, ô vallon ! la retraite suprême
> Où nous avons pleuré, nous tenant par la main !
>
> Toutes les passions s'éloignent avec l'âge,
> L'une emportant son masque et l'autre son couteau,
> Comme un essaim chantant d'histrions en voyage
> Dont le groupe décroît derrière le coteau [1]...

Vers qui défient le temps. L'idée s'incarnait, pour atteindre l'imagination, dans les paysages les plus simples, dans les souvenirs les plus humains. *Le Lac* avait été bien beau ; ce poème-ci ne l'était pas moins. Juliette, qui le copia, en parla naïvement, comme de « ces vers sur nos anciennes promenades », et, pour une fois, ne loua pas autant qu'elle l'aurait dû le prodigieux présent qui lui était fait. Peut-être ne fut-elle pas très heureuse de voir rejeté au passé ce qui à ses yeux était éternel. Elle demanda seulement à retourner dans la chère vallée parce qu'elle était sûre de retrouver, mieux que lui, les endroits où ils avaient été heureux. Ô réalisme

---

1. VICTOR HUGO : *Tristesse d'Olympio* (*Les Rayons et les Ombres*, XXXIV, p. 635).

précis des femmes ! Vous leur parlez éternité ; elles répondent topographie.

La critique, pas plus que Juliette Drouet, ne reconnaissait alors la perfection de ce qui lui était jeté avec une magnifique profusion. Gustave Planche, dans son article sur *Les Voix intérieures,* soutint que la poésie lyrique de Hugo appartenait à la langue plus qu'à la pensée, et que l'auteur, tout « en faisant manœuvrer la césure et la rime en tacticien consommé », ne réussissait pas à montrer « des hommes de la famille humaine[1] » ! Il reconnaissait que, dans *Les Feuilles d'Automne,* le poète avait, pour un instant, renoncé à la virtuosité en faveur de la sensibilité, mais Hugo revenait, disait Planche, à ses vains jeux de langage.

Olympio irritait le critique de la *Revue :* « Il est fâcheux que le nom d'Olympio soit un nom absolument impossible ; mais l'intention de M. Hugo, en créant ce barbarisme, est assez manifeste. Il est évident que, dans sa pensée, l'idée de lui-même s'associe à l'idée du Jupiter Olympien... Comme il eût été de mauvais goût de dire : *Je suis le premier homme de mon temps,* M. Hugo se met sur un trône et s'appelle Olympio[2]... » Et plus loin : « M. Hugo n'est plus capable de clairvoyance ; il a trouvé en lui-même un prêtre et un autel ; il a fondé une religion que je propose d'appeler *autothéisme*[3]... » Bref, il reprochait à Victor Hugo de dissimuler, sous l'éclat des images, l'absence des idées et de s'enfermer, par excès d'ambition, dans une orgueilleuse solitude : « Si l'étude des livres ou des hommes ne donne pas à sa poésie les qualités humaines qui lui manquent, il ne lui restera que la gloire d'avoir enseigné à ses contemporains le doigté d'un instrument pour lequel il n'a pas écrit de musique[4]... » La haine aveugle le goût.

Le 5 mars 1837 mourut le pauvre Eugène Hugo. Il avait eu, au début de sa maladie mentale, quelques éclaircies. Fontaney, visitant l'asile de Saint-Maurice, l'y avait rencontré par hasard. *3 avril 1832 :* « Je vais à Charenton... La cour des fous furieux. Le frère de Victor ; il se lève ; il se souvient de la poésie, de son prix

1. GUSTAVE PLANCHE : « *Les Voix intérieures* » *de Monsieur Victor Hugo,* article publié dans la *Revue des Deux Mondes,* numéro du 15 juillet 1837, p. 163.
2. *Ibidem,* p. 177.
3. *Ibidem,* p. 181.
4. GUSTAVE PLANCHE : « *Les Voix intérieures* » *de M. Victor Hugo, Revue des Deux Mondes,* numéro du 15 juillet 1837, p. 184.

de Toulouse [1]... » Puis le malheureux avait sombré dans l'inconscience et l'oubli. Ses frères allaient le voir, mais rarement, car Saint-Maurice (Charenton) était loin, la vie de Paris tyrannique et les médecins réticents. Victor n'avait jamais été sans remords au sujet de ce mort vivant, enterré dans son *in-pace*. Il offrit à l'ombre importune, en guise de libation funèbre, un poème : *À Eugène, vicomte H*... :

> Puisqu'il plut au Seigneur de te briser, poète ;
> Puisqu'il plut au Seigneur de comprimer ta tête
>   De son doigt souverain ;
> D'en faire une urne sainte à contenir l'extase,
> D'y mettre le génie et de sceller ce vase
>   Avec un sceau d'airain...

Il évoquait leurs jeux d'enfants : « *Tu dois te souvenir de nos jeunes années,* — *Tu dois te souvenir des vertes Feuillantines...* » Ils avaient été heureux ensemble ; ensemble, ils avaient découvert la beauté du monde ; ensemble, ils avaient fait leurs premiers pas dans la prairie. C'en était fini, pour le vivant comme pour le mort, des rêves purs de l'adolescence :

> Tu vas dormir là-haut sur la colline verte
> Qui, livrée à l'hiver, à tous les vents ouverte,
>   A le ciel pour plafond ;
> Tu vas dormir, poussière, au fond d'un lit d'argile ;
> Et moi je resterai parmi ceux de la ville
>   Qui parlent et qui vont !
>
> Et moi je vais rester, souffrir, agir et vivre,
> Voir mon nom se grossir dans les bouches de cuivre
>   De la célébrité ;
> Et cacher, comme à Sparte, en riant quand on entre,
> Le renard envieux qui me ronge le ventre,
>   Sous ma robe abrité [2] !...

N'est-ce pas une façon d'apaiser les morts que de se plaindre

---

1. ANTOINE FONTANEY : *Journal intime*, p. 126.
2. VICTOR HUGO :   *A Eugène, vicomte H*... (*Les Voix intérieures*, XXIX, pp. 460-463).

de la vie ? « Ne regrette rien. Tu reposes, toi », dit le Vivant.
Cela lui donne le droit d'oublier. Abel Hugo envoya des comptes :

Payé voiture et menus frais lors de l'enterrement 17,60
Solde du compte d'Eugène 165

TOTAL, Fr...... 182,60
Dont moitié pour Victor, Fr...... 91,30 [1]

Arithmétique lugubre, mais les frères Hugo avaient été dressés à compter les centimes. La mort d'Eugène, qui était son aîné, faisait de Victor, si l'on prenait à la lettre leur noblesse espagnole, le vicomte Hugo. Un pas sur le chemin de la pairie. À partir de cette date, Adèle, même lorsqu'elle écrivait à une amie intime, signa ses lettres : *La Vicomtesse Victor Hugo*. La mansuétude conjugale n'était pas sans dédommagements.

1. Maison de Victor Hugo. Catalogue de l'exposition *Maturité de Victor Hugo*, n° 364, p. 130.

II

JULIETTE SOUS LA COUPOLE

> La plupart des hommes célèbres vivent en
> état de prostitution.
>   SAINTE-BEUVE *(Carnets)*.
>
> La gloire est une espèce de maladie que l'on
> prend pour avoir couché avec sa pensée.
>   PAUL VALÉRY.

En 1837, le duc d'Orléans épousa la princesse Hélène de Meck-
lembourg. Victor Hugo entretenait, avec l'héritier du trône,
de meilleures relations qu'avec Louis-Philippe. Outre des
griefs personnels (interdiction du *Roi s'amuse*), il reprocha au
gouvernement de Juillet d'avoir été infidèle à ses origines. Né d'une
révolution, il favorisait la réaction. De plus en plus, Hugo prenait
conscience des devoirs du poète envers les humiliés et les offensés.
Dès 1834, dans sa *Réponse à un acte d'accusation*, éloquent manifeste sur le vocabulaire romantique [1], il avait déclaré les mots
libres, égaux, majeurs et démoli la « bastille des rimes ». Or « *il
n'ignorait pas que la main courroucée — Qui délivre les mots délivre la pensée.* »

Les adversaires républicains du régime, les gens du *National*,
avaient alors espéré annexer Victor Hugo, mais il ne croyait pas
la France mûre pour une République. Un bonapartisme social
l'eût séduit. Mais quel Bonaparte ? Le duc de Reichstadt était
mort. Il voyait donc le régime de Juillet se consolider. Le journal
de son ami Émile de Girardin, opportuniste professionnel, était
archi-gouvernemental et cherchait à s'assurer, en Victor Hugo,
une précieuse recrue. « Girardin, disait Sainte-Beuve, me fait l'effet

---

1. Publié seulement plus tard dans *Les Contemplations*.

de pêcher une grosse baleine ; il la pêchera. » À défaut du roi, qu'il trouvait trop prudent et peu empressé à son égard, Hugo s'était rapproché du duc d'Orléans, espoir de tous ceux qui souhaitaient une politique libérale. Un secours sollicité pour un vieux professeur, non sans coquetterie (« Prince, Votre Altesse Royale accueillera-t-elle la prière d'un inconnu pour un inconnu ? ») et aussitôt accordé ; un poème de remerciement avait amené des relations suivies entre le prince et le poète. Quand Louis-Philippe, pour le mariage de son fils aîné, donna un banquet à Versailles, dans la galerie des Glaces, Hugo fut invité. Son premier mouvement fut de refuser. Assister à un repas de quinze cents couverts semblait un maigre et ennuyeux honneur. En outre, le roi, depuis longtemps en froid avec Alexandre Dumas, refusait à celui-ci une invitation. Hugo dit qu'il ne viendrait pas sans Dumas. Le duc d'Orléans lui-même intervint, obtint la rentrée en grâce de Dumas, insista et enfin triompha. Hugo et Dumas, tous deux en uniformes de gardes nationaux (faute d'habits de cour), rencontrèrent à Versailles Balzac en marquis.

Victor Hugo n'eut pas à regretter d'être venu. On l'avait placé à la table du duc d'Aumale. Le roi lui fit de grands compliments. La duchesse d'Orléans, princesse de vaste culture et de haute élévation d'âme, au beau visage franc, lui dit qu'elle était heureuse de le voir, qu'elle avait souvent parlé de lui à M. de Gœthe, qu'elle savait ses poèmes par cœur et qu'elle aimait par-dessus tout celui qui commençait par : « *C'était une humble église au cintre surbaissé....* » Tout cela était vrai. Cette jeune Allemande avait, dès seize ans, suivi avec passion la vie littéraire de la France. « Son rêve, c'était Paris ; son poète, Victor Hugo. » On lui dit aussi : « J'ai visité *votre Notre-Dame.* » On souhaitait évidemment plaire à l'hôte illustre ; on y réussit. Trois semaines après le mariage, il fut promu officier de la Légion d'honneur. Des laquais vinrent apporter place Royale un tableau romantique : *Inez de Castro : Le Duc et la Duchesse d'Orléans à Monsieur Victor Hugo, 27 juin 1837.* Il devint *le* poète de la future reine des Français ; point de réception sans lui au pavillon de Marsan non seulement aux mardis officiels, mais aux réunions intimes qu'on appelait : *la Cheminée.* Les initiés se demandaient les uns aux autres : « Irez-vous demain à *la Cheminée* ? » Ils y trouvaient toujours Victor Hugo, qui exposait au duc, « de huit ans son cadet, l'idée que le poète est le truchement de Dieu auprès des princes [1] ».

Éprouva-t-il un sentiment tendre à l'égard de sa future souveraine ? Sans doute le mélange d'admiration virile et de dévouement chevaleresque qu'inspire une femme jeune, belle, romanesque, qui sera reine, ne fut-il pas étranger au sujet de *Ruy Blas*, « ver de terre amoureux d'une étoile ». Mais ces sentiments demeurèrent respectueux et secrets. Pourtant on a le brouillon d'une curieuse lettre du poète à la duchesse. En janvier 1838, le vicomte et la vicomtesse Hugo reçurent chez eux, place Royale, le couple princier. Louise Bertin y fit chanter, par une troupe de fillettes, un chœur extrait de *La Esmeralda*. Ce fut une belle fête, qui consacra la position dynastique des Hugo.

Le duc d'Orléans s'étant étonné de voir Victor Hugo s'écarter de la scène, celui-ci répondit qu'il n'avait plus de théâtre, « la Comédie-Française étant vouée aux morts et la Porte-Saint-Martin livrée aux bêtes ». Le prince fit offrir à l'auteur, par M. Guizot, le rare privilège de créer une scène nouvelle. Ce fut la Renaissance, que Dumas et Hugo confièrent à un directeur de journal, Anténor Joly. Pour inaugurer la salle, Hugo y devait donner un drame en vers.

Où trouva-t-il le sujet de *Ruy Blas* ? Les sources étaient multiples : un mélodrame de Latouche (*la Reine d'Espagne*) ; un roman où Léon de Wailly avait conté l'histoire du peintre Reynolds, faisant épouser par un laquais Angelica Kauffmann, qui l'avait dédaigné ; pour le décor, la *Relation du voyage d'Espagne* de Mme d'Aulnoy. À la vérité, les sources importaient peu ; le drame, par un mélange de poésie, de bouffonnerie, de fantaisie et de politique, était essentiellement hugolien. Ruy Blas, rêveur, se trouve porté au pouvoir à la fois par son génie et par sa souveraine. Rêve d'accomplissement. « Il y a un côté conte de fées dans ce drame », mais aussi un côté « manifeste ». Ruy Blas, c'est le peuple qui a l'avenir et qui n'a pas le présent.... amoureux, dans sa misère, de la seule figure qui représente pour lui un divin rayonnement », la Reine.

La pièce, écrite en un mois, était la meilleure qu'il eût com-

---

1. JEAN SERGENT : *Catalogue* de l'exposition *Maturité de Victor Hugo*, p. 402.

posée. Le vers héroïque sonnait comme celui des classiques de la grande époque ; la rime, riche et sonore, scandait des couplets oratoires dont l'un au moins (le discours du troisième acte) constituait un chef-d'œuvre de poésie et d'histoire. Frédérick Lemaître joua Ruy Blas. Victor Hugo savait combien Juliette souffrait de la totale interruption de sa carrière d'actrice, et il ne pouvait se dissimuler qu'il en était responsable. Sans la lumière, trop éclatante, qu'avait projetée sur elle l'amour d'un grand homme, elle eût, comme tant d'autres, continué à tenir de petits emplois. Désireux de lui donner enfin une compensation, il lui offrit le rôle de la reine Maria de Neubourg. Dumas avait fait engager à la Renaissance sa maîtresse, Ida Ferrier (qui, en 1840, allait devenir sa femme) ; Hugo avait bien droit à la même faveur pour Juliette. Elle fut enivrée : « Depuis que tu m'as fait entrevoir la possibilité de jouer dans ta ravissante pièce, je suis comme une pauvre somnambule à qui on a fait boire beaucoup de vin de Champagne [1].... » Mais c'était trop beau. Elle pressentait une déception. « Je mourrai avant de débuter au théâtre de la Renaissance. Tous ces gens-là me rendront le chemin de l'éternité facile. » Pourtant comme à cette promesse, s'ajoutait l'offre d'une escapade de huit jours avec lui, vers Montmirail, Reims, Varennes, Vouziers, la pauvre fille se trouva soudain illuminée de bonheur : « Je t'aime, mon Toto ; je t'adore, mon petit homme. Tu es mon soleil et ma vie [2].... »

Soleil vite éclipsé. Adèle Hugo profita de l'absence de son mari pour faire une démarche efficace, cruelle et condamnable. De Boulogne, où elle se trouvait avec ses enfants, elle écrivit à Anthénor Joly :

> Vous serez sans doute étonné de me voir me mêler à une chose qui ne regarde, en définitive, que vous et mon mari. Pourtant, monsieur, il me semble que j'ai un peu le droit d'agir ainsi quand je vois le succès d'une pièce de Victor compromis, et compromis volontairement. Il l'est, en effet, je le crains du moins, car le rôle de la Reine a été donné à une personne qui a été un des éléments du tapage qui a été

---

1. Juliette Drouet : *Mille et une lettres d'amour à Victor Hugo,* p. 149.
2. *Opus cit.,* p. 149.

fait à *Marie Tudor*.... L'opinion est défavorable, à tort ou
à raison, au talent de Mlle Juliette. J'ai quelque espoir que
vous trouverez moyen de donner le rôle à une autre personne.
Je ne vois ici, je n'ai pas besoin de vous le dire, que l'intérêt
de l'ouvrage ; c'est pourquoi j'insiste. Que mon mari, qui
porte intérêt à cette dame, l'ait appuyée pour la faire entrer
à votre théâtre, rien de mieux. Mais que cela aille jusqu'à
mettre en question le succès d'une des plus belles choses qui
soient, voilà ce que je ne puis admettre [1]....

Adèle attribuait à des préoccupations artistiques ce qui était,
en fait, jalousie ; elle demandait à Anténor Joly de tenir sa
démarche rigoureusement secrète et péchait ainsi contre le loyalisme
conjugal. Le directeur fut impressionné et, dès le retour de Hugo,
l'informa qu'il avait distribué le rôle de la Reine à Atala Beau-
chêne (qui, pour cette création mémorable, reprit son nom d'état
civil : Louise Beaudoin) et qui avait des titres indiscutables, étant
la maîtresse de Frédérick Lemaître.

Hugo ne connut pas la lettre d'Adèle, mais parce qu'il partageait, au fond, les craintes que lui exprima Joly, il céda. À
Juliette, il communiqua la mauvaise nouvelle avec ménagements,
accusant, non l'insuffisance de talent, mais la cabale et les préjugés.
Le coup fut très dur : « Tu as été bien bon avec moi tantôt, pauvre
bien-aimé. Je sens bien tous les efforts que tu fais pour me dissimuler un affront ou me cacher un chagrin. Je les apprécie bien,
va [1].... » La carrière de *Ruy Blas,* pour Juliette, devint un long
calvaire : « Je suis triste, mon pauvre bien-aimé. Je porte en moi
le deuil d'un beau et admirable rôle, qui est mort pour moi à tout
jamais. Jamais Maria de Neubourg ne vivra *par moi* et *pour moi.*
J'ai un chagrin plus grand que tu ne peux te l'imaginer. Cette
dernière espérance perdue m'a donné un coup terrible. » Puis,
dévouée, résignée, elle se fit faire une robe neuve pour la première
et déchira ses gants à force d'applaudir. Avec *Ruy Blas* s'évanouissait le dernier espoir de rentrer au théâtre, d'y gagner sa vie et
celle de Claire. Que deviendrait-elle si jamais Hugo lui manquait ?
Et, si même Hugo lui était fidèle, que deviendrait sa fierté ? Elle
ne serait, toute sa vie, qu'une femme entretenue.

---

1. Cf. Paul Souchon : *Les Deux Femmes de Victor Hugo,* p. 89.

Au cours de l'année grandit en elle cette idée que, si elle ne pouvait se faire un état indépendant, le salut serait, à défaut de l'union légitime, impossible, « la célébration morale de leur mariage d'amour ». Être sa *femme* par l'esprit et par le cœur, voilà ce qu'elle demandait. Sur la fidélité physique de ce faune aux cent nymphes, elle ne comptait guère. La coquetterie de son amant, ses pantalons collants, ses coiffures méditées étaient des aveux, comme aussi la trop fréquente désertion du lit de la rue Saint-Anastase : « En vérité, en vérité, je vous le dis : tout homme qui ne tient pas sa promesse sera réputé un mauvais amant, et celui qui regardera, le soir, au pied du lit, si sa toilette de nuit y est, quand il sait qu'il ne reviendra qu'au grand jour, sera regardé comme une bête. En ce temps-là, Juju dit à son Toto : « Vous « n'avez pas le sens commun ; vous laissez tomber et manger aux « vers les beaux fruits de l'âme, au lieu de les cueillir avec amour « et de les savourer avec délices, comme des fruits merveilleux « venus du jardin du paradis [1].... » Au moins voulait-elle avoir la certitude de durer, de le suivre partout, et le droit implicite de se mettre entre lui et les autres femmes.

À ces demandes et effusions, pendant l'année 1839, il répondit d'un air grognon. Il était mécontent, harcelé. *Ruy Blas* n'avait eu qu'un demi-succès. Le drame romantique entrait en défaveur. Le sévère Gustave Planche prononça des mots très durs : « Défi au bon sens et au goût.... Cynisme révoltant.... Puéril entassement de scènes impossibles.... M. Hugo a connu la gloire de trop bonne heure... Il s'est enfermé dans l'adoration de lui-même comme dans une citadelle.... De cet orgueil démesuré à la folie, il n'y a qu'un pas, et ce pas, M. Hugo vient de le franchir en écrivant *Ruy Blas* [2].... » S'il y avait folie en cette rencontre, c'était du critique plus que de l'auteur. Il était permis de ne pas aimer les aspects mélodramatiques de ce théâtre, non d'en méconnaître les beautés. Mais la nouvelle génération haïssait, comme Sainte-Beuve, « ces grosses majuscules rouges, galonnées d'or comme les laquais de sa pièce ».

1. Cf. Louis Guimbaud : *Victor Hugo et Juliette Drouet*, p. 357.
2. Gustave Planche : « *Ruy Blas* », *drame de Monsieur Victor Hugo*, article publié dans la *Revue des Deux Mondes*, numéro du 15 août 1838, pp. 532-548.

Cependant Hugo travaillait à un nouveau drame, *Les Jumeaux,* et se disait épuisé de fatigue. Juliette se demandait anxieusement si le travail seul était responsable de tant de lassitude. « Bonjour, rhinocéros, bonjour, tigre royal », disait-elle à cet amant farouche. Quand elle se plaignait, il lui jurait n'avoir jamais aimé *d'amour* qu'elle seule. Était-ce une de ces phrases que disent les hommes pour obtenir la paix ? Elle ne voulait pas le croire et souhaitait que le caractère unique de leur amour fût attesté par un serment, non devant les hommes, mais devant Dieu. Dans la nuit du 17 au 18 novembre 1839, il y consentit. Il jura de n'abandonner jamais ni Claire, ni Juliette. En revanche, celle-ci avait promis de renoncer à tout jamais au métier de comédienne. Ce fut non un marché, mais un mariage mystique et, pour Claire Pradier, une adoption.

Juliette Drouet à Victor Hugo, 18 novembre 1839 : « Pour que rien ne manquât à notre mariage, j'ai eu toutes les émotions d'un premier jour : bonheur ineffable, extase du ciel, insomnie, étonnement.... J'ai eu tout cela cette nuit et j'ai à peine dormi quelques heures, quoique je sois restée au lit fort tard. Enfin, mon pauvre adoré, *au mari près,* ce qui est peu de chose, ma prière et mon lever de ce matin ont été ceux d'une nouvelle mariée. Oh ! oui, je suis ta femme, n'est-ce pas, mon adoré ? Tu peux m'avouer sans rougir et cependant mon premier titre, celui que je veux conserver entre tous les autres et par-dessus tous les autres, c'est celui de ta maîtresse [1].... »

Et lui ? Quels étaient ses sentiments ? Il admirait tant de beauté offerte, cette créature noble et généreuse, cet amour humble et passionné. Il était reconnaissant à Juliette pour sept ans de bonheur, qui lui avaient rendu confiance en soi ; il s'engageait honnêtement et gravement à traiter en père la petite Claire, que sa situation si fausse rendait malheureuse ; il n'en continuait pas moins d'imposer à « son épouse mystique » une vie absurdement cloîtrée, sans jardin pour prendre l'air, sans préau pour faire la moindre promenade. N'avoir pour tout arbre que le tuyau de son poêle et pour tout soleil que sa lampe Carcel devenait un supplice pour la Bretonne de plein air : « Toto, Toto, vous n'êtes pas très gentil

———————
1. Cf. Louis Guimbaud : *Victor Hugo et Juliette Drouet,* pp. 366-367.

pour moi ! » Et d'autant moins gentil qu'il se permettait, à lui-même, toutes les fantaisies et toutes les infidélités. Mais les règles ne sont pas faites pour le génie. *Ego Hugo.* Et puis, en 1840, elle eut deux mois de voyage en tête-à-tête, de la Belgique à Cologne et Mayence. Ce fut alors qu'il découvrit la Forêt Noire, dont le nom avait évoqué, dans son esprit d'enfant, des futaies pleines de ténèbres. Ils allèrent jusqu'au Rhin. Ciel blafard à travers les ogives noires. Broussailles sur les ruines des vieilles tours. Pendant le voyage il fut, comme toujours, « adorablement bon et doux ». Rien ne réussissait mieux à cet amour que le dépaysement.

Elle eut aussi pour elle, en 1839 et de nouveau en 1840, les visites académiques et les miettes de temps volées dans le cabriolet. Hugo continuait de vouloir avec force l'Académie française et il avait coutume d'obtenir ce qu'il voulait. En 1839, le décès de Michaud, historien des Croisades, avait rendu vacant un fauteuil. Hugo passait pour le candidat du Château et, bien qu'il s'en défendît, l'était. Avec Louis-Philippe, depuis la soirée de Versailles, il coquetait. Armand Barbès ayant été condamné à mort, pour avoir attaqué à main armée le poste de la Conciergerie, dont le commandant avait été tué dans cette bagarre, Hugo avait porté aux Tuileries ces quatre vers :

Par votre ange envolée ainsi qu'une colombe !
Par ce royal enfant, doux et frêle roseau !
Grâce encore une fois ! Grâce au nom de la tombe !
Grâce au nom du berceau [1] !

Le roi avait répondu gracieusement — et constitutionnellement : « Ma pensée a devancé la vôtre. Au moment où vous me demandez cette grâce, elle est faite dans mon cœur. Il ne me reste plus qu'à l'obtenir. — LOUIS-PHILIPPE [2]. » D'où, plus tard, cette note du poète sur le roi : « Louis-Philippe était doux comme Louis IX et

---

1. *Au roi Louis-Philippe, après l'arrêt prononcé le 12 juillet 1839 (Les Rayons et les Ombres,* III, p. 555). Louis-Philippe venait de perdre sa fille Marie, princesse Alexandre de Wurtemberg, morte à vingt-six ans. Le « royal enfant » est le petit comte de Paris, fils du duc et de la duchesse d'Orléans.
2. Lettre publiée dans *L'Evénement,* numéro du 29 août 1850.

bon comme Henri IV.... Un des meilleurs princes qui aient passé sur le trône [1].... »

À l'Académie, cette fois, le rival de Victor Hugo fut Berryer. La censure gouvernementale, jadis ennemie de Hugo, le soutenait contre l'orateur légitimiste. Un journal favorable à Berryer voulut publier une caricature qui représentait l'Académie sous les traits d'une bonne vieille, recevant à la porte du Palais Mazarin Victor Hugo, Balzac et Alexandre Dumas, avec cette légende : « Vous êtes grands et forts et vous demandez les Invalides ! Vous voulez donc voler le pain des pauvres vieillards ?... Allez travailler, feignants ! » La censure interdit ce dessin. L'élection eut lieu le 19 décembre. Au premier tour : Berryer, dix voix ; Hugo, neuf ; Bonjour, neuf ; Vatout, deux ; Lamennais, zéro ; bulletins blancs, trois. Après sept tours, l'élection fut ajournée à trois mois. Les voix obtenues par Casimir Bonjour, auteur de plates berquinades, signifiaient, les unes : « pas Berryer » ; les autres : « pas Hugo »

Le 31 décembre 1839, nouvelle vacance par la mort de Mgr de Quélen, archevêque de Paris, celui-là même qui avait rendu Julienne Gauvain au siècle. On fit, le 20 février 1840, une double élection : le comte Molé fut élu, par trente voix sur trente et une, au fauteuil Quélen, et Flourens, contre Hugo, au fauteuil Michaud. Népomucène Lemercier avait été des plus ardents contre Hugo. Dumas le menaça : « Monsieur Lemercier, vous avez refusé votre voix à Victor Hugo, mais il y a une chose que vous serez obligé de lui donner, un jour ou l'autre : c'est votre place. »

Il en fut ainsi. Lemercier mourut le 7 juin 1840 et Cousin dit à Sainte-Beuve : « Il faut que Hugo entre à l'Académie et que cela finisse ; cela devient ennuyeux. » Et, en effet, Hugo battit Ancelot, auteur dramatique de troisième ordre, le 7 janvier 1841, par dix-sept voix à quinze. Chateaubriand, Lamartine, Villemain, Nodier, Cousin, Mignet avaient voté pour lui, mais aussi les hommes politiques : Thiers, Molé, Salvandy, Royer-Collard, ce qui était, pensa-t-il, une indication, peut-être une invite. Guizot, qui était pour Hugo, arriva en retard et ne put voter. Sainte-Beuve, dans ses carnets, approuva : « Allons, allons, c'est bien ; l'Académie

---

1. Victor Hugo : *Les Misérables*, IVe part., liv. I, chap. III : *Louis-Philippe*, pp. 17-18.

a besoin, de temps en temps, d'être dépucelée [1].... » Ceci se passant non loin du temps où les cendres de l'Empereur avaient été ramenées à Paris, *La Presse* [2] publia ce quatrain anonyme :

> Pleins de gloire, en dépit de cent rivaux perfides,
> Tous deux, en même temps, ils ont atteint le but :
> Lorsque Napoléon repose aux Invalides,
> Victor Hugo peut bien entrer à l'Institut.

Juliette avait été hostile à cette cinquième candidature : « Je voudrais qu'il n'y ait ni Académie, ni théâtre, ni librairie, je voudrais qu'il n'y ait de par le monde que des grandes routes, des diligences, des auberges, une Juju et un Toto s'adorant [3].... » Mais, le soir de l'élection, elle se jeta à son cou : « Bonjour, mon Toto ; bonjour, mon académicien.... Vous voilà donc un homme assis, en attendant que vous soyez un homme rassis [4].... » Pour le jour de la réception, elle se fit faire une belle robe (le récipiendaire la conduisant chez la couturière pour les essayages, puisqu'elle n'avait pas le droit de sortir seule) et arriva quai Conti, tant elle était pressée, avant le service d'ordre. La cohue dépassa tout ce qu'on avait vu. On nommait Mme de Girardin, Mme Louise Colet, Mme Thiers, de nombreuses actrices ; on se montrait surtout, avec amusement, Adèle et Juliette. Pour la première fois depuis dix ans, les princes vinrent sous la Coupole. Le duc et la duchesse d'Orléans (celle-ci fort jolie sous un chapeau blanc, garni au dedans de roses pâles) furent reçus, à la porte du Palais Mazarin, par le secrétaire perpétuel Villemain. « Il me semble, monseigneur, dit Villemain, que c'est la première fois que Vos Altesses Royales viennent à l'Institut ? » L'héritier du trône répondit : « Ce ne sera pas la dernière. »

L'entrée de Hugo fut impériale. Ses cheveux bruns, lisses, bien peignés, dégageaient le front pyramidal et retombaient en rouleaux sur le collet brodé de vert. L'œil noir, un peu enfoncé et petit,

---

1. Collection Spoelberch de Lovenjoul, D. 571, f° 111. Victor Giraud, qui a publié cette phrase dans *Mes Poisons* (p. 44), a remplacé le mot *dépucelée* par *déflorée.*
2. Numéro du 9 janvier 1841.
3. JULIETTE DROUET : *Mille et une lettres d'amour à Victor Hugo,* p. 201.
4. *Opus cit.,* p. 202.

brillait d'une joie contenue. Le premier sourire fut pour Juliette qui, en le voyant entrer si pâle et si ému, avait cru s'évanouir : « Merci, mon adoré, merci d'avoir pensé à la pauvre femme qui t'aime, dans un moment si sérieux, je pourrais dire *suprême,* si les gens qui étaient là n'avaient été pour la plupart que de hideux crétins et d'immondes gredins [1].... » La recluse avait été heureuse de voir, sur ces bancs, « tous *mes* chers petits : Didine, ravissante ; Charlot, charmant, et mon cher petit Toto, pareil à l'autre, qui avait l'air pâle et souffrant [2] ».

Le discours de Hugo surprit. Il parla vingt minutes de Napoléon, fit l'éloge de la Convention, celui de la monarchie et de la branche cadette, celui de la France : « C'est elle qui rédige l'ordre du jour de la pensée universelle » ; celui de l'Académie : « Vous êtes un des principaux centres du pouvoir spirituel » ; celui de son prédécesseur, Lemercier, mais en quelques phrases sommaires ; et, pour finir, celui de Malesherbes, grand lettré, grand ministre et grand citoyen. « Pourquoi Malesherbes ? » se demandait le public, déçu. Les initiés répondaient comme Sainte-Beuve : « Malices cousues de câble blanc », ou comme Charles Magnin : « Le mot est *pairie* et *ministère* [3]. » Sainte-Beuve nota : « Hugo ! Quand il succède à Lemercier, il a l'air de succéder à Napoléon. » Le directeur en exercice, Narcisse-Achille de Salvandy, historien et homme politique dont Thiers disait : « C'est un paon plein d'honneur [4] », n'épargna pas au récipiendaire les flèches traditionnelles. Juliette jugea ce malotru « laid, rouge, rogue et grimaud ». Le début du discours fut ironique :

Les anciens, pour triompher, s'entouraient des images de leurs ancêtres. Napoléon, Sieyès, Malesherbes ne sont pas vos ancêtres, monsieur. Vous en avez de non moins illustres : J.-B. Rousseau, Clément Marot, Pindare, le Psalmiste. Ici, nous ne connaissons pas de plus belle généalogie.

1. JULIETTE DROUET : *Mille et une lettres d'amour à Victor Hugo,* p. 212.
2. *Opus cit.,* p. 212.
3. CHARLES MAGNIN : *Un Duel politique,* article publié dans la *Revue des Deux Mondes,* numéro du 15 juin 1841.
4. Voir, sur Salvandy, un bon article de ROSITA publié dans *Rolet,* numéros des 11, 18 et 25 juillet 1953.

Hugo avait rappelé que Napoléon eût pris Corneille pour ministre.

Non ! non ! dit Salvandy. Nous aurions des drames immortels de moins ; est-il sûr que nous aurions eu un grand ministre de plus ? À vous, nous avons su gré d'avoir courageusement défendu votre vocation de poète contre toutes les séductions de l'ambition politique [1]....

Propos perfides, s'adressant à un homme dont les ambitions politiques étaient connues de tous. La fidèle Juliette dénonça « la jalouse maladresse du répondant », mais garda un merveilleux souvenir de son émotion première : « Il m'est resté, depuis le moment de ton entrée dans la salle de l'Académie, un étonnement délicieux qui tient le milieu entre l'ivresse et l'extase ; c'est comme une vision du ciel, dans laquelle j'aurais vu Dieu dans toute sa majesté, dans toute sa beauté, dans toute sa splendeur et sa gloire [2].... » L'assemblée, qui n'était pas une amoureuse, fit un succès à M. de Salvandy.

Il existe une curieuse lettre de Victor Hugo à Salvandy. Le directeur avait dit au récipiendaire après la séance que le roi était ennuyé d'avoir été appelé par Hugo, dans son discours, « lieutenant de Dumouriez », celui-ci ayant mauvaise réputation. Hugo répondit : « Ce que le roi désire sera fait, mon cher confrère. Les biographies sont formelles, mais j'aime mieux croire le roi que les biographies. Je mettrai donc : *lieutenant de Kellermann,* et je ne prononcerai plus le nom de Dumouriez. J'envoie immédiatement le discours chez Didot. Je viens de relire le vôtre dans les *Débats,* et je suis heureux de vous dire que si, comme homme, dans ce qui est probablement mes illusions, il me froisse peut-être un peu, comme écrivain, il me charme [3].... » Ce qui était adroit et souple. Mais, dans le discours imprimé, on lit : « *lieutenant de Dumouriez et de Kellermann* [4] ».

---

1. *Discours prononcés dans la séance publique tenue par l'Académie française le 3 juin 1841,* pp. 36-37.
2. JULIETTE DROUET : *Mille et une lettres d'amour à Victor Hugo,* p. 213.
3. Collection Simone André-Maurois. Inédite.
4. *Discours prononcés dans la séance publique tenue par l'Académie française le 3 juin 1841,* p. 27.

Royer-Collard, doctrinaire mordant et bougon, dit à Victor Hugo, du haut de sa cravate : « Vous avez fait, monsieur, un bien grand discours pour une bien petite assemblée. » La presse, elle, ne s'y trompa guère ; le grand discours annonçait de grands desseins : « C'est un premier pas vers la tribune, une candidature à l'une de nos deux Chambres, peut-être à toutes les deux, mieux encore : un programme de ministère [1].... » Le journal *La Mode*, humoristique, annonça dans un écho que « Madame la Princesse Hélène, se voyant au moment de coiffer la couronne de France, aurait ainsi formé son conseil des ministres :

« *Ministre de la Guerre, Président du Conseil :* M. Victor Hugo.
« *Ministre des Affaires étrangères :* M. Théophile Gautier.
« *Ministre des Finances :* M. Alfred de Musset.
« *Ministre de la Marine :* M. de Lamartine [2].... »

Sainte-Beuve disait : « On le voit venir. » Oui, on le voyait venir parce qu'il voulait être vu et ne cachait pas son objectif. « *Chateaubriand ou rien.* » Après le rêve, l'action. Il posait ses jalons depuis quelques années, ouvertement. Intimité resserrée avec l'héritier du trône et sa femme. Présidence de la Société des gens de lettres. Publication, en plaquette, de tous ses poèmes sur l'Empereur [3], afin de préparer le retour des cendres. Nombreuses réceptions place Royale (la *Laiterie Suisse* fournit à Mme Victor Hugo des glaces moulées au prix de 30 francs le cent, des sandwiches à 20 francs le cent, du café à la glace à 4 francs le bol, et du punch chaud à 3 francs le bol [4]). Mise en ordre des finances de la maison. Il cède à l'éditeur Delloye l'exploitation de toutes ses œuvres passées, pour dix ans, moyennant 250 000 francs, dont 100 000 payés comptant. Cette fois, c'est la grande aisance et aussi le cens nécessaire pour la pairie. Mais Victor continue de prêcher l'économie dans ses deux ménages. Le capital ne doit pas être entamé. Il faut vivre du revenu.

---

1. CHARLES MAGNIN : Article publié dans la *Revue des Deux Mondes,* numéro du 15 juin 1841, p. 843.
2. *La Mode,* année 1841, t. II, p. 343.
3. *Le Retour de l'Empereur,* par VICTOR HUGO (Paris, Delloye, 14 décembre 1840), brochure in-8° de 30 pages. Prix : 1 franc.
4. Factures de la *Laiterie Suisse,* rue de l'Echarpe, n° 1, sur le grand trottoir tenant aux arcades de la place Royale, au Marais.

Une faiblesse coûteuse pourtant : il devient coquet. Au temps où il avait conquis Juliette, il ne l'était pas assez et elle, formée par un prince Demidoff, l'en avait plaisanté. Maintenant elle le regrette : « Je me suis donné de fameuses verges, le jour où je vous ai insinué la coquetterie ! Mais, aussi, qui est-ce qui aurait jamais cru que vous prendriez goût à ce genre de supériorité, indigne d'un homme comme vous ? Je suis furieuse d'avoir si bien réussi ! Oh ! si je pouvais vous rendre vos bons doigts d'autrefois, vos bretelles naïves et vos cheveux en broussaille, avec vos dents de crocodile, je n'y manquerais pas [1] !... » Et un autre jour : « Toto se serre comme une grisette ; Toto se frise comme un garçon tailleur ; Toto a l'air d'une poupée modèle ; Toto est ridicule ; Toto est académicien [2] !... » Il la laissait dire ; un futur homme d'État doit avoir grande allure. Mme Victor Hugo, que la solidité de cette liaison inquiétait, tenta une offensive contre Juliette à la faveur des ambitions :

Je suis inquiète, je l'avoue, de ton avenir matériel. Il serait nécessaire que l'état de ta maison fût plus convenable qu'il ne l'est maintenant. Il faudrait que tu puisses recevoir de même que tu es reçu. Je sais que la façon restreinte dans laquelle nous vivons n'empêchera rien, mais sois sûr qu'elle t'enrayera dans ton chemin et t'empêchera d'arriver, aussi tôt que tu le voudrais, au but que tu te proposes.... Je crains que les charges que tu as contractées ne te forcent, un jour quelconque, à retirer une partie de l'argent que tu as placé avec tant de peine.... Je suis amenée à te dire cela par la crainte que je ressens que tes efforts ne soient infructueux et n'aboutissent qu'à un résultat insuffisant. Ni toi, ni les tiens, ne doivent vivoter ; vous devez vivre honorablement. J'ai besoin ici de te rappeler ce que je t'ai déjà dit : j'ai abdiqué, dans ma pensée, toute espèce de *droit* en ce qui concerne la fortune que tu peux avoir. Je me considère, vis-à-vis de toi, comme une intendante chargée de surveiller et de tenir ta maison, avec le plus d'ordre possible, comme la gouvernante

---

1. Cf. Madeleine Dubois et Patrice Boussel : *De quoi vivait Victor Hugo*, p. 107 (Editions des Deux-Rives, 1952).
2. Cf. Madeleine Dubois et Patrice Boussel : *De quoi vivait Victor Hugo*, p. 107.

de nos enfants. Là-dessus, je dis *nos enfants* et je ne veux pas, sur ce point, abdiquer mon droit à la possession. C'est donc pour toi, mon ami, pour toi seul, dans ton unique intérêt, que je te conjure de réfléchir. Je te parle comme le ferait une sœur, une amie. Je ne sais que te dire afin que tu croies à mon complet désintéressement. Songe, songe à ton avenir ! Vois quel moyen employer afin de diminuer tes charges [1].... »

Diminuer *les charges,* c'eût été rompre avec Juliette. Il n'y pensait pas. Le lien de chair était moins solide qu'aux premiers jours, mais Juliette demeurait tout ce qu'Adèle n'avait su, ou voulu, devenir : la voyageuse vaillante, la copiste laborieuse, la bonne louangeuse, la poésie incarnée. C'était à elle qu'allaient encore des hymnes de reconnaissance : « *Juliette,* ce nom charmant germe en moi et s'épanouit au dehors en poésie ; tu n'es pas seulement mon cœur, tu es toute ma pensée.... Si j'ai quelque génie, il me vient de toi [2] », et, le 1er janvier :

Qu'est-ce que cette année emporte sur son aile ?
Je ne suis pas moins tendre et tu n'es pas moins belle ;
Nos deux cœurs, en dix ans, n'ont pas vieilli d'un jour.
Va, ne fais pas au temps de plainte et de reproche.
À mesure qu'il fuit, du ciel il nous rapproche
        Sans nous éloigner de l'amour [3] !

L'épouse, elle, assurait le service des relations extérieures. Depuis que Sainte-Beuve avait cessé de chanter le « buffle royal », elle faisait sa cour, non sans coquetterie, à un autre ami qui, entré dans la maison au temps d'*Hernani,* était devenu puissant critique en toutes matières : drame, livres, peinture : Théophile Gautier, dit « le bon Théo ».

Adèle Hugo à Théophile Gautier, 14 juillet 1838 : « Je voudrais bien savoir pourquoi vous n'essayez pas de venir plus souvent à la maison, quitte à y venir toujours. Des deux maux le moindre, et je préférerais vous voir tous les jours que pas du tout ! Je dirai même que j'aimerais infiniment mieux

---

1. Cf. Paul Souchon : *Les Deux Femmes de Victor Hugo,* pp. 115-116.
2. Cf. Louis Barthou : *Les Amours d'un Poète,* p. 262.
3. *Opus cit.,* p. 264.

cela, attendu que c'est une fête quand je vous vois et je ne
sais pas en vérité pourquoi vous ne me la donneriez pas aussi
souvent que possible. L'on trouve toujours le temps de faire
un feuilleton quand on veut ! Moi, j'aurais bien le temps d'en
faire un sur *Fortunio* [1], que j'aime comme la moitié de vous-
même, mais il y manque l'autre moitié que vous avez tout
aussi belle. Un jour, vous nous ferez celle-là ? Je vous attends
là, moi qui suis tant soit peu *sentimentale* ; je ne puis m'empêcher de l'être, que voulez-vous ? Je suis comme les lingères,
les modistes, les femmes de chambre, même les cuisinières.
Vous avez promis un roman pour « ce genre de monde » ;
je vous somme, moi, qui en fais partie moralement, de nous
le donner [2]... »

Boulogne, 1er septembre 1838 : « C'est très ennuyeux
d'aimer ses amis plus qu'ils ne vous aiment. Je sais la raison
de ce que j'avance là en ce qui *me* concerne, ainsi que ces
mêmes amis ; attendu que ceux-ci ont une infinité de choses
qui passent avant « le feu sacré de l'amitié », d'où il s'ensuit
que cette déesse (est-ce une déesse ?) est très secondaire, pour
vous en particulier. [...] Ce que je vous écris ne changera
rien à ce qui est, attendu que l'on parlerait pendant cent
ans, et que l'on écrirait aussi pendant cent ans, sur le même
point, que l'on n'y changerait rien et que l'on ennuierait
beaucoup ! Ma prétention est de vous prier de venir me faire
une visite de *quelques heures,* d'arriver à midi et de rester
jusqu'au soir.... Venez *avant* d'écrire. Le hasard arrange mieux
toutes choses qu'on ne le suppose. Vous n'êtes pas du tout
gentil avec moi. Je ne vous en aime pas moins de tout mon
cœur, car vous avez les qualités requises pour cela. Votre
bien affectionnée : Adèle Hugo [3]. »

26 septembre 1838 : « Venez donc, demain jeudi, me chercher à l'atelier de notre ami Boulanger [4]... Venez à cinq

---

1. Roman de Théophile Gautier, publié en 1837.
2. Collection Spoelberch de Lovenjoul, C. 495, f° 325.
3. Collection Spoelberch de Lovenjoul, C. 495, f° 329.
4. Le peintre Louis Boulanger travaillait, en septembre 1838, au portrait
d'Adèle Hugo, qui fut exposé au Salon de 1839. Célestin Nanteuil a gravé ce
tableau à l'eau-forte. De nos jours, il est exposé à la Maison de Victor Hugo,
place des Vosges.

heures, je vous amènerai à Boulogne, où vous dînerez sans doute avec le *Grand Homme*. Que de choses il faut imaginer pour causer un instant avec vous [1]...! »

Sans date : « J'ai tellement peur que vous ne veniez demain que je vous écris pour cela. Je serais si désolée que vous vinssiez sans me trouver que je me décide à vous écrire, afin d'être tranquille là-dessus. C'est peut-être un moyen de vous rappeler que vous devez venir à Boulogne, passer *quelques heures avec moi*. Qui sait ? — Mais, quel que soit le motif, je ne serai pas ici demain. Je vous attendrai mercredi. [...] Quant à venir, j'ai la prétention de vous avoir pour moi, ce que je ferais pour vous si je n'étais une femme qui, de plus, est votre bien dévouée : ADÈLE HUGO [2]. »

28 janvier 1839: « Venez donc nous apporter votre livre [3] ! Il est très ridicule que tout le monde ait lu votre ouvrage avant nous. C'est fini, vous ne me gâtez plus ! Je crois, en vérité, que je deviens effroyable. [...] Il faut que je vous dise, vous qui gardez si bien les secrets, que j'ai découvert une faiblesse au *Grand Homme* : il est vraiment affecté que vous n'ayez pas voulu parler de Don César [4]. Je lui ai découvert un point humain : celui de l'amitié susceptible....

« [...] Je vous crois plus *sensible* que vous ne le dites. Que ce soit vrai ou non, je vous ai arrangé ainsi dans mon cœur, et j'y tiens. Je vous ai fait un petit roman dans ma pensée, qui vous complète pour moi, et je ne sors pas de là. Les femmes en sont réduites là, puisqu'elles deviennent si sottes et si ridicules lorsqu'elles se salissent les doigts avec une plume. [...] Soyez convaincu que, dans toutes les désillusions de cette vie, l'amitié est une chose sur laquelle je n'ai aucun doute, que je mets sur un autel et que je soigne comme mon plus précieux trésor. À bientôt, n'est-ce pas ? — ADÈLE [5]. »

---

1. Collection Spoelberch de Lovenjoul, C. 495, f° 331.
2. Collection Spoelberch de Lovenjoul, C. 495, f° 362.
3. *Une Larme du Diable,* que Théophile Gautier venait de publier chez l'éditeur Desessart.
4. Il s'agit certainement de *Ruy Blas* qui, représenté à la Renaissance le 8 novembre, venait de paraître en librairie.
5. Collection Spoelberch de Lovenjoul, C. 495, f° 333.

Sans date : « Je lis toujours, comme vous le souhaitez, vos feuilletons avec soin. J'ai vu aujourd'hui que vous n'y avez pas encore parlé de mon portrait [1]... Vous seriez bien aimable de dire qu'il est placé trop haut ; cela aiderait à le faire descendre ! Je suis honteuse de vous occuper ainsi de moi, qui, ordinairement, m'en occupe si peu, mais cela aidera la carrière d'un jeune homme qui a besoin d'un peu de succès pour vivre [2]... »

Sans date : « Je comptais sur une petite visite de vous hier soir. C'est très mal à vous de m'abandonner ainsi. Si vous voulez vous réconcilier, venez, demain lundi, dîner chez Robelin, à Saint-James [3]. Tâchez de venir de bonne heure, *afin de nous promener dans le bois*. Cette fois, soyez exact [4] !... »

Sans date : « Mon cher Monsieur Gautier, si vous voulez visiter les Bains Longchamp dimanche prochain, ils seront ouverts à Votre Seigneurie. Vous dînerez avec nous.... Si vous pouviez, dans votre feuilleton, dire un mot de *cet endroit,* vous obligeriez le quartier de la place Royale, qui fut jadis le vôtre. Je ne veux plus jamais vous être importune. Faites ce qu'il vous plaira. Aimez-moi seulement comme votre meilleure et plus ancienne amie. — La vicomtesse Victor Hugo [5]. »

Elle continuait de croire à l'amitié entre homme et femme ; elle avait horreur de se brûler, mais aimait à jouer avec le feu. Une femme délaissée par son mari éprouve le besoin de se rassurer.

De mai à octobre 1840, Adèle Hugo vécut à Saint-Prix, dans une grande maison appelée *La Terrasse,* à la lisière de la forêt de Montmorency, avec son père et ses deux filles. Les garçons étaient à l'Institution Jauffret, rue Culture-Sainte-Catherine (l'actuelle rue de Sévigné), d'où ils suivaient les cours du « collège

---

1. Par Eugène Piot (1812-1890).
2. Collection Spoelberch de Lovenjoul, C. 495, f° 351.
3. Saint-James est un quartier de Neuilly. Gautier y occupait déjà, 32, rue de Longchamp, le pavillon dans lequel il mourut en 1872. L'architecte Charles Robelin s'était fait bâtir, 4, rue Saint-James, un hôtel comportant « des tourelles à vitraux, des fenêtres en ogive, des décorations de faïence et deux médaillons de marbre représentant Raphaël et Michel-Ange ».
4. Collection Spoelberch de Lovenjoul, C. 495, f° 360.
5. Collection Spoelberch de Lovenjoul, C. 495, f° 367.

royal de Charlemagne ». Internes, ils réclamaient à leur mère ou à Didine « quatre sous pour payer mes dettes (c'est très pressé) et un pot de confitures [1]... ». — « Maman, je t'aime, écrivait Charles, je t'adore comme mon ange, ma vie.... Dis à Didine de m'envoyer demain un pot de confitures pour les repas de pain sec [2]... » Il pleurait en rentrant à la pension : « Je me rappelle à chaque instant à l'idée les papillons qui sont sur les rideaux du salon, les tableaux, le dais, la table rouge.... Si tu me laissais un an sans te voir, je serais dans le cas de me tuer [3]... » Le romantisme se révélait héréditaire, et Charles, qui devenait pour lui-même un personnage de drame hugolien, se plaignait d'être « le fils obscur d'un père grand, heureux [4] ». Hugo avait longtemps négligé ses fils, mais, vers 1840, il surveillait leur travail, surtout en latin, à quoi il attachait grande importance. Il fut heureux et fier quand, le 31 juillet 1840, il apprit que son fils cadet, François-Victor, obtenait un prix de thème latin au Concours général. Il alla fêter cet heureux événement avec la famille, à Saint-Prix. Cette nichée d'enfants, tous beaux et intelligents, faisaient de La Terrasse, comme jadis des Roches, un paradis joyeux. Aidant ses fils à construire une cabane de branchages, Dédé à élever ses poules et ses lapins, regardant Léopoldine avec amour, Hugo se souvenait avec émotion du temps, de l'heureux temps où il voulait être « premier en mariage » et en paternité comme en poésie. Mais sa vie désormais grinçait, semée de dissonances, et cela était sans remède. « Nos destinées et nos volontés jouent presque toujours à contretemps. »

---

1. Maison de Victor Hugo. Catalogue de l'exposition *Maturité de Victor Hugo*, n° 377, p. 135.
2. Catalogue de l'exposition *Maturité de Victor Hugo*, n° 378, p. 135.
3. Catalogue de l'exposition *Maturité de Victor Hugo*, n° 382, p. 136.
4. *Ibidem*, n° 388, p. 138.

III

LE RHIN

> Vous connaissez mon goût pour les grands
> voyages à petites journées, seul avec mes vieux
> amis d'enfance : Virgile et Tacite.
> VICTOR HUGO *(Le Rhin)*.

P LUS que Virgile et Tacite, Juliette avait été la compagne de
trois voyages au Rhin (1838, 1839 et 1840), longue et fantastique promenade d'antiquaire et de rêveur. Mais, chaque
soir, un journal avait été envoyé à Adèle, sous forme de lettre
enrichie de dessins, à conserver en vue d'un ouvrage futur. Hugo
« laisse à Paris un ami profond et cher, fixé à la grande ville par
des devoirs de tous les instants qui lui permettent à peine la maison
de campagne, à quatre lieues des barrières [1] ». Cet *ami*, c'était
l'épouse (ou, plus rarement, le peintre Louis Boulanger). Le voyageur tenait en outre un autre journal, plus grave, chargé de considérations historiques et politiques. En 1839, pendant plus de deux
mois, il partagea tous les jours et écrivit une grande partie des nuits,
Juliette le regardant et attendant son heure, celle de l'amour.

Étrange, presque magique, l'attirance, pour Victor Hugo, du
grand fleuve chargé de légendes. Enfant, au-dessus de son lit, aux
Feuillantines il avait contemplé, soir après soir, l'image d'une vieille
tour en ruine, source, en ses rêveries et ses dessins, de tant de formes
délabrées et sombres. S'il connaissait peu la littérature allemande,
il avait tout de même lu, comme ses amis Nerval et Gautier, les
beaux *Contes* d'Hoffmann. Il allait jusqu'à dire, dans la préface

---

1. VICTOR HUGO : *Le Rhin, lettres à un ami* (*En Voyage*, t. I, p. 3).

du *Rhin* : « L'Allemagne, [l'auteur de ce livre] ne le cache pas, est une des terres qu'il aime et une des nations qu'il admire. Il a un sentiment filial pour cette noble et sainte patrie de tous les penseurs. S'il n'était pas Français, il voudrait être Allemand [1].... »

Peut-être, en ce désir de comprendre et d'exprimer la poésie de l'Allemagne, entrait-il le désir de toucher la duchesse d'Orléans, princesse allemande. Surtout il croyait voir, dans le problème des relations franco-allemandes, le moyen, pour un écrivain, de se rendre utile et d'accéder aux affaires publiques. Aussi aux légendes, aux tableaux, aux rêveries sur le passé qui devaient composer *Le Rhin,* ajouta-t-il, en 1841, une conclusion politique. Un conflit avait, l'année précédente, paru s'élever entre la France et la Prusse. Le poète allemand Becker avait écrit *Le Rhin allemand,* à quoi Musset avait répondu par le fameux : « *Nous l'avons eu, votre Rhin allemand. — Il a tenu dans notre verre.* » Hugo, dans une longue et grave conclusion, proposait une solution pacifique : la Prusse rendrait à la France la rive gauche du Rhin, « beaucoup plus française que ne le pensent les Allemands ». Mais la Prusse, en échange, recevrait le Hanovre, Hambourg, les Villes libres, l'accès à l'Océan ; elle y gagnerait d'avoir des ports libres et d'être unifiée. Alors la France et l'Allemagne, faites pour coopérer, s'uniraient pour assurer la paix du monde. « Le Rhin est le fleuve qui doit les unir ; on en a fait le fleuve qui les divise. »

Ce long morceau, par la largeur des vues historiques, par la fermeté du style et par la hardiesse des solutions, avait les apparences de la solidité. Annonçait-il un homme d'État ? On pouvait en douter. Un véritable négociateur a moins de certitudes dans l'esprit. L'éclat des antithèses et des formules masquait mal un manque de connaissance des hommes. Qui, en France, souhaitait une Prusse unifiée ayant accès à l'Océan ? Cuvillier-Fleury, dans le *Journal des Débats,* répondit avec véhémence : « *La Prusse,* dites-vous, *telle que les congrès l'ont composée, est mal faite.* » Le grand malheur, en vérité ! Et c'est vous qui voulez refaire la Prusse contre la France, vous qui lui donnez des ports sur l'Océan, qui lui incorporez le Hanovre, qui reculez ses frontières, qui décuplez sa

---

1. Victor Hugo : *Le Rhin,* préface (*En Voyage,* t. I, pp. 9-10).

puissance morale ! Et pourquoi ? Pour avoir le département du Mont-Tonnerre [1] !... »

L'homme de bon sens avait raison contre l'homme de génie. Le poète avait cherché, dans des impressions vives, la solution d'un problème d'histoire ; « dans le simple aspect des vieux burgs palatins, il voulait découvrir le secret du passé et pénétrer l'énigme de l'avenir [2].... » Il avait vu le Rhin mais terrible, épique, « eschylien ». Les dessins, très beaux, qu'il en rapportait étaient tous éclairés de cette lumière tragique, surnaturelle, violente et cauchemardesque, qui émanait bien plus du tempérament hugolien que du paysage rhénan. De plus en plus, il se donnait deux styles, dont l'un, comme disait Sainte-Beuve, ne se dépouillait jamais de « son fastueux et son *pomposo* », alors que l'autre (*Choses vues*) restait celui du parfait *reporter*. Le bon Victor Pavie écrivait à David d'Angers : « Avez-vous remonté le Rhin, non en bateau cette fois ni en voiture, mais en Victor Hugo ? C'est lui, deux fois pour une, réverbéré dans le fleuve, poète sans fin tirant de ceci une voix, et de cela une étincelle. A-t-il pétri le monde avec ce despotisme étrange, qui fait que tout le paysage ne jure que par lui ! Un si rude gantelet, à la longue, vous froisse. On revient de cette lecture suffoqué et meurtri, comme une proie tombée des serres d'un aigle [3].... »

Balzac, point toujours indulgent pour Hugo, jugea *Le Rhin* « un chef-d'œuvre ». On lui avait dit que Victor Hugo était, comme son frère Eugène, devenu fou et avait dû être interné ! Il l'avait même écrit à Mme Hanska ! *Le Rhin* était un démenti, et vigoureux. Depuis Chateaubriand, la prose française n'avait rien produit qui eût autant de majesté et d'harmonie : « Cette ruine, éclairée de cette façon, vue à cette heure, avait une tristesse, une douceur et une majesté inexprimables. Je croyais sentir, dans le frissonnement à peine distinct des arbres et des ronces, je ne sais quoi de grave et de respectueux. Je n'entendais aucun pas, aucune voix, aucun souffle. Il n'y avait, dans la cour, ni ombres ni lumières ; une sorte de demi-jour rêveur modelait tout, éclairait tout et voilait

---

1. *Journal des Débats*, numéro du 31 mars 1842. Cuvillier-Fleury a repris ce texte dans le volume intitulé : *Voyages et Voyageurs*, en lui donnant pour titre : *M. Victor Hugo sur les bords du Rhin.*
2. Léopold Mabilleau : *Victor Hugo*, p. 74.
3. Cf. Henry Jouin : *David d'Angers et ses Relations littéraires*, p. 195.

tout. L'enchevêtrement des brèches et des crevasses laissait arriver jusqu'aux recoins les plus obscurs de faibles rayons de lune ; et dans des profondeurs noires, sous des voûtes et des corridors inaccessibles, je voyais des blancheurs se mouvoir lentement [1].... » Un couplet des *Mémoires d'outre-tombe*, dans la clarté blême d'un dessin de Victor Hugo.

« *Comme une proie tombée des serres d'un aigle....* » avait écrit Pavie. Mais l'aigle lui-même peut tomber. Hugo, triomphant, « *planait aux voûtes éternelles — Quand un grand coup de vent lui cassa les deux ailes* ». En cette même année 1842, son ami, protecteur et futur souverain, le duc d'Orléans, fut tué dans un accident de voiture, ses chevaux s'étant emballés dans l'avenue qui, en ce temps-là, s'appelait *route de la Révolte* [2]. Le prince, ayant voulu sauter, se fracassa le crâne sur le pavé. Hugo, qui, même quand il souffrait, avait besoin de *voir*, alla repérer le lieu où le duc était tombé, entre le vingt-sixième et le vingt-septième arbre à gauche, en comptant à partir de la porte Maillot. Il nota que cette agonie s'était achevée sur « un carreau de brique rouge non peinte », dans « une pauvre boutique d'épicerie peinte en vert ». Un poêle délabré était derrière la tête du prince mourant. Au mur, des images coloriées à deux sous représentaient *Le Juif errant, L'attentat de Fieschi, Napoléon* et *Louis-Philippe, duc d'Orléans*, en colonel général de hussards. L'ami regrettait l'ami ; le poète, féru d'anthithèses, pensait que le duc, jeune, insouciant, heureux, passait devant cette porte verte chaque fois qu'il allait au château de Neuilly. S'il y jetait parfois les yeux, il l'avait regardée comme celle d'une boutique misérable, d'un bouge quelconque, d'une masure. C'était celle de son tombeau. Rentrant à Paris avec Juliette, Victor vit aux murs une affiche en grosses lettres : FÊTE DE NEUILLY. Butin pour le chasseur de contrastes.

Le duc d'Orléans avait été un noble cœur et, pour les esprits libres, un espoir. Tous les projets d'avenir devaient être rebâtis. Directeur à ce moment de l'Académie française, Hugo fut chargé

---

1. VICTOR HUGO : *Le Rhin* (*En Voyage*, t. I, p. 340).
2. « Ce chemin s'appelle la route de la Révolte », lisons-nous dans *Choses vues* (p. 73). « Il doit son nom sinistre à l'insurrection du 6 octobre, fomentée par Philippe-Egalité contre Louis XVI. Au moment où ils y entrèrent, les chevaux qui conduisaient le petit-fils d'Egalité s'emportèrent, *se révoltèrent...* et, aux deux tiers de cette route fatale, le prince tomba ».

de présenter au roi les condoléances de l'Institut. Il loua le prince mort si jeune, hélas ! « Sire, votre sang est le sang du pays ; votre famille et la France ont le même cœur. Ce qui frappe l'une blesse l'autre. C'est avec une inexprimable sympathie que le peuple français fixe en ce moment ses regards sur votre famille, sur vous, sire, qui vivrez longtemps encore, car Dieu et la France ont besoin de vous ; sur cette reine, mère auguste et éprouvée entre toutes les mères ; sur cette princesse enfin, si française par son cœur et par son adoption, qui a donné à la patrie deux Français, à la dynastie deux princes, à l'avenir deux espérances.... »

Qu'allait être l'avenir ? Qui savait ? Peut-être, un jour, une régence ? La princesse Hélène, reine de fait ? Victor Hugo, premier ministre ? Seulement il fallait d'abord obtenir la pairie, donc se rapprocher du vieux roi.

Un mois après le drame, il alla rendre visite à la duchesse d'Orléans et eut l'étrange idée d'emmener, dans le cabriolet, Juliette, qui l'attendit à la porte du Château. *Juliette Drouet à Victor Hugo, 20 août 1842 :* « Tout m'est un sujet de crainte et, partant, de désespoir. Ainsi cette visite à la duchesse d'Orléans, pour laquelle, je le reconnais, tu avais eu l'attention charmante de m'emmener, me devenait un supplice à cause de l'heure et des circonstances : moi en déshabillé et à peine barbouillée, et cette femme dans le prestige d'une grande infortune, c'est-à-dire, après la beauté physique, ce qui peut te séduire davantage. Je t'avoue que, quelque courageux que soit mon amour, quelque confiance que j'aie en ta loyauté, je ne suis pas tranquille quand il faut que je lutte et que je combatte sans armes [1].... » Craintes vaines. La veuve royale, enveloppée de ses voiles de crêpe, ne pensait qu'à son deuil et à ses enfants. Mais elle continua de recevoir son poète et de s'entretenir avec lui des lendemains imprévisibles.

---

1. JULIETTE DROUET : *Mille et une lettres d'amour à Victor Hugo,* p. 244.

IV

DES GLADIATEURS EN LITTÉRATURE

> Hugo a du génie ; le génie est sublime, il
> n'est pas parfait.
>
> JULES RENARD.

QUAND Hugo, en 1840, publia *Les Rayons et les Ombres,* un recueil de poèmes de la veine des *Voix intérieures,* le premier mouvement de Sainte-Beuve fut de porter à l'irritant rival un coup mortel. Depuis quelque temps, il était exaspéré par une jeune génération de thuriféraires, admirateurs fanatiques de Victor Hugo, qui attaquaient Buloz, la *Revue des Deux Mondes,* Sainte-Beuve lui-même et quiconque n'encensait pas leur maître sans réserve. Hugo, lui, restait dans l'ombre, mais sa mine grave rappelait à Sainte-Beuve celle de ces « seigneurs romains des temps d'anarchie », qui « avaient dans la montagne des bandes qu'ils n'avouaient pas, à la tête desquelles on ne les voyait jamais [1] ». Victor n'encourageait pas publiquement ses « gladiateurs » littéraires, mais peut-être « aiguisait-il la plume des jeunes écuyers tranchants, comme les mots imprudents d'un roi d'Angleterre lançaient quatre gentilhommes coupe-jarrets contre Thomas Becket [2] ».

À la vérité, ce que Sainte-Beuve ne pouvait pardonner, c'était cette force, cette abondance triomphante de l'ancien ami. Il se savait, ou se croyait, plus intelligent que Victor Hugo ; il avait un goût plus sûr ; mais il était triste de tout comprendre, de tout juger et de ne croire à rien. « Je le sais trop, je manque de toute grandeur, je suis incapable d'aimer et de croire. Je tâche de me

---

1. Collection Spoelberch de Lovenjoul, D. 525, f° 2.
2. Collection Spoelberch de Lovenjoul, D. 525, f° 3.

donner le change à moi-même, par l'intelligence rapide de toute chose [1].... » Mais l'importune image le hantait : « Hugo est l'homme le plus perpétuellement et le plus artificiellement calculé. Tout, jusqu'à *Bonjour*, il vous le dit dans un dessein.... Il était comme cela dès quinze ans. J'ai été assez longtemps sans m'en douter, mais depuis je l'ai connu, et de reste. Ces grosses malices me sautent aux yeux du plus loin que je les vois venir [2].... » Et aussi : « J'ai tant vu, durant une phase de ma vie, la grossièreté et le charlatanisme des natures puissantes mais indélicates, de Victor Hugo et de ces rois du jour, que j'en ai pris dégoût pour ces grosses choses qui jouent la grandeur [3].... »

La faute la plus grave d'Adèle Hugo avait été de fournir des aliments à ces fureurs. « Hugo est un Cyclope. Il n'a qu'un œil. *En effet*, dit Adèle, *il ne voit que lui* [4]. » — « Hugo a du grossier et du naïf (je l'ai dit souvent, et je le redis ici d'après une personne qui le connaît encore mieux que moi [5]). » La personne, c'était Adèle, dont Sainte-Beuve, malgré tout, avait grand-peine à se déprendre ; il réunissait, en un Livre d'Amour, les poèmes écrits pour elle et les faisait secrètement imprimer. « En amour, je n'ai eu qu'un seul grand et vrai succès : mon Adèle. Je suis comme ces généraux qui vivent sur une grande victoire que leur a value leur étoile, encore plus que leur mérite. Depuis lors, toujours battu coup sur coup, échec sur échec. Aussi je suis las de livrer bataille ; je n'en livre plus et je me contente, d'un air humble, de faire quelques manœuvres dans le pays.... Et puis, d'ailleurs, tout est bien. J'ai retrouvé mon Adèle et son cœur, et ne veux plus aimer qu'elle [6]. (*Décembre 1840.*)... » Cela sans cesser de la juger : « Hortense [Allart] m'écrit, après avoir lu ces vers : *Laissez-moi, tout a fui....* « Pour de tels vers, de tels accents, une femme reviendra du bout « de l'univers. Elle, Adèle, ira encore à votre porte ; vous la rece- « vrez et ce sera bien ; vous devez tout lui pardonner. Je le crois « en y pensant mieux. On doit tout pardonner à ces natures qui

---

1. Cf. René Ternois : *Tristesses de Sainte-Beuve,* article publié dans l'*Education nationale.*
2. Collection Spoelberch de Lovenjoul, D. 571, f° 181.
3. Collection Spoelberch de Lovenjoul, D. 571, f° 187.
4. Collection Spoelberch de Lovenjoul, D. 571, f° 58.
5. Collection Spoelberch de Lovenjoul, D. 571, f° 240.
6. Collection Spoelberch de Lovenjoul, D. 571, f° 112.

« ont quelques passions admirables, car elles n'ont conscience que
« de ces parties-là et c'est par où on les possède. Le reste ne compte
« pas. » À cela je réponds : « Ce que vous dites est vrai, aussi je
« pardonne, mais voilà tout. Allez, un peu d'esprit, un peu de
« grâce, un peu de sensibilité ne nuisent pas, même à côté d'une
« grande et sublime passion. Ces petits ingrédients sont surtout
« fort utiles dans les *intervalles,* et ils ont toujours manqué à ma
« superbe et dure Violente [1].... »

Il avait donc décidé de tonner contre le nouveau recueil du
Cyclope et il écrivit, en juin 1840, un article féroce : *Des Gladiateurs en Littérature :*

> Les premières poésies de M. Hugo eurent de l'éclat, même
> du charme, et plus de douceur que depuis. Des traits étranges,
> bizarres, y firent bientôt saillie au milieu du rayon croissant.
> Je rappellerai seulement la pièce sur le *Jeune Géant,* qui ré-
> sume très bien en elle ces singularités que *Han d'Islande* pro-
> duisait, d'un air plus sérieux et plus menaçant, en prose.
> Mais tant de beautés environnantes recouvraient, en poésie,
> ce côté bizarre du *Jeune Géant* qu'il était permis bien souvent
> de l'oublier, de le taire, ou de le prendre pour un simple jeu
> prolongé d'une robuste enfance. Vers le temps des *Orientales,*
> la Muse de M. Hugo pouvait se figurer, selon les divers points
> de vue, par bien des personnifications, toutes plus brillantes
> ou gracieuses les unes que les autres. Il y avait la Muse des
> *premières amours* encore, qui n'avait pas tout à fait cessé ;
> il y avait *La Péri* éblouissante, qui était chaque jour en train
> d'embellir ; il y avait *Sara la baigneuse,* c'est-à-dire la fan-
> taisie du rêve. C'étaient là (et j'en passe) autant de person-
> nifications naturelles de cette riche et vive manière. Mais le
> *Jeune Géant,* à travers tout cela, grandissait aussi.
>
> Jean-Paul, en son *Titan,* a dit : « Au sein de l'homme
> habite un grossier et aveugle Cyclope, qui élève la voix dans
> tous les orages du cœur et qui pousse à détruire. » Est-il
> opposé, ce terrible génie sauvage qui crie en nous, au bon
> génie qui parle plus bas et nous conseille mieux ? Ainsi, au
> séjour et comme au sein même de la Muse de M. Hugo, un

---

1. Collection Spoelberch de Lovenjoul, D. 571, f° 181.

jeune Cyclope habitait. Mais, d'abord, la grotte était fraîche ; mille fées et nymphes matinales jouaient alentour ; mille bruits de ruisseaux et de cascades la remplissaient ; et même quand c'était le berger Polyphème qui paraissait au dehors et s'asseyait sur la cime, c'était Polyphème jeune, amoureux de Galatée, joueur harmonieux de flûte, et digne alors qu'un Théocrite recueillît ses chants. *Et erat tum dignus amari.*

Un moment, à une certaine douceur plus grave de sons, on crut que, dans cette Muse renouvelée et féconde, le Cyclope allait mourir et que tous les bons génies triomphaient. Ce fut la saison des *Feuilles d'Automne.* Je ne sais quoi d'attendri semblait y fléchir pour jamais les instincts bizarres, y conjurer les puissances sauvages. Apparence trompeuse ! Le géant, qui n'était qu'endormi, ne mourut pas. Les péris sans doute et les fées brillantes continuèrent de vivre ; toutes les compagnes et même les suivantes du cortège lyrique achevèrent de se déployer. Mais lui, le géant, en persistant au milieu d'elles, les atteignit désormais et les toucha plus souvent. En vieillissant, il les toucha d'une manière plus robuste, plus choquante, plus appesantie. Il n'en était plus à son premier duvet : *flaventem prima lanugine malas.* S'il ne dévora pas ses sœurs, il les rudoya. *Les Chants du Crépuscule, Les Voix intérieures,* et même ce dernier recueil : *Les Rayons et les Ombres,* en offrent des preuves trop peu aimables [1]....

[...] Tant que le poète a été jeune, ces erreurs de goût, ces crudités, pouvaient sembler des inadvertances d'un enfant sublime, qui aimait un peu trop, en effet, le gros et le rouge. Mais aujourd'hui que ce talent est homme fait, cela persiste et s'augmente, *s'incruste* en lui de plus en plus. Adieu la maturité !

Chaque poète a les défauts de sa manière ; ils tendent à s'accroître en avançant. Lamartine a des cascades infinies et, souvent, sa poésie épanchée se perd en éblouissante poussière, comme le Staubach. Il y eut toujours, dans la poésie de M.

---

1. Collection Spoelberch de Lovenjoul, D. 525, f⁰ˢ 5-6.
L'article *inédit* de Sainte-Beuve, dont nous donnons ici des fragments, ne fut jamais communiqué jusqu'ici aux travailleurs de Chantilly. Il va être publié *in extenso* par M. Jean Pommier, professeur au Collège de France.

Hugo, des coups de marteau de Vulcain, ou du forgeron scandinave Véland, et beaucoup de ses vers les plus beaux semblaient encore tout neufs de l'enclume. Eh bien, cette enclume redouble ; elle résonne aujourd'hui de plus en plus près, même quand on est en plein bocage [1].

Pour conclure de ce côté, quand on lit M. Hugo maintenant, on est, ce me semble, dans la situation d'un homme qui se promène dans un jardin oriental magnifique, où le conduit un Génie. Mais un petit Nain difforme lui fait payer cher ce plaisir à chaque pas, en le rançonnant d'un bâton entre les jambes. Et le Génie, superbe qu'il est, n'a pas l'air de se douter de ce que fait son Nain. On est roué et ravi ; on est ébloui et rompu. Le Nain, on le comprend, c'est notre Cyclope encore. Oh ! si la critique pouvait, un jour ou l'autre, crever l'œil unique à ce Cyclope ou Nain, qui ne voit en effet que lui, dût-elle passer pour aussi perfide qu'Ulysse, comme elle rendrait service aux autres déités dont la poésie de M. Hugo abonde, et qui reprendraient peut-être leur libre allure [2] !...

L'article ne fut jamais publié [3], mais Sainte-Beuve y fit allusion plusieurs fois : « Je n'ai traité... d'aucun de ses recueils poétiques postérieurs à 1835, ou, s'il m'est arrivé, pour moi, d'écrire quelque chose, je l'ai supprimé [4]... » Peut-être l'influence d'Adèle s'était-

---

1. Pour encadrer les vers suivants, Sainte-Beuve comptait placer ici une note demeurée à l'état de projet :

Hugo bat du marteau son vers qu'il brutalise ;
De Vigny chérit trop son œuvre et s'adonise ;
Il est, par-dessus tout, le poète léché ;
Mais Lamartine aussi devient par trop lâché.

(Septembre 1843).

2. Collection Spoelberch de Lovenjoul, D. 525, fos 10-11.

3. En septembre 1899, Charles de Spoelberch de Lovenjoul avait préparé, pour l'impression, cet article d'outre-tombe. Trente années s'étaient écoulées depuis la mort de Sainte-Beuve. Pourtant le vicomte, que tourmentait un complexe de moralité, ne crut pas devoir livrer ce texte au public. M. Jean Pommier va le publier intégralement.

4. SAINTE-BEUVE : *Portraits contemporains*, t. I (de l'édition en cinq volumes, dont seuls les deux premiers furent publiés en 1868-1869, quelques mois avant la mort de l'auteur). La phrase citée est extraite d'un *post scriptum* ajouté par Sainte-Beuve à ses anciens jugements sur Victor Hugo.

elle fait sentir, car, si elle disait volontiers du mal de l'époux en secret, elle n'aimait pas qu'on attaquât publiquement une gloire dont les reflets l'éclairaient. Le manuscrit autographe des *Gladiateurs en Littérature* se trouve à Chantilly, parmi les papiers posthumes de Sainte-Beuve. En tête du premier feuillet, on peut lire (bien que la phrase ait été raturée) : « *À brûler après moi, je l'exige* », puis, immédiatement au-dessous : « *À imprimer après moi.* — SAINTE-BEUVE. »

V

À VILLEQUIER

Celui qui a aimé sait cela. Celui qui n'a pas
aimé l'ignore. Je le plains et ne lui réponds pas.
LACORDAIRE.

ANVIER 1843. Juliette s'inquiétait de trouver « son cher petit
homme » très sombre. Sa « pauvre petite figure » semblait « toute rembrunie [1] ». Lui cachait-il quelque inquiétude ou quelque
chagrin ? Pourtant l'année s'annonçait pleine d'espérances. Pour
la première fois depuis cinq ans, Hugo allait faire représenter un
nouveau drame : *Les Burgraves*. Sa fille Léopoldine était fiancée
avec un garçon que la famille aimait beaucoup : Charles Vacquerie.
Le mariage était prévu pour février ; *Les Burgraves* seraient joués
en mars, à la Comédie-Française ; l'été suivant, Juliette et Victor
feraient un voyage en Espagne. N'était-ce pas un beau programme ?

Et pourtant « on dirait que Victor Hugo ne peut s'arracher à
sa bataille contre les fantômes [2] ». Il aime ces Vacquerie, qui sont
entrés dans sa vie par l'admiration. Les deux frères, Charles et Auguste, étaient nés, l'un à Nantes en 1816, l'autre à Villequier en
1819. Vieille famille de pêcheurs en Seine et de pilotes. Leur père,
Charles-Isidore Vacquerie, s'étant établi armateur au Havre, a
fait fortune et construit à Villequier une grande maison de famille,
toute blanche au bord du fleuve. L'aîné, Charles, doit lui succéder ;
le second, Auguste, nourri, dès le collège de Rouen, d'Eschyle, de
Shakespeare, de Victor Hugo, a obtenu de tels succès scolaires
qu'un directeur d'institution parisienne est venu lui offrir de ter-

---

1. JULIETTE DROUET : *Mille et une lettres d'amour à Victor Hugo,*
p. 248.
2. PAUL CLAUDEL : *Positions et Propositions,* p. 50.

miner ses études gratuitement, comme « bête à concours ». Inscrit
au Lycée Charlemagne, ce garçon enthousiaste et plus que romantique a été chargé, en 1836, avec quelques camarades, de monter
une pièce pour la Saint-Charlemagne. Ils ont choisi *Hernani* et
sont allés demander à l'auteur l'autorisation indispensable. Hugo,
non seulement a permis, mais est venu assister à la représentation.

Plus tard, au moment du procès de *Marion de Lorme*, le poète
a reconnu dans le public le jeune Vacquerie. « *Le maître triomphant est venu jusqu'à moi — Et j'ai touché sa main comme la
main d'un roi...* » Après quoi, ce jeune Normand et son camarade
Paul Meurice sont devenus des fidèles de la place Royale. Ils ont
été chargés de recruter des combattants pour *Ruy Blas*. Le jeune
Auguste étant tombé malade, Adèle Hugo l'a soigné et l'adolescent
a conservé un souvenir enivré de cette femme, si belle, penchée sur
lui. En 1838, tandis que Victor Hugo voyageait sur le Rhin, Adèle
et les enfants ont été invités au Havre, chez la sœur aînée d'Auguste, qui avait épousé Nicolas Lefèvre, fondateur du Nouveau-
Graville [1]. Les quatre petits Hugo n'avaient jamais vu la mer. Du
Havre, toute la famille se rendit à Villequier ; elle y resta jusqu'aux
premiers jours d'octobre.

*Auguste Vacquerie à Madame Victor Hugo, 9 octobre
1838 :* « Ma chère Madame, la maison est bien vide et bien
triste depuis que vous n'y êtes plus. Nous vous regrettons
bien, tous, et vos chers enfants avec vous. Décidément le silence est bien loin de valoir le bruit ! Je me dépêche de vous
écrire, j'en avais besoin. Nous avons passé de tristes et longues
journées depuis votre départ. Mon frère et moi surtout, qui
ne vous avions pas quittée et qui nous étions fait une douce
habitude de cette vie ; vous nous manquez bien à présent et
rien ne saurait vous remplacer [2]. »

Les enfants Hugo avaient été enchantés de leurs vacances.
L'année suivante, ils entraînèrent leur père au Havre et à Villequier, d'où Olympio repartit promptement pour Strasbourg, mais
où les siens passèrent tout l'été. Léopoldine avait quinze ans ;

---

1. Sur tout ceci, voir ANDRÉ DUBUC : *Villequier dans la vie et l'œuvre
de Victor Hugo* (Rouen, Imprimerie Lainé, 1946).
2. Collection Simone André-Maurois.

Charles Vacquerie, vingt-deux. Il se savait destiné à une position brillante. « Le cabotage et les voyages lointains avaient permis à sa famille d'acquérir une large aisance ; malgré sa situation de fortune, « elle était demeurée modeste dans sa façon de vivre et par suite très estimée [1] ». Charles Ier Vacquerie, malade et déjà vieux, souhaitait prendre sa retraite ; à Charles II, successeur désigné, Léopoldine, si simple et si sage, parut être la femme idéale. Des projets de mariage furent ébauchés, que Mme Hugo approuva.

> *Auguste Vacquerie à Madame Victor Hugo, jeudi 17 octobre 1839 :* « La maison est déserte et vous pleure. Il nous manque toujours une part de la famille.... La famille que Dieu donne a mille liens secrets qui l'attachent à nous, mais on préfère toujours celle que l'on s'est choisie, celle que le cœur a élue. Vous savez depuis longtemps comme je suis plein de vous ! Je n'ai jamais tant senti qu'à ce moment combien votre amitié m'est nécessaire, et combien j'ai besoin de votre maison. Malgré les soixante lieues qui nous séparent, je vis avec vous et *vous* avez plus des trois quarts de ma pensée [2]. »

Trois deuils successifs vinrent assombrir la famille Vacquerie, si tendrement unie. Mme Nicolas-Lefèvre-Vacquerie perdit, en 1839 et 1840, ses deux fils, Charles et Paul ; puis, en 1842, son mari. L'état de son père s'était dangereusement aggravé [3]. Les jeunes fiancés n'osaient parler mariage dans ce climat funèbre. Victor Hugo avait pourtant consenti à leur union. « Les poètes n'ont pas de grosses dots à donner à leurs filles, mais d'autres trésors plus précieux : l'élégance de l'esprit, la bonté du cœur et la grâce du corps [4].... » Enfin, le 15 février 1843, le mariage fut béni dans l'intimité, et sans que les amis de Victor Hugo eussent été avertis. Juliette, qui ne pouvait décemment assister à la cérémonie, s'était abstenue de paraître à l'église, mais avait demandé

---

1. André Dubuc : *Villequier dans la vie et l'œuvre de Victor Hugo,* p. 16.
2. Collection Simone André-Maurois.
3. Charles-Isidore Vacquerie mourut un mois après le mariage de son fils, en mars 1843.
4. André Dubuc : *Villequier dans la vie et l'œuvre de Victor Hugo,* p. 17.

que Didine lui envoyât un petit souvenir, « un brimborion de jeune fille qui ne lui serait plus utile maintenant qu'elle allait devenir *Madame* ». Ce serait un lien entre les deux êtres qui aimaient le mieux Hugo : sa fille et sa maîtresse. Le père transmit l'étrange et touchante requête. Léopoldine, qui, depuis longtemps, avait compris et accepté cette situation équivoque, envoya bien mieux qu'un brimborion : elle fit don à Juliette de son livre de messe. Victor Hugo, lui, composa pour la petite mariée, dans l'église même, ce court poème :

> Aime celui qui t'aime et sois heureuse en lui.
> Adieu ! sois son trésor, ô toi qui fus le nôtre !
> Va, mon enfant béni, d'une famille à l'autre.
> Emporte le bonheur et laisse-nous l'ennui.
>
> Ici l'on te retient, là-bas on te désire.
> Fille, épouse, ange, enfant, fais ton double devoir.
> Donne-nous un regret, donne-leur un espoir.
> Sors avec une larme, entre avec un sourire [1] !

Le poète voyait avec tristesse partir sa fille aînée, sa favorite, si précocement grave, si proche de lui. « Ne crains rien pour ta Didine, lui écrivit Juliette, elle sera la plus heureuse des femmes [2].... » Tout, en effet, semble l'annoncer, mais c'est un fait que Hugo souffre et craint on ne sait quoi. Léopoldine va vivre au Havre et, en ce temps-là, deux jours de diligence ou de « coche d'eau » séparaient Le Havre de Paris.

Des lettres arrivèrent, rayonnantes de bonheur. *Léopoldine Vacquerie à Madame Victor Hugo :* « Je suis ici depuis un mois, mais si heureuse et si doucement entourée de tout ce qui fait le bonheur que, de temps en temps, je me surprends à avoir peur de mon bonheur même. Il me semble que cela est trop doux pour durer longtemps, puis je me rassure en songeant qu'à cette joie, si grande, il me manque quelque chose : je n'ai pas ici ma bonne mère près de moi [3].... » *Juliette Drouet à Victor Hugo :* « J'espère,

---

1. VICTOR HUGO : *15 février 1843* (*Les Contemplations*, liv. IV : *Pauca meae*, II, p. 215).
2. JULIETTE DROUET : *Mille et une lettres d'amour à Victor Hugo*, p. 248.
3. Cf. ANDRÉ DUBUC : *Villequier dans la vie et l'œuvre de Victor Hugo*, p. 19.

mon pauvre ange, que tu vas avoir plus de courage maintenant et que le bonheur de ton enfant adorée ne te sera plus un sujet de larmes et de désespoir [1].... »

Les répétitions des *Burgraves* vinrent l'arracher à ses bizarres pressentiments. Il comptait beaucoup sur cette pièce ; il avait cherché à lui communiquer une grandeur épique. C'était au cours des voyages au Rhin qu'en visitant, de jour et de nuit, les burgs démantelés, envahis par les arbres et les ronces, il avait eu la vision de la lutte titanesque, contre l'Empereur, des Burgraves, « formidables barons du Rhin, crénelés dans leur tour et servis à genoux par leurs officiers.... hommes de proie tenant tout ensemble de l'aigle et du hibou [2] », et pensé à en tirer un drame. Puis, au thème des Burgraves, s'en était mêlé un autre dont jamais Hugo ne s'était délivré : celui des Frères ennemis. On se souvient qu'il avait commencé une pièce en vers : *Les Jumeaux,* sur le Masque de Fer, sacrifié pour permettre à son frère, Louis XIV, de régner sans partage. Il avait abandonné ce projet, mais, dans *Les Burgraves* encore, Fosco (le burgrave Job) se débarrassait de son frère Donato (futur empereur Frédéric Barberousse) parce que tous deux aimaient la même fille : Ginevra. De même que, nuit après nuit, le comte Job, bourrelé de remords, allait visiter le caveau perdu où il avait jadis jeté le corps de Donato, ainsi Hugo, drame après drame, revenait à son obsession : l'enterré vivant [3].

Qu'une œuvre d'art atteigne, en l'auteur, un point douloureux lui assure presque toujours de la beauté. *Les Burgraves,* « monstre préwagnérien [4] » avec ce burg altier, ces quatre générations de chevaliers-bandits, cette lutte de la Fatalité contre la Providence, ne manquaient pas de grandeur. La Comédie-Française avait reçu la pièce avec enthousiasme. Mais l'atmosphère était de moins en moins favorable au drame romantique. Depuis quelques saisons, une jeune femme de génie, Rachel, avait remis à la mode la tragédie classique. Le public s'était lassé de « ce qui au monde s'use le plus vite : la nouveauté ». Victor Hugo, qui espérait une seconde

1. Juliette Drouet : *Mille et une lettres d'amour à Victor Hugo.*
2. Victor Hugo : *Le Rhin,* lettre XIV (*En Voyage,* t. I, p. 120).
3. Sur la récurrence des thèmes et les complexes hugoliens, voir Charles Baudouin : *Psychanalyse de Victor Hugo,* pp. 11-25.
4. Jean-Bertrand Barrère : *Victor Hugo.*

bataille d'*Hernani*, avait envoyé ses nouveaux organisateurs de la victoire : Vacquerie et Meurice, demander au peintre Célestin Nanteuil trois cents jeunes gens, « trois cents Spartiates déterminés à vaincre ou à mourir ». Secouant sa longue chevelure : « Jeunes hommes, avait répondu Nanteuil, allez dire à votre maître qu'il n'y a plus de jeunesse [1] ! » Plus exactement, il n'y avait plus de jeunesse romantique.

La première fut calme, la salle étant pleine d'amis. On trouva la pièce, malgré de beaux vers, solennelle et ennuyeuse. Le « *Jeune homme, taisez-vous !* » de Job, l'ancêtre, à Magnus sexagénaire, fit beaucoup rire. À la seconde, il y eut quelques sifflets. À partir de la cinquième, chaque représentation fut orageuse. Juliette accusait la cabale et disait qu'elle avait envie « de répandre son indignation sur ceux qui la causent en horions abondants et en coups de pied dans le ventre [2] ». Buloz, en ce temps-là administrateur de la Comédie-Française, raconte qu'une nuit, à deux heures du matin, Hugo, passant avec lui devant les Tuileries, s'écria : « Si Napoléon était encore là, il n'y aurait qu'une grande chose en France : *Les Burgraves*, et l'empereur viendrait à nos répétitions [3] ! » Mais Napoléon Ier n'était plus là et la grandiloquence ennuyait les Birotteau et les Camusot, parmi lesquels se recrutait alors le public louis-philippard. Sainte-Beuve, assez content, écrivait : « On siffle : Hugo ne veut pas du mot et dit devant les acteurs : « On trouble ma pièce. » Les acteurs, qui sont malins, disent depuis ce jour *troubler* au lieu de *siffler* [4]. » À la dixième représentation, les recettes tombèrent à 1 666 francs, cependant que Rachel, interprète de Racine, « faisait » 5 500 francs tous les soirs. Le 17 mars, une comète traversa le ciel de Paris et *Le Charivari* publia ce quatrain :

> Hugo, lorgnant les voûtes bleues,
> Au Seigneur demande tout bas
> Pourquoi les astres ont des queues
> Quand les *Burgraves* n'en ont pas [5].

---

1. Théophile Gautier : *Histoire du Romantisme*, p. 59.
2. Juliette Drouet : *Mille et une lettres d'amour à Victor Hugo*, p. 258.
3. Marie-Louise Pailleron : *Les Derniers Romantiques*, p. 143.
4. Sainte-Beuve : *Chroniques parisiennes*, p. 13.
5. *Le Charivari*, numéro du 31 mars 1843.

Bien qu'immérité, le désastre alla croissant. « La trilogie des *Burgraves* ? De l'ennui triplé, écrivait Henri Heine, *Figures de bois*.... Lugubre jeu de marionnettes.... Passion à froid [1].... » En avril, Paris fit un succès délirant à la *Lucrèce* de Ponsard, parce que ce provincial néo-classique apparaissait comme l'anti-Hugo. Balzac s'indigna : « J'ai vu *Lucrèce* ! Quelle mystification faite aux Parisiens.... Il n'y a rien de plus enfant, de plus nul, de plus tragédie de collège.... Dans cinq ans, on ne saura pas ce que c'est que Ponsard. Hugo a bien mérité, par ses sottises, que Dieu lui envoyât un Ponsard pour rival [2].... » Hugo conservait en apparence sa sérénité, mais tant de haines, rançons de tant de succès, le bouleversaient. Après la trente-troisième représentation, la pièce fut retirée et Hugo cessa d'écrire pour la scène. Le 7 mars 1843 avait été « le Waterloo du drame romantique [3] ».

Malgré l'opposition d'Adèle, Juliette Drouet eut, l'été suivant, « son pauvre petit bonheur annuel ». Il prit, cette année-là, forme d'un voyage vers le sud-ouest et l'Espagne, qui devait, pour Victor Hugo, évoquer des souvenirs d'enfance et, par là, le guérir de cette tristesse qui, à Paris, depuis février, semblait l'envelopper. Léopoldine, enceinte de trois mois, anxieuse sans raison, avait insisté pour que son père ne s'éloignât pas. Le mardi 9 juillet, il était venu en Normandie pour lui dire au revoir et avait écrit ensuite : « Si tu savais, ma fille, comme je suis enfant quand je songe à toi. Mes yeux sont pleins de larmes ; je voudrais ne jamais te quitter.... Cette journée au Havre est un rayon de ma pensée ; je ne l'oublierai de ma vie [4].... »

Pourtant ce voyage le tentait. Bayonne restait, dans sa mémoire, comme un lieu vermeil et souriant. Là était « le plus ancien souvenir de son cœur [5] ». Mais il ne reconnut pas la maison où il avait jadis, dans l'entrebâillement d'un fichu, épié une gorge blanche. Qu'était devenue la jeune fille ? Était-elle mariée, veuve, morte ? Peut-être la rencontra-t-il sans la reconnaître. Fumées dans le ciel de l'éternité. Pourtant la première charrette à bœufs

---

1. HENRI HEINE : *Lutèce*, p. 303.
2. HONORÉ DE BALZAC : *Lettres à l'Etrangère*, t. II, p. 158.
3. MAURICE LEVAILLANT.
4. Maison de Victor Hugo. Catalogue de l'exposition *Maturité de Victor Hugo*, n° 452, p. 158.
5. VICTOR HUGO : *Pyrénées. Bayonne* (*En Voyage*, t. II, p. 298).

espagnole, avec sa musique sauvage, lui donna soudain un fulgurant bonheur. Les chers souvenirs de l'enfance retrouvaient le support d'une sensation présente. « Il me semblait qu'entre ce passé et aujourd'hui il n'y avait rien. C'était hier. Oh ! le beau temps ! Les douces et rayonnantes années ! J'étais enfant, j'étais petit, j'étais aimé. Je n'avais pas l'expérience et j'avais ma mère ! Les voyageurs, autour de moi, se bouchaient les oreilles ; moi, j'avais le ravissement dans le cœur [1].... »

Irun le déçut. Irun ressemblait maintenant aux Batignolles. « Où est le passé ? Où est le poème ? » Fontarabie lui avait laissé une impression lumineuse, un village d'or au clocher aigu, au fond d'un golfe bleu ; il ne trouva qu'un assez joli bourg, sur un plateau. Les paysages avaient vieilli comme lui-même. Mais l'Espagne l'enchanta, cette fois comme la première, par son langage, ses femmes souples, sa nature sauvage. « Ceci est un pays de poètes et de contrebandiers [2]. » À Pasages, village proche de Saint-Sébastien, il trouva en Guipuzcoa un endroit magnifique et charmant : hautes maisons peintes en blanc, en safran ; rues avec, aux balcons, mille choses flottantes ; guenilles rouges, jaunes, bleues et de ravissantes *bateleras* (femmes batelières) aux yeux noirs et grands, aux cheveux superbes.

Il poussa jusqu'à Pampelune, puis revint par les Pyrénées, Auch, Agen, Périgueux, Angoulême. À l'île d'Oléron, le 8 septembre, Juliette le vit accablé de tristesse. L'île était désolée. « Aucune voile. Aucun oiseau. Au bas du ciel, au couchant, apparaissait une lune énorme et ronde qui semblait, dans ces brumes livides, l'empreinte rougie et dédorée de la lune. J'avais la mort dans l'âme. Ce soir-là tout était pour moi funèbre et mélancolique. Il me semblait que cette île était un grand cercueil couché dans la mer et que cette lune en était le flambeau [3]... »

Le lendemain, fuyant l'île, ils étaient à Rochefort, sur le chemin du retour. Hugo voulait aller au Havre, voir les jeunes Vacquerie. Adèle et ses trois autres enfants étaient installés tout près d'eux, à Graville, dans une villa que son gendre avait louée pour elle et

---

1. VICTOR HUGO : *Pyrénées. La Charrette à Bœufs (En Voyage*, t. II, p. 318). — Poulet remarque très justement, dans la *Distance intérieure* (pp. 201-203), que c'est là « la mémoire involontaire de Proust ».
2. VICTOR HUGO : *Pyrénées. Saint-Sébastien (En Voyage*, t. II, p. 326).
3. VICTOR HUGO : *Pyrénées. L'île d'Oléron (En Voyage*, t. II, p. 437).

où elle peignait des fleurs. La famille serait bientôt au complet ; à cette pensée, Hugo retrouvait sa gaieté. Au village de Soubise, Juliette proposa d'entrer dans un café et d'y prendre une bouteille de bière, en lisant les journaux qu'ils n'avaient pas vus depuis plusieurs jours.

> *Journal de Juliette Drouet, 9 septembre 1843 :* « Sur une espèce de grande place, nous voyons écrit en grosses lettres : CAFÉ DE L'EUROPE. Nous y entrons. Le café est désert à cette heure de la journée. Il n'y a qu'un jeune homme, à la première table à droite, qui lit un journal et qui fume, vis-à-vis la dame de comptoir, à gauche. Nous allons nous placer tout à fait dans le fond, presque sous un petit escalier en colimaçon décoré d'une rampe en calicot rouge. Le garçon apporte une bouteille de bière et se retire. Sous une table, en face de nous, il y a plusieurs journaux. Toto en prend un, au hasard, et moi je prends *le Charivari*. J'avais eu à peine le temps d'en regarder le titre que mon pauvre bien-aimé se penche brusquement sur moi et me dit d'une voix étranglée, en me montrant le journal qu'il tient à la main : « Voilà qui est horrible ! » Je lève les yeux sur lui : jamais, tant que je vivrai, je n'oublierai l'expression de désespoir sans nom de sa noble figure. Je venais de le voir souriant et heureux et, en moins d'une seconde, sans transition, je le retrouvais foudroyé. Ses pauvres lèvres étaient blanches ; ses beaux yeux regardaient sans voir. Son visage et ses cheveux étaient mouillés de pleurs. Sa pauvre main était serrée contre son cœur, comme pour l'empêcher de sortir de sa poitrine. Je prends l'affreux journal et je lis [1].... »

Ce que *Le Siècle* racontait était un affreux accident arrivé, le lundi 4 septembre, à Villequier. Léopoldine et son mari avaient quitté Le Havre l'avant-veille, pour passer la fin de la semaine à Villequier. Ils y avaient retrouvé l'oncle Pierre Vacquerie, ancien capitaine de navire, et le fils de celui-ci, Arthus, petit garçon de onze ans. « Le dimanche après-midi arriva à quai un canot de

---

1. Bibliothèque nationale, département des manuscrits. N. a. f. 24794, f⁰ˢ 175 (verso) et 176. L'hebdomadaire *Arts* a publié un fragment de ce « Journal inédit » de Juliette Drouet, dans son numéro du 10-16 juillet 1952, p. 12.

course que Charles faisait remonter du Havre. C'était une fantaisie de son oncle. Il l'avait fait construire dans un chantier naval, sur des plans qu'il avait conçus. Charles avait gagné avec ce bateau un premier prix, aux régates d'Honfleur. Le canot portait deux grandes voiles auriques, qui lui donnaient sous le vent une grande vitesse, mais la coque était légère, trop légère pour la navigation courante en Seine. Il se proposait de l'essayer, le lendemain matin, pour aller à Caudebec, chez maître Bazire, son notaire, qui l'attendait [1].... »

La matinée du lundi fut belle. Pas un souffle d'air ; pas une ride sur l'eau ; brume matinale. Il avait été convenu la veille que Léopoldine accompagnerait son mari, son oncle et son cousin. Mais sa belle-mère, inquiète de l'extrême légèreté du canot, lui déconseilla cette promenade. Les deux hommes et l'enfant partirent sans elle, puis revinrent presque aussitôt. Le canot dansait et ils le lestèrent de deux grosses pierres plates. Cette fois, Léopoldine fut tentée. Elle les pria de l'attendre, passa en hâte une robe de mousseline rouge quadrillée et embarqua. Le voyage d'aller, très court, fut sans histoire.

On devait ramener maître Bazire à Villequier, pour le déjeuner. Il proposa sa voiture ; ce canot ne lui disait rien qui vaille. Pour le rassurer, Charles et l'oncle Pierre lestèrent davantage l'embarcation, avec des blocs de grès entreposés sur le quai de Caudebec. Le notaire, à contre-cœur, les accompagna, mais, comme le canot dansait plus que jamais, se fit débarquer à la hauteur de la chapelle *Barre-y-va* en déclarant qu'il terminerait la route à pied. « On repartit. Le vent jouait dans les voiles. Quelques minutes après, d'un seul coup, un peu de vent qui jouait aussi entre une colline et le fleuve retourna la barque ; alors les pierres, installées là pour protéger le petit bateau, se mirent en marche et jouèrent à le déséquilibrer davantage. Choses, éléments, tout avait trahi ses promesses. Entre le bonheur et le malheur, la partie avait été jouée et perdue. Seul des passagers, Charles Vacquerie, excellent nageur, se débattait autour de la coque renversée pour essayer de sauver sa femme. Elle se cramponnait au canot. Il s'exténuait en vain. Alors, très simplement, lui qui ne l'avait jamais quittée se laissa

———
1. André Dubuc : *Villequier dans la vie et l'œuvre de Victor Hugo*, p. 29.

couler pour l'accompagner cette fois encore [1].... » Ce fut Auguste
Vacquerie qui, tard dans la nuit, apprit la catastrophe à Mme
Victor Hugo. Il la fit partir pour Paris, le mardi, « avec les trois
enfants qui lui restaient, sans qu'elle s'arrêtât à Villequier pour la
pénible cérémonie des obsèques ».

Par un geste sentimental et romantique, les deux jeunes mariés
furent enterrés dans le même cercueil. On les porta à dos d'homme, de la maison blanche au petit cimetière voisin de l'église.

Victor Hugo à Louise Bertin, Saumur, 10 septembre 1843 :
« J'aimais cette pauvre enfant plus que les mots ne le peuvent dire.
Vous vous rappelez comme elle était charmante. C'était la plus
douce et la plus gracieuse femme. O mon Dieu ! que vous ai-je
fait [2] ?... » Car Hugo était, « qu'il s'agît des secrets de l'univers ou
des petits sous », habitué aux bilans et se demandait « si le père
ne payait pas pour l'amant qui avait cessé de veiller sur les siens ? »
Aussi prit-il, pour quelque temps, en aversion Juliette Drouet et
courut-il « se blottir près de sa femme [3] ». Du sinistre *Café de
l'Europe,* à Soubise, il lui avait écrit : « Pauvre femme, ne pleure
pas. Résignons-nous. C'était un ange. Rendons-le à Dieu. Hélas !
elle était trop heureuse. Oh ! je souffre bien. Il me tarde de pleurer
avec toi et avec nos trois pauvres enfants bien-aimés. Ma Dédé
chérie, aie du courage, et vous tous. Je vais arriver : nous allons
pleurer ensemble, mes pauvres bien-aimés. À bientôt. À tout à
l'heure, mon Adèle chérie. Que cet affreux coup, du moins, resserre et rapproche nos cœurs qui s'aiment [4] !... » Dans la diligence
qui le ramenait à Paris, il nota sur son carnet quelques vers isolés :

> Je suis, lorsque je pense, un poète, un esprit,
> Mais, sitôt que je souffre, hélas ! je suis un homme !...
> Quand tu la contemplais, cette Seine si belle,
> Rien ne te disait donc : « Ce sera ton tombeau [5] ? »

---

1. JACQUES-HENRY BORNECQUE : *Les Leçons de Villequier,* article publié
dans *Le Monde,* numéro du 4 octobre 1952, p. 9.
2. VICTOR HUGO : *Correspondance,* t. I, p. 612.
3. JACQUES-HENRY BORNECQUE : *Les Leçons de Villequier,* article publié
dans *Le Monde,* numéro du 4 octobre 1952, p. 9.
4. Lettre publiée par MAURICE LEVAILLANT dans la *Revue des Deux
Mondes,* numéro du 1er mai 1930, p. 175.
5. VICTOR HUGO : *Carnet de 1843.* — *Alpes et Pyrénées* (*En Voyage,*
t. II, p. 592).

Cependant Adèle Hugo, désireuse de conserver quelques images de la « maison gothique » où Didine et Charles avaient vécu sept mois au Havre, 1, rue de la Chaussée, y avait envoyé son peintre Louis Boulanger.

> *Auguste Vacquerie à Madame Victor Hugo, 19 octobre 1843 :* « Je vous réponds tout de suite, madame, afin que vous soyez bien tranquille. Boulanger a fait le dessin de leur chambre. C'est très ressemblant, et ceux qui ne la connaissent pas la reconnaîtraient. Ainsi, c'est fait. Je vous porterai cela en retournant à Paris. [...] Je vous reverrai dimanche. Je vais m'occuper cette semaine de terminer définitivement le règlement de vos comptes. Tout est bien simple.... Quant au jardinier, qui est revenu et qui demande ses 104 francs, sans tenir compte du jugement du juge de paix, je l'ai mis à la porte. [...] Pendant que j'y pense, avez-vous joint aux trois malles la caisse noire que ma sœur vous a prêtée ? C'est, je crois, tout ce qu'elle réclame [1].... »

Adèle fut courageuse ; elle était croyante. « Mon âme, écrivit-elle à Victor Pavie, le 4 novembre 1843, sortait pour ainsi dire de moi pour s'unir à la leur [2]... ». Mais la maison de la place Royale resta longtemps endeuillée. La mère tenait entre ses mains, tout le jour, la chevelure de la noyée ; Hugo, en silence, prenait la petite Dédé sur ses genoux. Le grand-père Foucher avait soudain vieilli de vingt ans. On voyait aux murs, sur les tables, des portraits du couple disparu et, sur un sachet brodé : « Costume avec lequel ma fille est morte ; relique sacrée. » Victor Pavie avait suggéré à Sainte-Beuve de se réconcilier avec les Hugo et de rentrer dans leur intimité « par cette large blessure ». Il refusa. Trois fois depuis l'année fatale (1837), des offres de ce genre lui avaient été faites ; trois fois les rapprochements avaient été suivis, disait-il, de ruptures injurieuses. « Pour que j'y retournasse, même après cet affreux malheur, il eût fallu qu'*elle* m'en eût exprimé le désir formel ; c'eût été un ordre. Elle ne l'a pas fait. En voilà pour l'éternité ! C'est horrible à penser, mais vrai [3].... » Mais Alfred de Vigny

1. Collection Simone André-Maurois.
2. Cf. EDMOND BIRÉ : *Victor Hugo après 1830*, t. II, p. 46.
3. SAINTE-BEUVE : *Correspondance générale*, t. V, p. 277.

écrivit : « Devant de telles infortunes, toute parole est faible ou cruelle. »

Victor Hugo avait été dévasté par la mort de sa fille ; en décembre, il n'était pas encore sorti de son abattement. Balzac, alors tout occupé d'une candidature académique, vint lui faire sa visite et, en sortant de la place Royale, écrivit à Mme Hanska : « Ah ! cher ange, Victor Hugo a dix ans de plus ! Il est possible qu'il ait accepté la mort de sa fille comme une punition des quatre enfants qu'il a de Juliette. Il est d'ailleurs tout pour moi et m'a promis sa voix. Il exècre Sainte-Beuve et de Vigny. Ah ! chère, quelle leçon pour nous que ce mariage d'amour fait à dix-huit ans ! Victor Hugo et sa femme sont un grand enseignement [1].... » Ce qui prouve que les ragots n'épargnaient pas la douleur.

Juliette suppliait Hugo de prendre quelques distractions, pour échapper à la contemplation douloureuse où il s'abîmait. Incapable de travailler, il lui demanda de rédiger des notes sur la fin de leur voyage aux Pyrénées, afin de terminer ce récit commencé dans la joie des souvenirs, achevé dans le malheur. Souvent il allait à Villequier, sur la tombe plantée de rosiers, et cherchait « *le lieu noir — Avec l'avidité morne du désespoir... — O souvenirs ! O forme horrible des collines !* » Pendant des années, il écrivit, chaque 4 septembre, un poème anniversaire, toujours beau dans sa simplicité tragique.

1844 :

Elle avait dix ans et moi trente ;
J'étais pour elle l'univers.
Oh ! comme l'herbe est odorante
Sous les arbres profonds et verts....

Doux ange aux candides pensées,
Elle était gaie en arrivant.... —
Toutes ces choses sont passées
Comme l'ombre et comme le vent [2] !

1846 :

O souvenirs ! printemps ! aurore !
Doux rayon triste et réchauffant !

---

1. HONORÉ DE BALZAC : *Lettres à l'Etrangère*, t. II, p. 245.
2. VICTOR HUGO : *Pauca Meae*, IX (*Les Contemplations*, liv. IV, p. 229).

— Lorsqu'elle était petite encore,
Que sa sœur était tout enfant.... —

Connaissez-vous, sur la colline
Qui joint Montlignon à Saint-Leu,
Une terrasse qui s'incline
Entre un bois sombre et le ciel bleu ?

C'est là que nous vivions. — Pénètre,
Mon cœur, dans ce passé charmant ! —
Je l'entendais sous ma fenêtre
Jouer le matin, doucement [1]....

1847 :

Demain, dès l'aube, à l'heure où blanchit la campagne,
Je partirai. Vois-tu, je sais que tu m'attends.
J'irai par la forêt, j'irai par la montagne.
Je ne puis demeurer loin de toi plus longtemps.

Je ne regarderai ni l'or du soir qui tombe,
Ni les voiles au loin descendant vers Harfleur
Et, quand j'arriverai, je mettrai sur ta tombe
Un bouquet de houx vert et de bruyère en fleur [2].

À son immense chagrin continuaient de se mêler des remords que rien ne justifiait, sinon qu'à l'heure du drame il était loin des siens, avec une maîtresse, et ne s'en approuvait pas, étant un faune à l'âme inquiète.

---

1. VICTOR HUGO : *Pauca Meae*, XIV (*Les Contemplations*, liv. IV, p. 237).
2. *Opus cit.*

VI

FRASQUES ET FRESQUES

Conduisez-moi ce soir au jardin de la Reine.
VICTOR HUGO (*Toute la lyre*, VI).

L A SENSUALITÉ est un état violent. Dans un extrême désarroi
de l'esprit, il est naturel qu'un homme cherche l'oubli dans
la variété et la violence des sensations. Victor Hugo, en 1843,
mortellement triste, devait demander refuge à quelque passion.
Juliette ? Non, Juliette ne lui suffisait plus. Cloîtrée depuis dix
ans, la pauvre fille s'était fanée. Dès la trentaine, ses cheveux
avaient grisonné ; elle gardait ses beaux yeux, son air sublime et
tendre ; elle n'était plus « cette beauté qu'on ne saurait peindre »
et qu'il avait connue, étincelante, sous les dentelles et les diamants,
au temps de la princesse Negroni. Parfois elle l'ennuyait. Malgré
son charmant esprit, qu'avait-elle à dire ? Hors son mois de voyage
annuel, elle ne voyait rien ni personne. Ses innombrables lettres
n'étaient que de longues litanies, mélanges d'éloges et de plaintes :
« À la fin, on dirait un stylite juché sur son cône de pierre, le regard
perdu vers le ciel, et qui marmonne toujours, toujours le même
psaume. On admire qu'il puisse de la sorte, répandre, sans arrêt,
une adoration que l'on supposait bornée ; on comprendrait mal
que le dieu vers lequel s'élève un semblable hommage ne fût point
fatigué de sa monotonie [1].... » Lisait-il même encore ses lettres ?
Parfois elle en doutait :

> Je ne suis bonne à rien, pas même à te rendre heureux.
> Depuis deux ans et demi, c'est à peine si tu as l'air de savoir
> que je suis au monde pour t'aimer et pour être aimée de toi.
> Tout ce que le dévouement le plus noble et le plus généreux

---

1. LOUIS GUIMBAUD : *Victor Hugo et Madame Biard*, p. 52.

peut faire, tu le fais. Mais ce n'est pas *aimer* ; c'est être loyal et bon au-delà de toute expression. Je ne me fais pas d'illusion. Je t'aime trop, d'ailleurs, pour n'être pas clairvoyante. Je sais bien que, depuis plus de deux ans, tu n'as plus d'amour pour moi, quoique tu en aies conservé toutes les apparences dans le langage et dans les manières. Cela prouve que tu es un homme bien élevé, voilà tout. Il y a des scènes violentes qui sont plus éloquentes et plus persuasives, pour un cœur qui aime, que la froide galanterie dans les mots ; il y a *des coups de pied dans le ventre* qui sont plus passionnés et plus tendres que certains baisers sur le front ou sur les lèvres. Depuis plus de deux ans, j'en fais la triste expérience [1]....

Elle avait, hélas ! raison. Victor Hugo reconnaissait l'étendue des sacrifices faits par elle et celle des devoirs que cette abnégation lui imposait, mais il ne la désirait plus. Tout prétexte lui était bon maintenant pour imposer à Juliette une chasteté qu'elle souhaitait si peu. Elle avait seulement droit à ses trois fêtes carillonnées : 1er janvier ; 17 février (souvenir de la première nuit) ; 19 mai (sainte Julie). Encore, en 1844, oublia-t-il le 19 mai ! Le trottinant et discret M. Foucher ayant été malade, Victor répondit aux lamentations de la délaissée qu'il soignait son beau-père et « qu'il se devait tout entier à cet excellent vieillard [2] » ! La vérité, devinée par Juliette, était que d'autres femmes satisfaisaient les besoins sensuels de son amant. Nombreuses étaient les actrices, ou les jeunes femmes férues de lettres, qui montaient l'escalier dérobé de la place Royale. *Juliette Drouet à Victor Hugo, 17 janvier 1843 :* « Je sens bien que tu as des curiosités et des désirs de voir et de connaître, très en détail, les femmes qui s'occupent de toi d'une façon si flatteuse pour ton amour-propre d'homme et de poète. Je ne veux pas t'en empêcher. Je sens seulement qu'à la première infidélité, j'en mourrai, voilà tout [3]... »

Au début de 1844, la sultane régnante fut, à l'insu de Juliette, une jeune blonde aux yeux noyés, souvent baissés, avec un air

---

1. JULIETTE DROUET : *Mille et une lettres d'amour à Victor Hugo*, pp. 260-261.
2. LOUIS GUIMBAUD : *Victor Hugo et Madame Biard*, p. 58.
3. JULIETTE DROUET : *Mille et une lettres d'amour à Victor Hugo*, p. 250.

« de craintive colombe » que démentait, par éclairs, un sourire malicieux. Elle se nommait Léonie d'Aunet, de noblesse petite mais authentique, avait été élevée en jeune fille du monde, puis s'était enfuie, à dix-huit ans, pour aller vivre avec un peintre, François-Thérèse-Auguste Biard, dans l'atelier qu'il avait place Vendôme.

Ce Biard était un mauvais peintre, assez vulgaire, qui avait réussi parce que le roi Louis-Philippe recherchait, pour ses galeries de Versailles, les « grandes machines » historiques et pompeuses. Or c'était exactement ce qu'Auguste Biard savait produire en série. Il avait fait des voyages en Norvège, en Laponie. D'où un certain prestige romantique, qui peut-être excita Léonie d'Aunet. En 1839, elle l'avait accompagné au Spitzberg, y avait montré du courage, beaucoup de coquetterie et, au retour, s'était arrêtée au château de Munckhölm pour y relire, dans le décor, le *Han d'Islande* de Victor Hugo.

En 1840, sa compagne étant enceinte de six mois, le peintre l'avait épousée. Le couple avait acheté au bord de la Seine, près de Samois, « une maison, un jardin, un parc, une pièce d'eau et un bateau » et recevait, vers 1842, beaucoup d'artistes. Depuis son retour du Grand Nord, Mme Biard avait été fort à la mode, comme « la première Française qui fût allée au Spitzberg », et son album d'autographes s'était couvert de poèmes signés de noms célèbres. Les poètes lui avaient été amenés par une femme, alors âgée de soixante-sept ans, mais qui avait été l'une des plus célèbres « merveilleuses » du Directoire : Fortunée Hamelin. Créole comme Joséphine de Beauharnais, spirituelle et délicate, Mme Hamelin avait pour amis Chateaubriand et Victor Hugo. Elle avait été, comme Mlle George et tant d'autres, l'une des météoriques favorites de Napoléon, qui demeurait « son astre ». Hugo, qui parlait si bien de l'Empereur, touchait par là cette bonapartiste impénitente et, de son côté, il aimait à l'entendre conter ses souvenirs de cinq régimes disparus : monarchie, Directoire, Consulat, Empire, Restauration.

Or Mme Hamelin louait, chaque été, un rendez-vous de chasse (l'Hermitage de la Madeleine), non loin des Plâtreries, domaine des Biard. La jeune et la vieille femme se lièrent. En toute douairière qui fut belle et galante, il y a une entremetteuse. Fortunée Hamelin présenta le poète à la femme du peintre. On se plut ; on se revit. Toutefois, en 1843, *Les Burgraves,* le voyage aux Pyrénées, puis la mort de Léopoldine sauvèrent Juliette de *cette* infidélité. En 1844, Hugo, accablé par son deuil, dut faire effort pour s'arracher à la douleur. Il voulut s'étourdir de travail, de vie officielle (on le voit assidu à l'Académie et à la cour) et sans doute aussi de nouvelles amours. Mme Biard était maintenant malheureuse avec son peintre, qui la maltraitait. Or la pitié, chez Victor Hugo aiguisait le désir. Deux désespoirs s'unirent ; les promenades nocturnes eurent une nouvelle partenaire ; Hugo montra *son* Paris de Notre-Dame aux moulins de Grenelle ; et des poèmes naquirent pour un ange qui n'était plus Juliette :

> C'était la première soirée
>   Du mois d'avril.
> Je m'en souviens, mon adorée ;
>   T'en souvient-il ?
>
> Nous errions dans la ville immense,
>   Tous deux, sans bruit,
> A l'heure où le repos commence
>   Avec la nuit...
>
> Notre-Dame, parmi les dômes
>   Des vieux faubourgs,
> Dressait, comme deux grands fantômes,
>   Ses grandes tours.
>
> La Seine, découpant les ombres
>   En angles noirs,
> Faisait luire sous les ponts sombres
>   De clairs miroirs...
>
> Tu disais : « Je suis calme et fière ;
>   Je t'aime ! Oui ! »
> Et je rêvais à ta lumière,
>   Tout ébloui.
>
> Oh ! ce fut une heure sacrée,
>   T'en souvient-il ?
> Que cette première soirée
>   Du mois d'avril [1] !...

---

1. VICTOR HUGO : *Soir d'Avril.* — *Dernière Gerbe,* LXX, pp. 378-380.

25 juin 1844 :

Oh ! dis, te souviens-tu de cet heureux dimanche ?
— Neuf juin ! — Sur les rideaux de mousseline blanche,
Le soleil dessinait l'ombre des vitres d'or.
Il te nommait son bien, sa beauté, son trésor.
Tu songeais dans ses bras. Heures trop tôt passées !
Oh ! comme tendrement vous mêliez vos pensées !
Dehors, tout rayonnait ; tout rayonnait en vous
Et vos ravissements faisaient le ciel jaloux.
Tes yeux si vifs brillaient, pleins d'un vague sourire.
Aux instants où les cœurs se parlent sans rien dire,
Il voyait s'éclairer de pudeur et d'amour,
Comme une eau qui reflète un ciel d'ombre et de jour,
Ton visage pensif, tour à tour pâle et rose ;
Et souvent il sentait, ô la divine chose !
Dans ce doux abandon des anges seuls connu,
Se poser sur son pied ton pied charmant et nu [1].

Et, le *30 septembre 1844,* ce fameux madrigal :

Vous avez, Madame, une grâce exquise,
Une douceur noble, un bel enjouement,
Un regard céleste, un bonnet charmant,
L'air d'une déesse et d'une marquise.

Vos attraits piquants, fiers et singuliers,
Dignes des Circés, dignes des Armides,
Font lever les yeux même aux plus timides
Et baisser le ton aux plus familiers.

La nuit, quand je vois dans les cieux sans voiles
Les étoiles d'or, mon cœur songe à vous ;
Le jour, jeune belle aux regards si doux,
Lorsque je vous vois, je songe aux étoiles [2].

Il y a quelque chose de pénible à voir les mêmes sentiments, les mêmes mots reprendre ici du service sous d'autres lois. De nouveau les bois et les nids sont complices ; de nouveau un pied nu et charmant joue son rôle dans les effusions amoureuses ; de

---

1. VICTOR HUGO : *Toute la Lyre,* liv. VI, XLVIII, p. 161.
2. VICTOR HUGO : *Dernière Gerbe,* LXXII, p. 387.

nouveau une femme se fait ange. Léonie reçoit des lettres
passionnées :

> Tu es un ange et je baise tes pieds, je baise tes larmes.
> Je reçois ton adorable lettre. J'ai à peine le temps de t'écrire
> ce mot, pauvre galérien travaillant nuit et jour, mais toute
> mon âme est pleine de toi, mais je t'adore, mais tu es la
> lumière de mes yeux, mais tu es la vie même de mon
> cœur... Je t'aime, vois-tu... Je t'aime au-delà des paroles,
> au-delà des regards et des baisers... La caresse la plus pas-
> sionnée et la plus tendre est encore au-dessous de l'amour
> que j'ai pour toi et qui me déborde [1]...

> *Mercredi, 3 heures du matin.* — « Le baiser que tu m'as
> donné en partant, à travers ton voile, ressemble à l'amour
> à travers l'absence... C'est doux et triste, et enivrant pourtant.
> Il y a un obstacle, mais on se sent, on se touche... Tu n'es
> pas à mes côtés en ce moment, et pourtant je t'ai et je te
> vois là... Tes yeux charmants se fixent sur mes yeux. Je te
> parle, je te dis : « M'aimes-tu ? » et j'entends ta voix émue
> me répondre tout bas : « Oui. » C'est une illusion et c'est
> une réalité... Tu es bien là, oui, mon cœur te fait présente.
> Mon amour fait rôder autour de moi ton fantôme adoré
> et charmant... Et puis, néanmoins, tu me manques. Je ne
> suis pas longtemps dupe de moi-même... Je n'ai qu'à deman-
> der un baiser à ce fantôme pour qu'il s'évanouisse ; je ne
> puis le coucher près de moi qu'en rêve... Tiens, vois-tu, c'est
> charmant de songer à toi, mais j'aime encore mieux te
> sentir, te parler, te prendre sur mes genoux, t'entourer de
> mes bras, te couvrir et te brûler de mes caresses, te voir
> pâlir et rougir sous mes baisers, te voir frissonner dans mes
> embrassements... C'est la vie ; la vie pleine, entière, vraie.
> C'est le rayon du soleil ; c'est le rayon du paradis [2]... »

Lettres toutes semblables, hélas ! à celles qu'il avait écrites à
Juliette. C'est qu'un homme ne peut changer entièrement, que
le rôle de la Bien-Aimée est toujours le même et qu'il se borne

---

1. Lettre inédite. Collection Jean Montargis.
2. Lettre inédite. Collection Jean Montargis.

à le distribuer à une comédienne plus jeune, mieux faite pour cet emploi. Seulement le talent de l'actrice et sa nature donnent, chaque fois, au rôle, un ton différent. Léonie Biard n'était pas, comme Juliette Drouet, ardente et sauvage. Si elle se disait, elle aussi, une pauvre âme blessée (et touchait par là Hugo, chevalier, au point sensible), ses moues et ses sourires évoquaient plutôt Watteau que Delacroix. Or la mode littéraire la favorisait. C'était le temps où Gautier, Musset, Nerval se lassaient du Moyen Age et remettaient en honneur les grâces du xviiie siècle. Depuis quelques années, déjà, Hugo offrait à Juliette des chansons, des « guitares », des « trumeaux ». L'admirable *Fête chez Thérèse* fut-elle écrite pour Juliette ou pour Léonie ? On en peut discuter sans fin ; ce qui importe, c'est l'art avec lequel Hugo traite le thème des *Fêtes galantes*. Évoquait-il tel carnaval, tel bal costumé dans le parc de Samois ? Il évoquait surtout Lancret [1].

En 1845, les ennemis de Hugo avaient l'impression qu'il n'écrivait guère. En quoi ils se trompaient. Il composait de beaux poèmes sur sa fille et des madrigaux pour Léonie. Il travaillait au roman des *Misères*. Mais l'apparente frivolité de sa vie leur donnait de méchants espoirs. Trois ménages pèsent lourd sur les épaules d'un homme et trois femmes se plaignaient. A Juliette qui le rappelait à ses promesses, il répondait : « Que veux-tu que je te dise.... Tu as été longtemps ma joie ; maintenant tu es ma consolation.... Sois heureuse comme tu es bénie. Écarte de ton beau front et de ton grand cœur les petits chagrins du moment, les ombres, les nuages qui passent.... Tu mérites le ciel [2].... » Elle aurait souhaité un peu plus de paradis sur terre. Mais, bien plus que chez « Mme Drouet », il allait alors chez Mme de Girardin, chez Mme Hamelin, où il retrouvait Mme Biard. De celle-ci, heureusement, Juliette, qui vivait retranchée du monde, ne savait rien. Elle s'en prenait à Fortunée Hamelin. *4 décembre 1844* : « Je crois, hélas ! que vous réservez pour moi seule la correction des épreuves, la correspondance.... Les autres jouissent du reste. Aussi ai-je rêvé cette nuit que je flanquais une pile soignée à

---

1. Sur le problème posé par *La Fête chez Thérèse*, voir Paul Sou-CHON : *Pages d'amour de Victor Hugo*, pp. 134-136 ; Louis Guimbaud : *Victor Hugo et Madame Biard*, pp. 75-82 ; et Jean-Bertrand Barrère : *La Fantaisie de Victor Hugo*, pp. 373-376.
2. Cf. Louis Guimbaud : *Victor Hugo et Madame Biard*, p. 96.

votre Créole [1]. J'espère bien ne pas m'arrêter là et continuer, de jouer, cette exécution nocturne [2] !... »

A l'Académie, il se montrait assidu, grave, l'œil noyé d'ombre, le menton solennel et fort, parfois rebelle mais avec dignité. A la vérité, il y prenait, avec cet humour secret qu'il mettait sous boisseau dans son œuvre, des notes ironiques sur les conversations de ses confrères. De nouveaux venus entraient dans la maison du quai Conti : « Les vieux académiciens, disait Hugo, se pressent autour de ceux qui arrivent et sont dans l'âge de la force, comme des ombres du Purgatoire autour d'Énée et de Dante vivant, effrayés et surpris à la vue d'un corps réel. » Pour lui, son désir était de faire élire Balzac, Dumas, Vigny, ce qui prouve à la fois un jugement sain et de la générosité, car aucun des trois n'avait été sans torts envers lui.

Il lui fallut plus encore, de la magnanimité, quand Sainte-Beuve fut candidat. Celui-ci affirmait que cette ambition était, chez lui, voulue et contrôlée : « Je me la suis inoculée, disait-il. Je ne l'ai pas à l'état de petite vérole ; je l'ai à l'état de vaccine. » Toujours est-il qu'il l'avait et que l'élection de Hugo avait ouvert les portes à l'équipe romantique. Mais Sainte-Beuve ne pouvait être élu que si Vigny ne se présentait pas, ce qui dépendait de Hugo. Celui-ci montra la plus noble bienveillance envers deux hommes dont il avait à se plaindre. Il les conseilla, reçut Sainte-Beuve place Royale « en grand seigneur oublieux des injures passées [3] » et fit patienter Vigny. Il ignorait, à ce moment, l'existence du *Livre d'Amour*. Enfin Sainte-Beuve fut élu, le 14 mars 1844. Sa mère alla, ce soir-là, offrir des fleurs à la Vierge. Hugo, directeur en exercice au moment où était mort Casimir Delavigne, prédécesseur de Sainte-Beuve, devait recevoir celui-ci sous la Coupole. Il ne se déroba pas, heureux d'accabler un ennemi de ses bienfaits. Paris, qui attendait une séance piquante, vint en foule pour sourire et dut applaudir. Victor Hugo loua l'excellence du choix :

Poète, vous avez su dans le demi-jour découvrir un

---

1. Fortunée Lormier-Lagrave, plus tard Mme Hamelin (1776-1851), était née à Saint-Domingue.
2. Cf. Louis Guimbaud : *Victor Hugo et Madame Biard*, p. 101.
3. Pierre Audiat : *Ainsi vécut Victor Hugo*, p. 212 (Hachette, 1947).

sentier qui est le vôtre.... Votre vers, presque toujours dou
loureux, souvent profond, va chercher tous ceux qui souf
frent.... Pour arriver jusqu'à eux, votre pensée se voile, ca
vous ne voulez pas troubler l'ombre où vous allez les trouver...
De là une poésie pénétrante et timide à la fois, qui touche
discrètement les fibres mystérieuses du cœur.... Par ce mé
lange d'érudition et d'imagination qui fait qu'en vous le
poète ne disparaît jamais tout à fait sous le critique, et le
critique ne dépouille jamais entièrement le poète, vous
rappelez à l'Académie un de ses membres les plus chers et
les plus regrettés, ce bon et charmant Nodier, qui était si
supérieur et si doux [1]...

A propos de *Volupté* et de *Madame de Pontivy*, il insinua,
non sans malice, que Sainte-Beuve romancier avait « sondé des
côtés inconnus de la vie possible ». Ce qui était une délicate
manière de dire que ces possibles n'étaient pas devenus des
réalités. A propos de *Port-Royal*, un beau couplet sur le jansé-
nisme et la foi. Bref, il fallut, à regret, admirer. Sainte-Beuve
remercia. *Hugo à Sainte-Beuve :* « Votre lettre me touche et
m'émeut. C'est du fond du cœur que je vous remercie de votre
remerciement [2]... » Il fit relier, pour Adèle, les deux discours et
les lui offrit avec cette dédicace : « A ma femme ; double hommage, de tendresse parce qu'elle est charmante, de respect parce
qu'elle est bonne », et, sur la première page, il épingla la lettre de
Sainte-Beuve. Tels sont les miracles de l'Académie française.

Les ambitieux sont malheureux ; rien ne saurait les satisfaire.
Victor Hugo, depuis qu'il avait un habit vert, ne pensait plus
qu'à l'habit doré des pairs du royaume. Juliette ne voulait pas,
pour lui, d'une carrière politique : « Devenir académicien, pair
de France, ministre, qu'est-ce que cela pour celui que le bon
Dieu a fait Toto [3] ?... » Mme Biard, au contraire, stimulait et
appuyait cette ambition. Hugo était assidu auprès du roi, et Louis-
Philippe devenait avec lui amical et confidentiel. Le poète a laissé
du monarque un portrait, par propos rapportés, qui serait digne

---

1. *Discours prononcés dans la séance publique tenue par l'Académie
française,* le 27 février 1845, pp. 29-31.
2. Collection Spoelberch de Lovenjoul.
3. Cf. Louis Guimbaud : *Victor Hugo et Madame Biard*, p. 102.

de Retz ou de Saint-Simon. Le roi y apparaît humain, roublard, intelligent et souvent amer : « Monsieur Hugo, on me juge mal.... On dit que je suis fin. On dit que je suis habile. Cela veut dire que je suis traître. Cela me blesse. Je suis un honnête homme. Tout bonnement. Je vais droit devant moi. Ceux qui me connaissent savent que j'ai de l'ouverture de cœur [1]... » Victor Hugo, dont le roi prenait familièrement la main, était, par moments, tenté de le croire.

Cependant il manœuvrait. Démarches de la duchesse d'Orléans auprès de son auguste beau-père. Beaux discours à l'Académie française. « Toute sa grosse artillerie », comme disait Sainte-Beuve. Cette tactique emporta la victoire. Une ordonnance du 13 avril 1845 éleva à la pairie : *Le vicomte Hugo* (*Victor-Marie*). Les journaux républicains furent sarcastiques. Armand Marrast, dans *Le National,* décrivit l'entrée du poète au Luxembourg : « Une sorte d'illumination inconnue traversant les vitres est venue colorer d'un rouge vif les pâles tentures de l'enceinte.... M. Pasquier, couvert de son mortier, a lu l'ordonnance qui élève à la dignité de pair de France *Monsieur le vicomte* Victor Hugo.... Notre poitrine s'est dilatée.... Nous ne le savions pas ! Il était vicomte ! Nous avions eu un frisson de poésie ; nous avons été saisis de l'enthousiasme du blason.... Victor Hugo est mort, saluez M. le vicomte Hugo, pair lyrique de France ! La démocratie, qu'il a insultée, peut désormais en rire : la voilà bien vengée [2]... » Et Charles Maurice, dans son Courrier des Théâtres : « M. Victor Hugo est nommé pair de France : le Roi s'amuse [3]... » On disait, à Paris, qu'il voulait maintenant l'ambassade d'Espagne. « Ce qu'il y a de sûr, c'est qu'il a le ferme espoir de devenir ministre un jour [4]... » Quant à Juliette, elle demanda, dans sa lettre biquotidienne : « Pourquoi le bon Dieu, qui, de tout temps, avait eu en vue de faire de vous un académicien et un pair de France, et de moi votre amoureuse, pourquoi vous a-t-il prodigué ce luxe

---

1. VICTOR HUGO : *Aux Tuileries, 1844. Le Roi Louis-Philippe* (*Choses vues,* t. I, p. 124).
2. *Le National,* numéro du 17 avril 1845.
3. CHARLES MAURICE : *Histoire anecdotique du Théâtre et de la Littérature,* t. II, p. 260.
4. Lettre de Théodore Pavie à son frère Victor, citée par EDMOND BIRÉ dans *Victor Hugo après 1830,* t. II, p. 81.

de cheveux noirs et de jeunesse, inutiles à des emplois surannés, tandis qu'il m'a comblée de cheveux gris [1] ?... »

Pierre Foucher avait vécu juste assez pour voir sa fille pairesse ; ce vieil homme modeste mourut en mai 1845. La mort lui épargna un scandale, qui eût vivement choqué en lui, et le père de famille, et l'homme religieux. Le 5 juillet, à la requête d'Auguste Biard, le commissaire de police du quartier Vendôme se fit ouvrir, au nom de la Loi et au lever du jour, un discret appartement du passage Saint-Roch et y surprit « en conversation criminelle » Victor Hugo et sa maîtresse. L'adultère était alors sévèrement réprimé ; le mari se montra impitoyable. Léonie d'Aunet, « femme Biard », fut arrêtée et envoyée à la prison Saint-Lazare. Victor Hugo invoqua l'inviolabilité des pairs et le commissaire, après hésitation, le laissa partir. Mais Biard déposa une plainte auprès du chancelier Pasquier. Le lendemain, *La Patrie, Le National* et *La Quotidienne* parlaient, à mots couverts, d'un scandale déplorable et de l'obligation qui allait être faite, à la Chambre des Pairs, de juger pour adultère un de ses membres. Il fallut que le roi lui-même intervînt et fît venir le peintre Biard à Saint-Cloud, pour que celui-ci retirât sa plainte. On raconta que des fresques, commandées pour le château de Versailles, lui avaient fait oublier les frasques de sa femme.

Amis et ennemis rirent beaucoup de l'aventure, les uns derrière leur main, les autres ouvertement. Lamartine fut doux et cruel. *Alphonse de Lamartine au comte de Circourt :* « J'en suis fâché, mais ces choses-là s'oublient vite. La France est élastique ; on se relève même d'un canapé », et *à Dargaud :* « L'aventure amoureuse de mon pauvre ami Hugo me désole.... Ce qui doit être navrant pour lui, c'est de sentir cette pauvre femme en prison pendant qu'il est libre [2]... » Le roi avait conseillé à Victor Hugo de quitter Paris, pour un temps, mais il préféra s'enfermer chez Juliette Drouet, travaillant, dit Sainte-Beuve, « à je ne sais quelle œuvre dont il espère que l'éclat recouvrira l'autre [3] ». Juliette ignorait l'aventure. Alertée par sa sœur, Mme Louis Koch, qui,

---

1. Cf. Louis Guimbaud : *Victor Hugo et Madame Biard,* p. 106.
2. *Correspondance de Lamartine,* publiée par Valentine de Lamartine, t. VI, pp. 168 et 170.
3. Sainte-Beuve : *Correspondance générale,* t. VI, p. 221.

u fond de la Bretagne, lui avait écrit pour demander « ce que gnifiaient les articles et entrefilets parus au *National* et à *La atrie* », elle démentit, de bonne foi. Quant à la vicomtesse Victor Iugo, elle reçut les aveux du coupable, dès le matin du flagrant élit, avec mansuétude et alla jusqu'à visiter Mme Biard dans sa rison.

VII

GRANDEURS ET MISÈRES

L'apothéose a une terrible puissance d'abattre.
VICTOR HUGO.

L'AFFAIRE du passage Saint-Roch ne fit pas à la carrière de
Victor Hugo un mal durable. La seule victime avait été
Léonie Biard qui demeura emprisonnée à Saint-Lazare
parmi les filles publiques et les femmes adultères. Cependant Mme
Hamelin s'entremettait auprès du mari, son voisin de Samoi,
pour obtenir qu'il la fît libérer ou au moins transférer, comme
il en avait le droit, au couvent du Sacré-Cœur. « Mon voisin, lu
dit-elle gaiement, il n'y a que les rois et les cocus qui aient l
droit de faire grâce. Prenez le bon côté de la chose. » Il éclat
de rire et arrêta l'effet de la condamnation. La belle Léonie fu
alors enfermée plusieurs mois dans un monastère d'augustines
rue Neuve-de-Berri. Privée de son poète, qui continuait de lu
envoyer de beaux vers, elle s'y ennuya ferme, mais séduisit le
religieuses et leur fit lire Victor Hugo. Le 14 août 1845, la sépara
tion de corps et de biens fut prononcée entre les deux époux.

Sortie du couvent, la belle, fort peu repentie, se réfugia auprè
de sa grand-mère. Le monde, au début, se ferma devant elle, mai
Mme Hamelin l'aida et Mme Victor Hugo elle-même accepta d
patronner Léonie d'Aunet, qui devint l'un des ornements constant
du salon de la place Royale. Était-ce, chez Adèle, désir de montre
sa grandeur d'âme, acte de solidarité conjugale d'une épouse qu
n'était plus qu'une associée, acte d'expiation d'une femme coupa
ble et repentante, bon sens supérieur ou joie d'une revanche su
Juliette Drouet ? Toujours est-il qu'elle accueillit Léonie en ami
et que celle-ci devint sa conseillère intime en matière de toilette

et de décoration. Lamartine avait raison : on se relève de tout en France. Restait à faire vivre la dame répudiée. Elle écrivit un peu, publia quelques articles, puis des livres, et Hugo se montra généreux, moins qu'elle ne l'eût voulu, plus, disait-il, qu'il n'en avait les moyens : « Je voudrais tirer du sang de ma veine, mais le sang n'est pas de l'argent [1].... »

Il faut reconnaître que ses « rentrées » étaient alors assez petites, car il ne publiait rien. Il avait appliqué, après l'esclandre, la politique du silence. Non qu'il ne travaillât pas. Il avait repris un vieux projet, le roman des *Misères,* pour lequel il avait un traité avec Renduel et Gosselin. Le roman, social à la manière de ceux d'Eugène Sue, devait être en quatre parties : histoire d'un saint, histoire d'un forçat, histoire d'une femme, histoire d'une poupée.

Auguste Vacquerie, qui lut « le commencement de cette épopée », fut « étreint à la gorge par l'admiration ». On le comprend aisément. Victor Hugo exprimait, dans ce livre, la pitié sincère qu'il avait toujours ressentie pour les misérables et son indignation contre les fautes d'une société, qu'il semblait accepter et contre laquelle son cœur se révoltait. Juliette, chargée de copier *Jean Tréjean* (ce fut, un moment, le titre), en était bouleversée.

23 décembre 1845 : « Donne-moi à copier. Je suis impatiente de savoir la suite du bon évêque de D.... » *3 février 1848 :* « Je vois tout comme si j'y étais. Je ressens toutes les atroces tortures de ce pauvre Jean Tréjean et je pleure malgré moi sur le sort de ce pauvre martyr, car je ne connais rien de plus navrant que cette pauvre Fantine, et de plus douloureux que ce pauvre être abruti, Champmathieu. Je vis avec tous ces personnages et je partage leurs douleurs comme s'ils étaient de vrais personnages en chair et en os, tant tu les as faits nature. Je ne sais pas comment je te dis cela, mais je sais que tout ce que j'ai d'intelligence, de cœur et d'âme, est pris par ce sublime livre que tu appelles si justement *Les Misères* [2].... »

---

1. Cf. LOUIS GUIMBAUD : *Victor Hugo et Madame Biard,* p. 127.
2. JULIETTE DROUET : *Mille et une lettres d'amour à Victor Hugo,* pp. 344 et 354.

Juliette avait recueilli, sans le savoir, les bénéfices de l'incar-
cération, puis de la retraite forcée de Léonie Biard, et joui plus
qu'à l'ordinaire de la présence de son amant et maître. En 1846,
elle se trouva étroitement rapprochée de lui par un deuil aussi
affreux que celui de Villequier. Sa fille, Claire Pradier (à qui
« le prince de Furstenberg », marié, nanti d'une descendance
légitime, défendait maintenant de porter ce nom), avait été
officieusement adoptée par Hugo, qui avait payé la pension de
cette enfant, lui avait donné des leçons, l'avait comblée de pré-
sents et s'était sincèrement attaché à elle. Elle était devenue une
touchante et triste jeune fille, consciente de malheurs immérités et
amenée, par un désespoir intime, à souhaiter la mort. *Claire à
Victor Hugo :* « Adieu, monsieur Toto, ayez toujours bien soin
de ma chère maman, qui est si bonne et si charmante, et soyez
sûr que votre Claire en sera bien reconnaissante. » Or Claire,
peut-être après une tentative de suicide, était tombée gravement
malade ; Pradier l'avait fait transférer à Auteuil, dans « un
affreux petit taudis de boutiquier », et Victor Hugo, plus d'une
fois, avait quitté son travail et pris l'omnibus pour aller la voir.
Bien que ce dévouement fût en somme naturel, Juliette avait
considéré ces visites comme celles d'un dieu qui consentirait à se
manifester aux mortels. Elle adorait sa fille ; et pourtant, même
pendant l'agonie de Claire, elle écrivait encore son *gribouillis*
quotidien : « J'ai le désespoir dans l'âme, mais je t'aime. Le bon
Dieu peut me broyer le cœur à plaisir, s'il veut, mais le dernier
cri qui en sortira sera un cri d'amour pour toi, mon sublime bien-
aimé [1].... »

Lorsque Claire Pradier fut enterrée au cimetière de Saint-
Mandé, le vicomte Victor Hugo, pair de France, conduisit le
deuil avec le père, qui, pendant cette agonie, s'était montré plus
tendre. S'afficher dans des conditions équivoques, après un scandale
si récent, comportait pour Hugo un danger. Il l'accepta bravement, simplement, pour donner à la morte et à sa mère cette
suprême preuve d'affection. Homme arrivé, avec les faiblesses de
cet état, il gardait assez d'humanité pour assurer un jour son

---

1. JULIETTE DROUET : *Mille et une lettres d'amour à Victor Hugo,*
p. 325.

salut. Pour Juliette en deuil et pour l'ombre de Claire, il écrivit
plus d'un poème :

Quoi donc ? La vôtre aussi ! La vôtre suit la mienne !
O mère au cœur profond, mère, vous avez beau
Laisser la porte ouverte afin qu'elle revienne,
Cette pierre, là-bas, dans l'herbe, est un tombeau....

Elle s'en est allée à l'aube qui se lève,
Lueur dans le matin, vertu dans le ciel bleu,
Bouche qui n'a connu que le baiser du rêve,
Ame qui n'a dormi que dans le lit de Dieu [1] !...

Après la mort de Claire, les rapports du poète avec « le prince
de Furstenberg » demeurèrent fort cordiaux. Voici un article sur
l'art du sculpteur, dicté à Juliette Drouet par Victor Hugo :
« Parmi les statuaires, il en est un que beaucoup de belles œuvres
placent à une grande hauteur au-dessus des autres : c'est M.
Pradier.... M. Pradier est un   maître. Toute concurrence doit
disparaître devant lui.... Talent à la fois jeune et mûr, M. Pradier
est une des plus belles mains qu'ait jamais eues la statuaire [2].... »
Victor Hugo dînait parfois chez Pradier, avec Alphonse Karr,
ce qui réunissait autour de la même table trois amants de Juliette
Drouet. En 1845, l'année où Hugo avait été pris en flagrant délit
avec Mme Biard, Pradier avait, lui, surpris sa respectable femme
« en conversation criminelle » avec un autre larrron. L'ayant
chassée, il errait avec de jeunes modèles dans les bois de Meudon.
Cependant Juliette, séquestrée, remâchait son chagrin. « Si tu
ne m'aimais pas, disait-elle à Victor, je ne supporterais pas la
vie deux heures. » Elle avait perdu plus qu'elle ne possédait, car,
pendant les vingt années de sa vie, Claire n'avait guère vécu sous
le toit maternel. Pradier l'avait mise en nourrice ; plus tard,
élève interne d'un pensionnat, elle y était restée en qualité de
sous-maîtresse. Dans le désespoir de Juliette, il y avait une part
de remords inexprimés.

A la Chambre des Pairs, où le vicomte Hugo avait senti, en
juin 1845, après l'affaire Biard, souffler un vent de glaciale
froideur, il fit ses débuts à la tribune avec prudence. Quand on

1. Victor Hugo : *Claire* (*Les Contemplations*, liv. VI, p. 352-354).
2. Collection Simone André-Maurois.

passe pour inquiétant, il est adroit d'être terne. Victor Hugo parla, dans son premier discours, dessins et marques de fabrique ; c'était rassurant. La seconde fois, il intervint dans un débat sur la Pologne et fut mal accueilli. Ces vieillards hautains lui gardaient rancune « d'avoir traîné leur hermine dans la boue ». A la vérité, les pairs adultères ne manquaient point, mais ils ne s'étaient pas fait prendre. Tout est là. Il observait ces personnages pompeux d'un œil moqueur et, comme à l'Académie, prenait des notes humoristiques sur ses collègues. Sur le général Fabvier : « J'attendais un lion, je vis une vieille femme. » Sur le marquis de Boissy : « Il a l'aplomb, le sang-froid, la facilité de parole, tout l'accessoire d'un grand orateur. Il ne lui manque que le talent. » Rien de plus curieux que le contraste entre l'ironie glaciale et pure des *Choses vues,* digne de Stendhal, et le fastueux des discours à antithèses et balancements oratoires. Hugo-Maglia devait parfois sourire de Hugo-Ruy Blas.

Il y eut pourtant un discours qu'il fit avec bonheur. Ce fut pour appuyer la pétition de Jérôme-Napoléon Bonaparte demandant que sa famille fût autorisée à rentrer en France. Hugo évoqua son propre père, « vieux soldat de l'Empereur », qui lui ordonnait « de se lever et de parler ». Il peignit la gloire universelle de Napoléon et demanda par quel crime celui-ci avait mérité d'être frappé à jamais dans toute sa race : « Ces crimes, les voici : c'est la religion relevée ; c'est le Code civil rédigé ; c'est la France augmentée, au-delà même de ses frontières naturelles ; c'est Marengo, Iéna, Wagram, Austerlitz ; c'est la plus magnifique dot de puissance et de gloire qu'un grand homme ait jamais apportée à une grande nation [1] !... » Un huissier, ancien chef de bataillon, pleurait au pied de la tribune. Fortunée Hamelin et Léonie d'Aunet, bonarpartistes, triomphèrent.

Et lui ? Hugo ? Qu'était-il, au juste ? Adorateur de l'idole impériale ? Courtisan de la monarchie bourgeoise ? Ami des misérables ? Tant qu'un homme n'a pas pris un décret intérieur qui le lie, comment saurait-il ce qu'il est ? Que cela lui plût ou non, il était le vicomte Hugo, académicien, pair de France ; « la

---

1. VICTOR HUGO : *Discours du 14 juin 1847,* prononcé à la Chambre des Pairs (*Actes et Paroles,* t. I : *Avant l'exil,* p. 95).

face bien nourrie, carrée [1] », il dînait chez les ambassadeurs et chez les ministres. Il y voyait, assez loin de lui, dans les bouts de table, Alfred de Vigny, blond à profil d'oiseau, qui redevenait assez aimable parce qu'il était candidat quai Conti ; Sainte-Beuve, chauve et petit ; Pradier, avec ses longs cheveux et son air d'avoir quarante ans bien qu'il en eût soixante ; Ingres, « à qui la table venait au menton, si bien que sa cravate de commandeur semblait sortir de la nappe ». Il assistait aux spectacles des Tuileries ; la salle, plus fidèle que les spectateurs, conservait sa décoration Empire : lyres, griffons, palmettes et grecques. Peu de jolies femmes. Adèle, Espagnole mûrissante, demeurait la plus belle. Mlle George, jadis tonnante et triomphante, abordait Hugo, très vieille, très triste : « Où voulez-vous que j'aille ? Une grosse femme comme moi ! Et puis où sont les auteurs ? Où sont les pièces ? Où sont les rôles ?... Cette pauvre Dorval joue je ne sais où, à Toulouse, à Carpentras, dans des granges, pour gagner sa vie ! Elle est réduite comme moi à montrer sa tête chauve et à traîner sa pauvre vieille carcasse sur des planches mal rabotées, devant quatre chandelles de suif [2] !... » Les princes traitaient Hugo en ami et il ne s'étonnait même plus d'être leur familier. La Gloire et la Mort le poussaient au premier rang. Qui, dans les lettres, aurait pu le surclasser ? Chateaubriand, en 1847, était un vieillard paralytique que l'on portait tous les jours, à trois heures, près du lit de Mme Récamier, aveugle. A l'enterrement de Mlle Mars, qui l'avait tourmenté au temps d'*Hernani*, « actrice spirituelle, sotte femme », Hugo voyait le peuple de Paris, en blouse, chercher dans la foule les poètes. « Il faut à ce peuple de la gloire. Quand il n'a pas de Marengo ni d'Austerlitz, il veut et il aime les Dumas et les Lamartine. » Et les Hugo.

Une grande vie, en somme. Il avait écrit en dix ans, des *Feuilles d'Automne* aux *Rayons et les Ombres,* les quatre plus beaux recueils de vers français ; *Les Misérables* promettaient d'égaler *Notre-Dame de Paris ;* il gardait une chance d'être ministre. Il avait rencontré des tempêtes ; il en était sorti, sa gloire intacte. Et pourtant il n'était pas heureux. En revenant du

---

1. HENRI GUILLEMIN : *Victor Hugo par lui-même*, p. 6.
2. VICTOR HUGO : *Théâtre. Mademoiselle George* (*Choses vues*, t. I, pp. 237-238).

cimetière où l'on avait enterré la petite Claire, il avait médité sur
la vanité de ces vies agitées et mondaines :

> On jette sa parole aux sombres assemblées ;
> Devant le but qu'on veut et le sort qui vous prend,
> On se sent faible et fort ; on est petit et grand ;
> On est flot dans la foule, âme dans la tempête ;
> Tout vient et passe ; on est en deuil, on est en fête ;
> On arrive, on recule, on lutte avec effort....—
> Puis le vaste et profond silence de la mort [1] !

Au sortir de ces fêtes si belles, où les feuilles des branches
remuaient au vent doux de l'été parmi des clartés d'opéra, il
regardait la foule qui jetait à ces femmes ruisselantes de pierreries,
à ces hommes brodés et chamarrés, des regards hargneux et
sombres. Le pair de France, le bourgeois dont les placements en
rentes sur l'État allaient croissant, essayait de rassurer sa conscience.
Le luxe n'est-il pas utile à tous ? Le riche qui dépense ne distribue-
t-il pas des salaires ? Seulement il savait bien, lui qui avait un
jour, malheureux, vu à travers la vitre danser les heureux, que
le peuple ne demande pas seulement du pain, mais de l'égalité.
« Quand la foule regarde les riches avec ces yeux-là, ce ne sont
pas des pensées qu'il y a dans tous les cerveaux, ce sont des
événements. » Cependant, que faire ? Un homme arrivé est « en
situation » ; la machine sociale, construite avec adresse, le porte
de cylindre en cylindre, de laminoir en laminoir, de bal en bal,
de dîner en dîner et l'aplatit chaque jour un peu plus. Vingt
êtres sont là autour de lui, femmes, enfants, protégés, qu'il doit
faire vivre dans la société telle qu'elle est. Il faudrait, pour
s'arracher au courant, une résolution ou une révolution. Le
Victor Hugo qui écrivait *Les Misérables* pensait à l'une et à
l'autre. Se sentant coupable, il aspirait, pour se racheter, à quelque
dure proscription. Le désir de souffrir se mêlait en lui au désir
de grandir, le masochisme à l'ambition.

Désemparé, il cherchait à s'oublier. « *Recours à l'abîme.* »
Débutantes, aventurières, chambrières, courtisanes, en ces années
1847-1850, il semble atteint d'une sombre fringale de chair

---

1. Victor Hugo : *Pauca Meae*, XI (*Les Contemplations*, liv. IV, p.
232).

fraîche. L'amant romantique se donne des airs de roué et prend
le style de Valmont. A Esther Guimont, « courtisane des lettres [1] »,
maîtresse de son ami Émile de Girardin, ce billet cavalier : « A
quand le paradis ? Voulez-vous lundi ? Voulez-vous mardi ?
Voulez-vous mercredi ? Craignez-vous le vendredi ? Moi, je ne
crains que le retard ! V. H. » A Théophile Gautier, au peintre
Chassériau et à son propre fils Charles, Hugo dispute avec succès
le plus beau corps de Paris : celui d'Alice Ozy.

Liée avec le jeune Charles, qui avait, en 1847, vingt et un
ans, cette femme superbe et facile lui avait exprimé le désir
d'avoir, sur son album d'autographes, quelques vers du grand
poète. Hugo était venu chez elle et avait vu le lit splendide, en
bois de rose, avec incrustations de vieux sèvres. Alice reçut le
quatrain promis :

> A cette heure charmante où le couchant pâlit,
> Où le ciel se remplit d'une lumière blonde,
> Platon souhaitait voir Vénus sortir de l'onde ;
> Moi, j'aimerais mieux voir Alice entrer au lit [2].

Vénus prétendit s'offusquer de tant de liberté, sans doute
pour faire plaisir au jeune Charles, inquiet. Un quatrain répara-
teur fut écrit :

> Un rêveur quelquefois blesse ce qu'il admire.
> Mais, si j'osai songer à des cieux inconnus,
> Pour la première fois aujourd'hui j'entends dire
> Que le vœu de Platon avait blessé Vénus [3] !

Arriva ce qui devait arriver. Le père, après le fils, triompha,
et le gros Charles souffrit — respectueusement, car le *pèrissime*
(comme l'appelaient, entre eux, ses enfants) lui imposait. Puis
étant, lui aussi, poète, il lapida de strophes la cruelle :

> J'aime et je hais ton corps ! J'aime et je hais ta vie !
> Ta vie, hélas ! d'amour et de luxe suivie ;

---

1. FRANCIS AMBRIÈRE : *Esther Guimont, courtisane des lettres,* article
publié dans *Minerve,* numéro du 29 septembre 1945.
2. Cf. RAYMOND ESCHOLIER : *Un Amant de Génie,* p. 279.
3. *Opus cit.,* p. 281.

Sort tour à tour bon et mauvais.
Je vais à chaque instant de l'un à l'autre extrême :
Je t'aime et je te hais. Pour ton amour, je t'aime,
Mais, pour tes amants, je te hais [1] !...

Mais le génie l'emporta sur la jeunesse. La jeunesse enfin s'inclina. *Charles Hugo à Alice Ozy :* « Pourquoi avoir écrit cette lettre à mon père ? D'une part, le fils avec un cœur pur, un amour profond, un dévouement sans bornes ; d'autre part, le père avec la gloire. *Vous choisissez le père et la gloire.* Je ne vous en blâme pas. Toute femme eût fait comme vous ; seulement vous comprendrez que je ne sois pas assez fort pour supporter toutes les douleurs que me prépare *votre amour ainsi partagé* [2]. » Cependant Adèle Hugo, confidente de ce drame comme de toutes choses, consolait son fils ; et Juliette Drouet, à laquelle on avait seulement dit que Charles souffrait d'une liaison brisée, conseillait de l'envoyer à Villequier chez Auguste Vacquerie. L'offense, une fois encore dans l'histoire des Hugo, « tombait du père au fils ».

Toutes ces coucheries, qui n'avaient plus l'excuse de la passion, laissaient après elles quelque chose d'amer. « Étourdir la vie, ce n'est pas jouir. » Encore une fois Hugo souhaitait s'arracher, fût-ce par la souffrance, aux tentations.

Depuis la tragédie de Villequier, depuis les morts de Léopoldine et de Claire, un besoin nouveau naissait en lui, celui d'une croyance qui lui permît de penser qu'il retrouverait un jour ces jeunes mortes. « *Est-ce qu'il est vraiment impossible, doux ange, — De lever cette pierre et de parler un peu ?* » Il méditait sur la vie d'outre-tombe ; il cherchait à se faire une philosophie religieuse ; il étudiait les occultistes qui enseignaient que, dans ce monde même, la communication est possible avec les âmes disparues. Voilà les pensées qui expliquent le regard distant et voilé de cet homme jeune, fort et en apparence triomphant. Le 19 février 1848, à son banc de pair, en proie à je ne sais quelle rêverie, il écrivit sur une feuille de papier : « La misère amène le peuple aux révolutions et les révolutions ramènent le peuple à

---

1. Cf. Raymond Escholier : *Un Amant de Génie,* pp. 282-283.
2. Cf. Raymond Escholier : *Un Amant de Génie,* p. 293.

la misère. » Il pensa un instant à des actions possibles, puis, se sentant isolé, renonça. « Mieux vaut encore ne pas se lever que se lever seul, dit-il au comte Daru, j'aime le danger, mais je hais le ridicule [1]. » Il continua donc de jouer son personnage, non sans un serrement de cœur.

1. Victor Hugo : *1848. L'Interpellation* (*Choses vues*, t. I, p. 301).

*Imprimé sur les presses
de l'Imprimerie Saint-Joseph,
Montréal.*